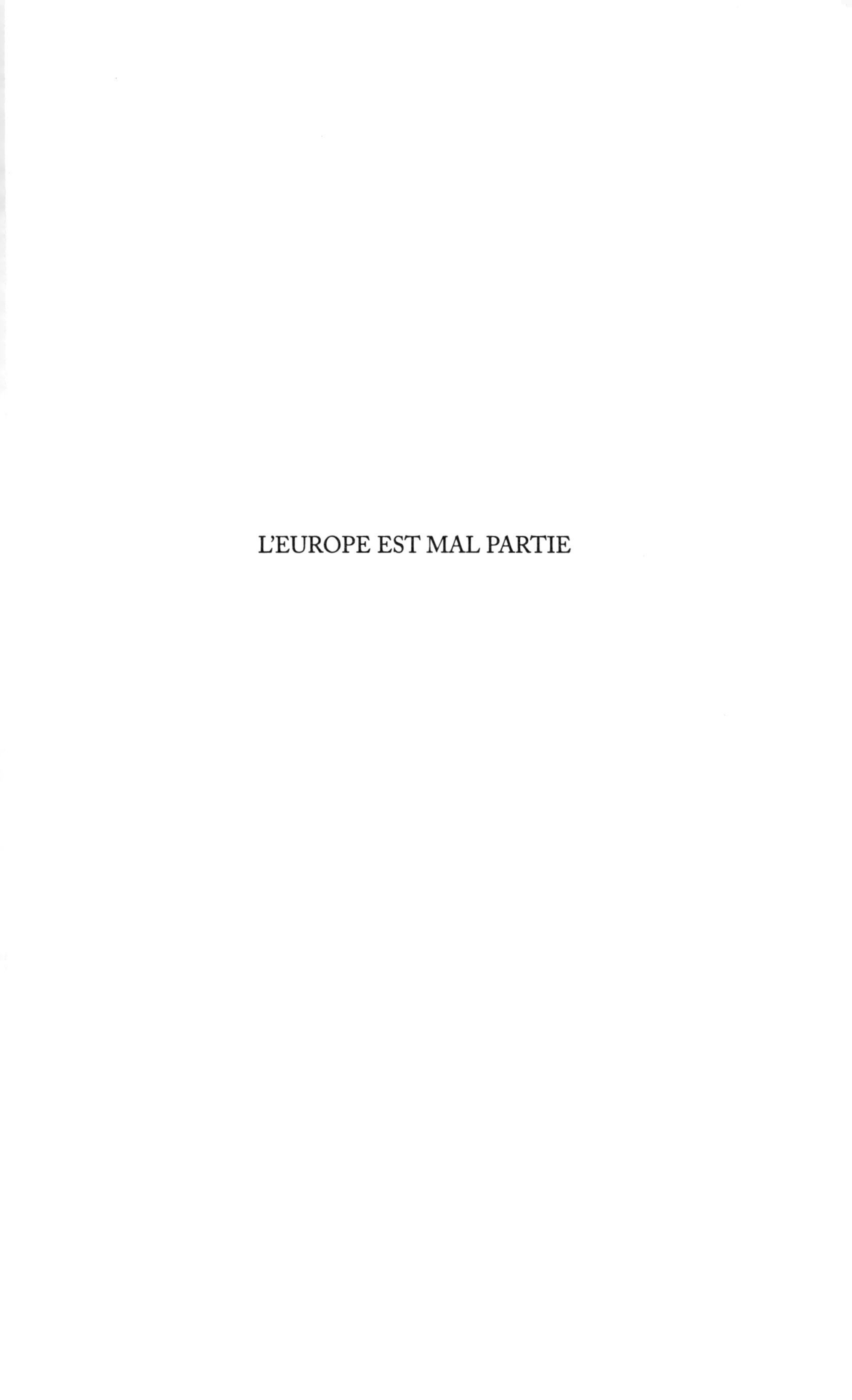

L'EUROPE EST MAL PARTIE

DU MÊME AUTEUR

Le Complot de novembre, Lattès, 1996.
French Blues, First, 1997.
L'Égyptien, Lattès, 1998.
Le Commerce des illusions, Lattès, 1999.
Les Guerres du luxe, Fayard, 2001.
Arabie Saoudite, la menace, Fayard, 2003.

Stéphane Marchand

L'EUROPE EST MAL PARTIE

Fayard

Pour Ombeline
ma petite Européenne

PREMIÈRE PARTIE

LA CONSTITUTION QUI VOULAIT DOMPTER L'ÉLARGISSEMENT

« Si, dans dix ans, nous n'avons pas réussi à donner une âme, une signification à l'Europe, alors nous aurons perdu la partie. »

Jacques DELORS,
cathédrale de Strasbourg, 7 décembre 1999.

1

Le petit matin de la Grande Europe

Élargissement ? Le mot a été mal choisi. Il contient un je-ne-sais-quoi de mécanique et de poussif. Un peu d'arrogance, aussi, de la part de ceux qui l'ont inventé. Comme si le modèle qui s'élargit avait vocation à recouvrir l'autre, à le dominer. Le mot trahit un sentiment de supériorité, celui qu'exprime le ministre français des Finances, un certain Laurent Fabius, homme de gauche cultivé et grand Européen jusque récemment, quand il balaie en 2001 d'un geste agacé et méprisant ces pays « que personne ne pourrait placer sur une carte[1] ». En ce 1er mai 2004, quand l'Union que constituent quinze pays d'Europe occidentale absorbe dix nouveaux pays, d'Europe centrale et orientale, plus les îles de Malte et de Chypre, la liesse n'est pas au rendez-vous. À l'est de l'ancien rideau de fer, on est naturellement content. Dans Varsovie, quand minuit sonne, un gigantesque feu d'artifice éclaire le ciel. Chacun essaie de ne pas penser aux prix qui vont flamber en Pologne avec l'adhésion, et regarde le président Kwasniewski hisser seul le drapeau européen sur la place Jozef Pilsudski. À ses côtés, le cardinal-

1. Entretien avec l'auteur.

primat Jozef Glemp a les larmes aux yeux. C'est ici, sur cette même place du centre-ville, que Karol Wojtyla avait célébré une grand-messe à l'occasion de sa première visite en Pologne, en 1979, en tant que pape Jean-Paul II, et tout le monde a retenu sa prophétie d'alors : « L'Europe doit respirer avec ses deux poumons, celui de l'ouest et celui de l'est. »

Le cardinal s'adresse à la foule : « Aujourd'hui, les nations de l'Europe entreprennent l'œuvre la plus grande et la plus courageuse de leur histoire ! » Dans le centre de la capitale polonaise, des milliers d'hommes et de femmes sont venus assister à la cérémonie, et surtout à un grand concert en plein air, retransmis en direct dans une trentaine de pays. Au même moment, à quelques centaines de kilomètres plus à l'ouest, à la frontière germano-polonaise, sur le pont qui enjambe l'Oder, entre Francfort et Slubice, les ministres allemand et polonais des Affaires étrangères, Joschka Fischer et Wlodzimierz Cimoszewicz, se serrent longuement la main.

Mais il n'y a pas que du bonheur, pendant que les fusées multicolores explosent au-dessus de la capitale polonaise. Près de 2 000 manifestants s'apprêtent à défiler contre l'Union. Réunis à l'appel de la Ligue des familles polonaises, organisation nationaliste ultra-catholique, ils attendent que la fête soit finie pour se rassembler autour du drapeau que le chef de l'État vient de hisser. Au pied du mât, quelques heures plus tard, ils hurleront leurs phobies. Partout en Europe, des partis et des groupuscules plus ou moins minoritaires dénoncent l'Union européenne comme le véhicule d'une future dictature. Ils crient leurs slogans en polonais et en anglais : « Oui à une Pologne libre ! Non à l'UE ! UE = URSS ! »

Ce 1er mai est un rendez-vous équivoque. À l'ouest, les opinions abreuvées depuis des mois de couvertures de presse sont plus inquiètes que joyeuses. Elles ne manifestent aucune satisfaction, comme si l'événement n'avait ni portée ni conséquences pour elles. Les vingt-cinq chefs d'État et de gouvernement organisent quant à eux une petite cérémonie en Irlande. À Paris, le ministère des Affaires étrangères offre au quai d'Orsay un cocktail très convenu aux ambassadeurs des pays entrants. Dans Paris indifférent, il faut pousser jusqu'au Banana Café, quartier général souverainiste, pour trouver des gens que l'affaire intéresse. Ou plutôt qu'elle révulse. On est loin de la fraternité des premiers élargissements qui allaient de soi pour tout le monde et déboucheraient sur des miracles économiques. Grâce à leur adhésion à la Communauté européenne, l'Espagne[1] et l'Irlande[2] sont passées de l'état de pays semi-développés à l'état de pays modernes particulièrement performants. Pourquoi l'esprit de 2004 est-il donc si sombre ?

Tout se passe comme si le ressort festif était cassé. Au lieu de considérer l'entrée dans l'Union européenne de dix nouveaux pays frères, martyrisés par le communisme pendant un demi-siècle, comme l'accomplissement d'un destin retardé, on dirait que les nantis de l'Ouest n'y voient plus désormais qu'un avatar supplémentaire de la mondialisation, ce bulldozer qui piétine notre quiétude cossue et pulvérise les hautes haies derrière lesquelles nous nous abritions durant les belles années de la guerre froide. Les nouveaux venus sont des frères chassés de la maison familiale par le partage de Yalta, mais c'est là déjà de l'histoire ancienne. Pour les pays occidentaux empêtrés dans leur gabegie budgétaire, les arrivants sont avant tout perçus d'un côté comme des consommateurs à choyer, de l'autre comme des concurrents qui pratiquent une fiscalité déloyale et

1. En 1986.
2. En 1973.

attirent vers leurs territoires les emplois qui fuient l'Ouest et ses coûts salariaux prohibitifs. Pour les Quinze de la « vieille Europe », les Dix de la « nouvelle Europe » sont presque des intrus.

Comment en est-on arrivé là ? En allant trop vite ? Non : en agissant trop lentement.

Entre la chute du mur de Berlin en 1989 et l'élargissement de 2004, l'Europe a gaspillé quinze années psychologiquement cruciales. Quand l'URSS implose et livre à elles-mêmes les anciennes républiques populaires d'Europe centrale et orientale, les Européens de l'Ouest sont placés devant un choix qu'ils n'ont pas souhaité. Les accueillir à bras ouverts, d'une manière ou d'une autre, tout de suite, comme l'imagine un instant François Mitterrand ? ou bien les faire patienter ? C'est l'approche graduelle qui va être retenue. Au sommet de Copenhague de 1993, ceux qu'on appelle les « Pecos » (les pays de l'Europe centrale et orientale), en guise d'accueil en fanfare, se voient proposer un long sas de décompression. Avant d'adhérer à l'Union – ce qui ne leur est donc pas reconnu comme un droit absolu et immédiat, en dépit de leur histoire et de leur culture millénaires –, chaque pays candidat devra montrer patte blanche, prouver qu'il est une démocratie stable, une économie de marché, et intégrer progressivement dans ses lois toutes celles de l'Union. Bref, comme on dit en jargon bruxellois, il va devoir absorber à marches forcées l'« acquis communautaire », c'est-à-dire tout ce que l'Europe de l'Ouest a fait sien depuis les années 50. L'Ouest demande à l'Est un gigantesque effort tout en lui proposant, il est vrai, une aide. Dès le départ, les retrouvailles se transforment en marché. Une « mise à niveau » contre des milliards.

Il suffit toutefois de se pencher sur les chiffres pour découvrir que cette aide est plutôt modeste. À titre de comparaison, rappelons-nous que les *Länder* de l'Est allemand, où vivent

15 millions d'âmes, ont atteint en 2001 tout juste 50 % du revenu par tête dont jouissent les Allemands de l'Ouest, et ce après des transferts cumulés d'environ 1 000 milliards d'euros depuis 1990. Alors qu'au cours de cette même période de onze ans les sommes données ou prêtées par l'UE, y compris celles de la BERD et de la BCE, dépassent à peine 100 milliards d'euros pour les 71 millions d'habitants des Pecos[1]. L'Ouest s'offre donc un élargissement relativement bon marché, mais les sommes qu'il y consacre vont grever provisoirement son économie et l'affaiblir, notamment face aux États-Unis. L'élargissement permanent de l'Europe est un pari de long terme sur la capacité de l'ensemble européen à s'aligner sur ses parties les plus dynamiques après avoir résorbé les retards des plus faibles. Mais, dans l'intervalle, il freine cet ensemble. Ces 100 milliards d'euros sont partis en infrastructures, mais n'ont pas été investis dans la recherche ou dans des entreprises rapidement rentables. Le pari en est vraiment un, car, si l'édifice élargi n'atteint pas une vitesse minimale, alors, comme une bicyclette, il risque de s'effondrer ou de stagner indéfiniment. Les analystes les plus objectifs ne recommandent donc pas de rêver pour la Pologne un développement aussi fulgurant que celui de l'Espagne : il faudra sans doute attendre quarante ans avant qu'elle ne rejoigne la moyenne de l'Union en termes de niveau de vie. À part Chypre, Malte et la Slovénie, les dix nouveaux pays entrants sont infiniment plus pauvres que ne l'étaient la Grèce, l'Espagne et le Portugal lors de leur entrée dans ce qui était alors la CEE[2]. La patience est de rigueur.

Mais revenons en arrière et imaginons ce qui se serait passé si l'Union avait embrassé tout de suite les dix pays frères. Elle serait devenue pour eux un symbole de liberté. On n'aurait pas

1. François-Georges Dreyfus, « Quel élargissement pour quelle Europe ? », *La Revue de la Défense nationale*, 1er juillet 2003.
2. Communauté économique européenne.

parlé d'élargissement, terme technocratique inventé à Bruxelles, mais bel et bien de réunification. En 1989, quand les habitants de la République fédérale d'Allemagne comprirent que la muraille qui les séparait de leurs frères de la République démocratique allemande était tombée pour toujours, aucun d'entre eux n'aurait eu l'idée d'évoquer l'« élargissement » de l'Allemagne, quand bien même il était entendu que le modèle occidental l'emportait sans conteste sur le modèle délabré et discrédité de l'Est. Le mot « réunification » est alors venu naturellement, et tout le monde parle désormais de la « réunification allemande ». Certes, elle a été opérée dans la précipitation, des erreurs ont été commises, mais, au bout du compte, la greffe a pris. Agir autrement à l'égard des *Ossis* aurait constitué une lourde faute politique.

Ce retard à l'allumage de la générosité européenne envers les anciens pays du pacte de Varsovie a eu des conséquences politiques incalculables. Car, au moment où le Mur tombe, les États-Unis veillent. De leur point de vue, l'Europe est un adversaire commercial majeur, et ils comprennent instinctivement le parti à tirer de son indécision. Avant même que ne soit lancé le processus de candidature de ces pays à l'Union européenne, ces derniers sont invités à entrer dans l'OTAN qui s'engage à garantir leur sécurité, notamment – même si cela reste implicite – contre la Russie, leur ancien maître. Pour eux, c'est donc l'Organisation du traité de l'Atlantique Nord, en un mot l'Amérique, qui va incarner la liberté et la sécurité. L'Union européenne, ce sera le tiroir-caisse – et ce sera pour plus tard.

En 2004, après un demi-siècle de domination soviétique et presque quinze ans d'une transition traumatique et inachevée, ces pays ne sont pas portés aux états d'âme. Dans leur hiérarchie des valeurs, les États-Unis et l'Europe occidentale se situent à des niveaux différents. L'Amérique, c'est leur survie. L'Europe, c'est leur bien-être. Quand la Pologne achète des chasseurs F-16 américains plutôt que des Eurofighters, c'est un signe : elle cède à celui qu'elle estime être le plus fort. Quand la même Pologne négocie pied à pied, pendant des années, les subventions que toucheront ses agriculteurs, une fois dans l'Union, c'est un autre signe : il faut faire « cracher » Bruxelles.

Pour avoir trop tardé à leur ouvrir les bras, l'Union européenne a perdu cette dimension existentielle aux yeux des nouveaux arrivants. Ils ne veulent pas du cadre européen pour y traiter des grandes questions de politique étrangère et de sécurité. Ils veulent uniquement y jouir du plus large pouvoir possible afin d'infléchir la politique budgétaire communautaire en leur faveur. L'Europe, vue de l'Est, c'est une bourse, et ce qui compte, c'est de s'approcher de ses cordons ! La Pologne, le plus grand des pays entrants, en offre un exemple frappant. Aux élections européennes du 13 juin 2004, alors que c'est la première fois que les Polonais élisent des députés au Parlement européen, ils manifestent une indifférence radicale vis-à-vis de cette institution. C'est dans ce pays que l'on enregistre le taux d'abstention le plus élevé des vingt-cinq pays membres. Seuls 20,8 % des électeurs inscrits se déplacent, et beaucoup de ceux qui viennent voter le font pour exprimer une profonde colère à l'égard de la machine européenne. Cette faible participation s'explique aisément : à Varsovie comme dans toutes les capitales des nouveaux États membres, on ne voit pas le Parlement européen comme un centre de pouvoir, mais plutôt comme un salon où l'on cause. Cette opinion est totalement fausse, mais néanmoins très enracinée, y compris dans certains pays de l'Ouest, en France par exemple.

Pour la Pologne comme pour tous les pays qui négocient depuis cinq à dix ans leur adhésion à l'Union, le pouvoir, en Europe, c'est la Commission de Bruxelles. C'est avec elle qu'ils ont négocié, c'est d'elle qu'ils ont obtenu subsides et contraintes. Elle est le bâton et la carotte. Pour eux, être présents à Bruxelles à travers la personne d'un commissaire est absolument essentiel, et ils ont beaucoup de mal à admettre qu'un jour il faudra renoncer à ce que chaque pays « possède » le sien propre. Le Conseil européen, cette arène où siègent tous les six mois les dirigeants de l'Union, trouve davantage grâce à leurs yeux. Cette foire aux ego nationaux se débrouille parfois pour grignoter les prérogatives de la Commission, et il ne faut donc pas la négliger.

Les nouveaux arrivants pensent donc avec leur ventre, mais il serait trop facile de leur faire porter l'entière responsabilité du malaise qui afflige la vie de l'Union européenne.

De quand date exactement ce spleen indéfinissable qui s'est installé au sein de l'Union, ou plutôt au sein de certains pays de l'Union ? Depuis que l'idée maîtresse qui a fondé l'Europe s'est estompée sans avoir été remplacée par une autre. Cette idée des glorieux débuts, apparue juste après la fin de la Seconde Guerre mondiale, disait que la création d'un marché commun allait consolider la paix. Dans les années qui suivirent 1945, la stabilité et la paix retrouvées étaient en elles-mêmes des gains immenses et inespérés, des raisons de vivre au sens strict du terme. Mais, au fur et à mesure que la guerre s'éloignait, que la paix devenait une évidence irréfutable au même titre que l'oxygène que l'on respire, le lien magique entre les Européens commença à se distendre. Quand on avait quarante ans en 1950, l'Europe unie était un miracle digne d'émerveillement. Pour le quadragénaire de 2004, l'idée d'une guerre entre pays européens est devenue si impensable – les Balkans sont rejetés dans une autre zone de l'inconscient collectif, aux marges barbares de l'« Europe turque » – que l'Union n'est plus du tout perçue comme un triomphe du Bien contre le Mal, mais plutôt comme un droit acquis jamais suffisant, et donc comme une frustration.

Depuis 1975 environ, l'« effet Europe » s'est inversé. De garantie de paix, la technostructure européenne en est venue, au fil des ans, à incarner une menace pour la démocratie et les identités nationales. Le processus de construction est de plus en plus décrié pour son déficit démocratique, et l'intégration européenne devient le bouc émissaire de la désintégration nationale, le cheval de Troie de la mondialisation. En outre, en 1975, quand les « trente glorieuses » s'achèvent, le retournement du cycle économique finit de brouiller les repères. Le vieillissement démographique et la dérive des systèmes de couverture sociale installent à l'Ouest l'idée que l'Europe coûte plus qu'elle ne rapporte. Plus l'Europe vieillit, plus elle se sent incapable de financer ses futurs membres, et cet affaissement comptable fait peser une sourde menace de long terme sur la cohésion de l'espace européen. Au printemps 2004, quand les Dix font leur entrée, presque tous les grands pays de la « vieille » Europe sont dans les affres du déficit budgétaire et de l'accumulation de la dette. La « Lettre des Six[1] » est la manifestation de cette lassitude générale. Elle déclare que, malgré l'élargissement et les besoins qu'il crée, le budget de l'Union ne doit pas progresser de plus de 1 % par an. En froids termes techno-financiers, c'est tout simplement la fin d'un certain élan européen : maintenant, on compte, on mégote !

La coupe est pleine et la digestion sera longue avant que les contribuables de la « vieille Europe » retrouvent le goût de l'extension vers l'est. Encore, s'ils voyaient venir à eux des

1. L'Allemagne, le Royaume-Uni, la France, les Pays-Bas, la Suède et l'Autriche.

pays jeunes, mais bien des nouveaux membres ont des pyramides des âges encore plus inquiétantes que les nôtres ! La « nouvelle Europe » que chantent les Américains n'est pas jeune, tant s'en faut. Alors que nous sommes obsédés par l'avenir de nos systèmes de retraites, cette invasion d'un surcroît de troisième âge nous perturbe ! Après la Seconde Guerre mondiale, les Européens étaient jeunes, pauvres et ambitieux. En 2004, ils sont vieux, riches et inquiets. Le rêve européen prend sa retraite.

2

Le rêve distendu

Les nostalgiques de la petite Europe partagent tous le même souvenir. Nous sommes en 1950. Il y a cinq ans que la Seconde Guerre mondiale, avec ses 50 millions de morts, s'est achevée. Six pays décident de se constituer en communauté : Allemagne fédérale, France, Belgique, Italie, Luxembourg et Pays-Bas. Avec une idée simple : plus jamais ça. Cette ambition est contenue dans un discours fondateur rédigé par un certain Jean Monnet, commissaire au Plan de la République française, et lu le 9 mai 1950 par Robert Schuman, ministre français des Affaires étrangères :

« Pour que la paix puisse vraiment courir sa chance, il faut d'abord qu'il y ait une Europe, une Europe où la Ruhr, la Sarre et les bassins français travailleront de concert et feront profiter de leur travail pacifique tous les Européens sans distinction, qu'ils soient de l'Est ou de l'Ouest. »

Le projet de Schuman, auquel le chancelier allemand Konrad Adenauer a donné son accord de principe, est immense, et l'effroyable massacre qui vient à peine de s'achever l'éclaire d'une lumière particulière.

« La paix mondiale ne saurait être sauvegardée sans des efforts créateurs à la mesure des dangers qui la menacent.

La contribution qu'une Europe organisée et vivante peut apporter à la civilisation est indispensable au maintien des relations pacifiques. En se faisant depuis plus de vingt ans le champion d'une Europe unie, la France a toujours eu pour objet essentiel de servir la paix. L'Europe n'a pas été faite ; nous avons eu la guerre. L'Europe ne se fera pas d'un seul coup, ni dans une construction d'ensemble : elle se fera par des réalisations concrètes – créant d'abord une solidarité de fait. Le rassemblement des nations européennes exige que l'opposition séculaire de la France et de l'Allemagne soit éliminée : l'action entreprise doit toucher au premier chef la France et l'Allemagne. »

Dont acte. Le gouvernement français suggère de faire porter dans l'immédiat l'action sur un secteur limité, mais décisif : le charbon et l'acier. Il propose de placer l'ensemble de la production franco-allemande de charbon et d'acier sous une Haute Autorité commune, au sein d'une organisation ouverte à la participation des autres pays d'Europe. La mise en commun des productions de charbon et d'acier assurera d'emblée l'établissement de bases communes de développement économique, première étape d'une fédération européenne. Il faut casser l'engrenage fatal qui a poussé les sidérurgistes français et allemands à fabriquer des armes de guerre et à dresser les deux pays l'un contre l'autre. La Communauté européenne du charbon et de l'acier (CECA) a été conçue ce jour-là, même si sa vraie naissance attendra encore quelques mois[1]. Toute l'aventure européenne est donc partie de cette volonté que jamais plus les fabricants de canons ne puissent servir les desseins de dictateurs. C'est donc dit : dès sa création, la Communauté

1. Le 18 avril 1951, l'Allemagne, la Belgique, la France, l'Italie, le Luxembourg et les Pays-Bas signent le traité de Paris instituant la première Communauté européenne du charbon et de l'acier.

européenne, qui deviendra Union européenne avec le traité de Maastricht, quarante ans plus tard, a vocation à s'élargir à l'ensemble des pays européens sans qu'aucune limite soit fixée *a priori* à cette extension.

Les Américains ont contribué à ce développement. Dès le début de l'année 1950, Robert Schuman s'est vu confier une mission par ses homologues américain et britannique : faire des propositions en vue de réintégrer l'Allemagne dans le concert européen occidental. Il bénéficie alors de l'aide de Jean Monnet, Européen influent qui préparera une déclaration politique en ce sens.

La CECA, créée par le duo Schuman-Monnet en cette année 1951 réunit les trois « Grands » de l'époque : la France, qui lance le projet, et les deux vaincus de 1945, l'Allemagne et l'Italie. La Grande-Bretagne, sollicitée, décline l'invitation. La CECA débouche sur les deux traités de Rome de 1957 : celui qui crée la Communauté économique européenne et celui qui fonde Euratom. Ce ne sont pas des communautés fermées : il existe des critères pour y adhérer et des critères pour rester au-dehors. Par exemple, le Maroc voulait y entrer, mais s'est heurté à un refus car, géographiquement, il ne fait pas partie de l'Europe, expliqua-t-on à l'époque. Un jour, la candidature de la Turquie déclenchera les mêmes polémiques, mais on l'ignore alors.

Rapidement, l'Europe grandit. En 1973, le Royaume-Uni, l'Irlande et le Danemark adhèrent (la Norvège, pressentie, n'a pas ratifié). En 1981, c'est au tour de la Grèce. Cinq ans plus tard, l'Espagne et le Portugal rejoignent le club. C'est l'Europe des Douze, et nos nostalgiques concèdent à mi-voix que cette époque fut l'âge d'or de la construction européenne. À douze, les pays fondateurs avaient encore la sensation de préserver la flamme. Jusqu'en 1995, on a effectivement le sentiment enivrant de bâtir l'Europe. Cette année-là, l'Autriche, la Finlande et la Suède entrent dans l'Union. Nos nostalgiques pressentent confusément que la magie s'est brisée net à cet instant. L'atmosphère ne serait plus jamais la même. Jusque-là, on construisait avec ardeur sur la base d'un projet politique. À partir de là, on va gérer, et Valérie Accary peut soupirer : « Pourquoi l'Europe est-elle si économiquement nécessaire et si profondément ennuyeuse[1] ? » Les Latins du club murmurent que l'arrivée de deux Nordiques de plus a brisé l'envol, mais c'est peut-être tout simplement qu'on est maintenant quinze, trop nombreux pour s'écouter les uns les autres et vouloir travailler ensemble. Aussi, le 1er mai 2004, quand l'Union passe de quinze à vingt-cinq membres, les dernières illusions s'évanouissent. À présent, la salle du Conseil des ministres est si vaste – cinquante personnes, chaque ministre ayant le droit d'être accompagné d'un collaborateur – que l'on ne voit plus le visage de ses homologues que sur un écran de télévision. C'est dire si l'Europe est devenue virtuelle !

Pour nous rassurer, rappelons tout de même que tous les élargissements ont connu leurs mauvais moments. La construction européenne a parfois failli s'arrêter. À deux reprises, par exemple – en 1963, puis en 1967 –, la France oppose son veto à l'entrée de la Grande-Bretagne dans la Communauté économique européenne. Celle-ci s'enlise alors dans un bourbier politique et institutionnel. Il faudra attendre le départ du général de Gaulle, démissionnaire en avril 1969 après un référendum raté, pour que la situation se débloque. Lors d'une conférence de presse restée célèbre, le 10 juillet 1969, le nouveau président de la République française, Georges Pompidou, résume ses nouvelles priorités pour la CEE dans une formule lapidaire : « Achève-

1. Agence de publicité CLM/BBDO, *L'art de saisir ce qui commence*, 1999.

ment, approfondissement et élargissement. » Pense-t-il sérieusement que les trois démarches soient compatibles ? Devine-t-il que les unes nuiront aux autres ? Le réflexe politique l'emporte : la France doit conduire l'Europe et animer sa construction pour recouvrer sa grandeur passée. Pour Pompidou, cela ne fait aucun doute. La formule fait mouche et les Pays-Bas, qui président à ce moment la CEE, saisissent la balle au bond et convoquent une réunion des chefs d'État ou de gouvernement à La Haye, les 1er et 2 décembre 1969. À l'issue de cette réunion, les dirigeants européens marquent leur accord pour l'ouverture de négociations entre la Communauté et les quatre pays candidats à l'adhésion (Danemark, Grande-Bretagne, Irlande et Norvège).

En Europe, les élargissements se suivent, mais ne se ressemblent pas. L'élargissement au nord de 1973, pour accueillir Londres, Copenhague et Dublin, est un élargissement de type économique. L'élargissement vers le sud sera une tout autre affaire. Le 1er janvier 1986, on passe de neuf à douze États avec la Grèce, l'Espagne et le Portugal. Ce sont des États pauvres, méditerranéens, très en retard sur le plan du développement par rapport au reste de la Communauté. Cette fois, il s'agit d'un élargissement non plus économique, mais purement politique, en ce sens qu'il ne « rapporte » rien d'autre que la propagation démocratique. Ce sont des pays sortant de la dictature (les « colonels » en Grèce, Franco en Espagne, Salazar au Portugal). L'élargissement va permettre de consolider les démocraties naissantes en y injectant des règles, du droit et des fonds européens. En 1992, on passe à quinze en intégrant la Suède, la Finlande et l'Autriche. Cette fois, il s'agit de trois pays riches, non membres de l'OTAN. Ce sont des États neutres : la Constitution de l'Autriche est neutre comme celle de la Suisse ; la Suède et la Finlande sont des États neutralistes. Étant prospères, ces pays sont de gros contributeurs au budget communautaire.

À ce stade, certains, en Europe, commencent à suggérer à voix basse que trop d'élargissement conduira à la destruction européenne. On les fait taire. La « pensée unique » fabriquée par la Commission de Bruxelles voue ces dissidents au ridicule et à la ringardise, et les repousse dans les franges politiques.

Pourtant, même avec seulement quinze membres, il y a un vrai problème pour les institutions. Celles-ci sont inadaptées. En passant de six à quinze membres, l'Europe a indéniablement renforcé sa sécurité et sa prospérité, sa population a doublé, elle pèse plus lourd sur la scène internationale ; mais le dilemme entre élargissement et approfondissement n'est pas résolu. Pour prendre un exemple, depuis qu'on est quinze, les réunions des ministères des Affaires étrangères sont beaucoup trop longues pour avoir la moindre chance d'apporter des résultats. Longtemps avant l'inclusion de dix nouveaux pays membres, les deux questions fondamentales sont déjà posées sans qu'aucune réponse satisfaisante se profile : comment agrandir sans affaiblir ? comment enrichir sans amollir ? En 2005, l'interrogation est de plus en plus pressante, mais la réponse n'est toujours pas là. L'Europe à vingt-cinq craque sur toutes les coutures, y compris dans les moindres détails de la vie quotidienne, et la capitale de l'Europe a du mal à suivre…

3

Monopoly de crise à Bruxelles

À Bruxelles, deux mois avant l'élargissement du 1er mai 2004, il est pardonnable de croire qu'on n'y arrivera jamais. Peuplé ou non, chaque nouveau pays qui entre dans l'Union accroît la pression sur les ressources limitées de la capitale belge. Il faut dire que la tâche de l'Union est rude ! Quel club a jamais augmenté brusquement de 60 % le nombre de ses membres ? La bulle gonfle. L'arrivée des familles des nouveaux fonctionnaires fait flamber les prix des logements haut de gamme, ceux que convoite la crème de l'Europe expatriée. Même si les loyers restent très inférieurs à ceux des grandes capitales – une maison dans le joli quartier d'Ixelles coûte à l'achat environ la moitié de ce qu'elle vaudrait à Londres –, ils ont doublé en l'espace de cinq ans, au point de devenir pratiquement inaccessibles aux Belges. Cela dit, même les expatriés grassement payés et défiscalisés connaissent des difficultés. Ils ne trouvent plus d'écoles pour leurs enfants. Bruxelles ne compte que trois établissements européens délivrant un enseignement multilingue ; ils débordent d'inscriptions, et les listes d'attente s'allongent. En 2004, les services généraux ont fait leurs calculs : au cours des cinq prochaines années, la population liée d'une manière ou d'une autre aux institutions européennes devrait atteindre 75 000 personnes, et ce sont plus de 3 500 enfants qui devraient débarquer dans la ville. Elle n'y est pas prête.

Les mauvaises langues se demandent même si les élargissements précédents – ceux des années 80 et 90 – ont jamais été absorbés, s'ils ont été pris en compte par les responsables des ressources humaines. L'agacement des expatriés est tel que certains d'entre eux, aiguillonnés par une nuée d'avocats, n'excluent pas de porter plainte devant la Cour de justice de Luxembourg pour « discrimination ». Pareil projet de procès ferait sourire en France, mais les Anglo-Saxons, qui prennent le droit très au sérieux, ne plaisantent pas du tout à ce sujet. Les mille et un tracas matériels liés à l'élargissement aboutissent tous sur le bureau de Piet Verleysen, directeur de l'Office des infrastructures et de la logistique à la Commission européenne. À lui de résoudre le casse-tête bruxellois.

Le problème est simple : la Bruxelles européenne grossit, or elle ne peut s'étendre. Elle est boudinée. Les immeubles de bureaux manquant, certaines institutions s'installent dans des quartiers résidentiels, dans des maisons bourgeoises que rien ne distingue des autres, ce qui transforme peu à peu de paisibles artères résidentielles en quartiers administratifs travestis. Les avenues qui mènent à la place Robert-Schuman sont prises d'assaut. Cabinets d'avocats, bureaux de consultants et lobbies pullulent avenue Cortenberg, et au moins quinze lobbies allemands sont domiciliés tout près de ce centre névralgique de la Grande Europe. L'envolée de l'immobilier n'a aucune raison de s'apaiser. Même si, en Europe, les nouveaux membres sont de plus en plus pauvres par rapport à la moyenne de l'Union, la pression à la hausse va continuer, ne serait-ce que parce que les cabinets d'avocats yankees débarquent en masse. Les Américains observent l'Europe très attentivement et se font fort d'en connaître le fonctionnement sur le bout des doigts, mieux que les Européens eux-mêmes !

À l'image de l'Union, le quartier européen n'est jamais en repos, jamais fini, jamais construit. Faute de pouvoir s'agrandir, il est en perpétuel déménagement, comme si, à l'instar d'un « cube magique », il espérait trouver un jour sa configuration idéale. À moins qu'il ne découvre que le problème de l'implantation des fonctionnaires européens et des professionnels en tous genres qui gravitent autour d'eux n'a tout simplement pas de solution, sauf à raser des quartiers entiers. Et pourquoi pas ? Après tout, la capitale de la Grande Europe peut-elle jaillir d'un quartier périphérique de Bruxelles, cette ville moyenne qui n'en demandait pas tant ? N'est-ce pas, par définition, un projet absurde ? Absurde ou pas, Bruxelles va rester la capitale de l'Union. Mais il faudra innover, ce qui n'est pas encore une des éminentes qualités de l'Europe.

Casser la Bruxelles européenne pour la reconstruire ? Les promoteurs belges ne demanderaient pas mieux. Vue de Belgique, l'Europe est un « business » juteux. La satisfaction architecturale est rarement au rendez-vous, mais les euros coulent à flots. À la fin de 2002, un recensement effectué par la « Task-force Bruxelles-Europe », groupe mis sur pied par le ministre-président de la région de Bruxelles-Capitale[1], François-Xavier de Donnéa, a conclu que 18 100 membres de la Commission européenne travaillent à Bruxelles dans une soixantaine de bâtiments représentant une surface nette de bureaux de 850 000 mètres carrés. Les dépenses immobilières correspondantes atteignent 156 millions d'euros, sans compter toutes celles liées à la consom-

1. Géographiquement située en Flandre, Bruxelles est une région autonome bilingue dotée de ses propres institutions.

mation de cette population vaste et prospère. En vue de réduire les coûts des bâtiments loués ou pris à bail par la Commission, un évaluateur indépendant a été chargé de calculer la valeur de son parc immobilier. Contrairement aux apparences, la Commission n'a que depuis peu la certitude qu'elle va demeurer à Bruxelles. Il lui a fallu attendre 1997 pour être en mesure d'acheter une partie du parc immobilier qu'elle utilise. Sept ans plus tard, en 2004, elle ne possède encore que la moitié des surfaces de bureaux qu'elle occupe, et il deviendra de plus en plus onéreux de les acquérir.

Bruxelles est une ville sympathique, mais rien, dans le quartier européen, ne reflète la majesté du projet des pères fondateurs dont les noms s'affichent sur les plaques des avenues et des places. Comme si l'Europe s'excusait d'exister ! Longtemps, la Commission a campé dans Bruxelles. Les services des commissaires et les directions générales associées étaient éparpillés dans le quartier européen en un joyeux désordre. La ville européenne ne s'est dotée d'aucun monument, d'aucune perspective auguste. Ni grandeur, ni poésie. La capitale d'Europe n'a pas d'âme. C'est un magma d'immeubles qui n' a jamais cessé d'évoquer un faubourg.

Un jour, souhaitons-le lui, la capitale de la Grande Europe ressemblera à autre chose qu'à cette morne banlieue fendue en son milieu par la rue de la Loi, l'une des artères les plus sinistres au monde. À intervalles réguliers, on lance une « étude conceptuelle urbanistique globale » pour le quartier européen, dit « Schuman-Léopold », mais le chaos ne régresse nullement. À Bruxelles, le pouvoir municipal est subdivisé entre plusieurs chapelles dont la plupart se moquent bien de l'Europe. L'une d'elles est le Parlement bruxellois qui, en février 2003, rendait cet avis surréaliste :

« Tant que l'Union ne comptera pas plus de vingt-huit membres, les besoins d'implantation, tant pour le Conseil, la Commission, le Parlement européen, le Comité économique et social et le Comité des régions, pourront être satisfaits dans la zone européenne actuelle. »

Le plus surprenant est que la devise du plan d'urbanisme est « Oser voir grand » ! Il faudra attendre l'adhésion à l'Union de la Bulgarie, de la Croatie et de la Roumanie, sans doute vers 2008, pour pouvoir espérer l'amorce d'une décongestion. Ensuite seulement, on envisagera de développer un éventuel second pôle européen dans la ville, dit « Delta-Beaulieu ».

Le désordre de Bruxelles est indéniable, mais la municipalité a des excuses. Si la Commission, comme frappée par une météorite, a éclaté en ses différentes composantes, c'est parce que le Berlaymont, l'immeuble historique qu'elle occupait jadis sur la place Robert-Schuman, a dû être évacué en 1991 pour cause de désamiantage. Pendant environ quinze ans, de 1991 à 2005, la capitale de l'Europe a donc tourné autour d'un immeuble vide. Le Berlaymont devait être fin prêt pour le mois de novembre 2004, juste à temps pour la nouvelle Commission ; mais, de retard en retard – chaque jour de dépassement coûtant des fortunes à la municipalité de Bruxelles, les indemnités aboutissant dans les caisses de l'Exécutif européen –, le pli a été pris d'en douter. Il est prévu que l'immeuble accueille un jour quelque 20 000 personnes.

Compte tenu de ses avanies, les mauvais plaisants aiment à voir dans le Berlaymont – devant lequel les manifestants ont longtemps continué à défiler après qu'il eut été complètement vidé – un symbole de la construction européenne. Il fut érigé dans les années 60 afin d'héberger le siège de la Commission ; il s'agissait à l'époque d'y loger l'Europe au plus près du cœur du vrai Bruxelles. L'État belge, pour lancer le chantier, avait acquis un parc de deux hectares, situé à l'extrémité de la rue de la Loi. Il fallut l'acheter aux chanoinesses de l'ordre de saint Augustin, propriétaires du couvent dit des « Dames du Berlaymont », fondé en 1624. C'est sans doute la seule note pittoresque de l'histoire locale. Sur le terrain, le Berlaymont va être édifié sous la direction de l'architecte De Vestel. Sans qu'on sache s'il s'agit d'un hommage aux anciennes propriétaires, les plans prévoient un bâtiment en forme de croix. On voit grand : 240 000 mètres carrés sur seize niveaux pour abriter 3 000 fonctionnaires. Le parking, lui, peut recevoir 1 600 voitures. Le concept architectural est alors aussi révolutionnaire que l'Europe unie : la superstructure est suspendue au moyen de tirants d'acier à des poutres « préflex » précontraintes reposant sur le noyau central en béton armé. Ce bâtiment ultramoderne est relié au métro, à la gare du Midi et à des tunnels autoroutiers. La conception est parfaitement maîtrisée, si l'on fait exception de l'amiante cancérigène qui truffe les parois. Les premiers fonctionnaires s'installent en 1967, mais dès 1991 le désamiantage commence. À cette époque, les lieux n'abritent plus guère que les commissaires et les services qui leur sont le plus directement rattachés. Dans l'intervalle, le Berlaymont a eu de plus en plus de mal à contenir l'Europe, passée de six à neuf membres, puis à douze, avant de compter quinze pays en 1995. Après rénovation, le bâtiment a été vendu à la Commission par l'État belge pour la somme de 552 879 207 euros, qui sera réglée en vingt-sept annuités. L'Europe a du temps devant elle.

Mais, au fait, pourquoi avoir choisi Bruxelles pour s'y installer ? À la suite d'un malentendu et de quelques erreurs. Quand, au cours des années 50, la toute nouvelle CECA cherche un point de chute, la belle ville de Liège est candidate pour en accueillir le siège. Le Premier ministre belge de l'époque, Paul Van Zeeland, a promis de défendre cette ville, et nulle autre, devant ses homologues étrangers. Il appert rapidement que la ville des princes-évêques a eu les yeux plus gros que le ventre. Elle ne possède pas le début des infrastructures qui pourraient justifier ses ambitions. Dans la précipitation, on cherche une autre terre d'accueil, et c'est le Luxembourg qui est choisi – un peu par hasard, il faut bien le dire. Les Luxembourgeois devraient en être flattés, mais c'est mal les connaître. Ils aiment leur tranquillité plus que tout et l'idée de devenir un carrefour international les révulse. D'ailleurs, en 1954, quand il s'agit d'entériner ce choix une bonne fois pour toutes, la Cour grand-ducale, dans un ultime rejet, met son veto. Dehors, la CECA ! La Belgique saute sur l'occasion de revenir dans le jeu et se propose à nouveau. Mais, échaudée par son précédent échec, elle met en avant sa capitale, Bruxelles. Tope là ! La CEE et Euratom s'installent donc à Bruxelles le 1er janvier 1958, année qui coïncide avec la tenue de l'Exposition universelle dans la ville. Voilà une excellente occasion de rentabiliser de lourds investissements d'infrastructure.

Cela étant, le destin européen de Bruxelles a mis longtemps à se consolider. Bien que la Commission y ait son siège depuis 1965, la ville n'est passée du statut de siège « provisoire » à celui de siège « permanent » que depuis le traité d'Amsterdam de 1997, sous la forme d'un protocole annexé au traité et confirmant la décision du sommet d'Édimbourg de décembre 1992. Bruxelles aura-t-elle un jour l'envergure de Washington – qui, soyons francs, ressembla longtemps à une ville de province américaine ? Seul l'avenir le dira. Aujourd'hui, les questions immobilières sont passées au second plan, car c'est l'existence même de l'Union qui est en question à travers le débat sur le projet de Constitution européenne.

4

Panade niçoise : l'équation à vingt-cinq ego

Où est le pouvoir en Europe ? Quand elle a commencé d'exister, au sortir de la Seconde Guerre mondiale, la Communauté a tenté à tout prix d'éluder cette question, de diluer les rapports de force afin de ne pas raviver les rivalités ancestrales. Longtemps – disons pendant quelque trente ans –, ce flou a servi la cause de la construction européenne. Tout le pouvoir de proposition était concentré dans les mains de la Commission, cerveau et moteur de la Communauté. Les États fondateurs surveillaient de loin les initiatives de ses fonctionnaires, que l'on n'appelait pas encore « eurocrates » pour se moquer d'eux. Ils étaient alors nimbés de l'aura des faiseurs d'avenir, des créateurs de l'impossible. Pour échapper définitivement à la guerre, les pays de l'Europe en devenir étaient tout prêts à abandonner une partie de leur souveraineté – cette souveraineté qui, exacerbée, les avait si souvent poussés au massacre et à la dévastation. À la question de savoir qui devait exercer le pouvoir, tout le monde avait alors sincèrement envie de répondre : l'Europe. Il y avait certes déjà de fortes réticences : le général de Gaulle raillait « l'Europe, l'Europe ! » et ses cabris plus souvent qu'il ne la louait. En fin de compte, la tendance lourde était néanmoins à l'intégration. Avec les décennies, on a du mal à en mesurer l'importance, mais le seul fait de réglementer la production de l'acier et du charbon dans un cadre communautaire était un triomphe.

Cette époque héroïque est révolue depuis longtemps ! En 2004, la question n'est plus tant de savoir ce que fait l'Europe, que de décider ce qu'elle ne doit surtout pas faire, sous aucun prétexte. Le pouvoir de dire non est devenu la force motrice de la construction européenne. Voilà pourquoi la Grande-Bretagne, qui est le moins intégré des grands pays de l'Union, puisqu'elle ne fait partie ni de la zone euro ni de l'espace Schengen réglementant le déplacement des personnes, réussit pourtant à apparaître comme un acteur majeur de cette construction. En rejetant systématiquement toute harmonisation des fiscalités et des politiques de sécurité sociale, le Royaume-Uni est devenu la référence par rapport à laquelle tous les autres pays sont obligés de se positionner. Londres a installé une mécanique européenne dans laquelle aucun pays membre n'est prêt à prendre le risque de faire se cabrer le Royaume-Uni et, partant, de faire ainsi capoter un projet communautaire.

Vers la fin des années 90, un étrange basculement s'est en effet produit. Le moteur de la construction, traditionnellement incarné par l'Allemagne et la France, a peu à peu perdu de son rôle autrefois crucial. Surtout, il est devenu progressivement moins important que les pays-freins. L'évidence d'une destinée collective, celle des premières années, a cédé la place à un gigantesque marchandage autour des ressources budgétaires. Dans cette empoignade permanente, pour pouvoir peser, il faut se battre.

Voilà pourquoi le sommet européen qui débute le 7 décembre 2000 au soir, sous présidence française, mérite qu'on s'y arrête longuement. Il est fertile en enseignements sur la construction européenne et sur le « chaos constructif » qui tient lieu de modèle d'expansion à l'Europe.

Le sommet de Nice commence mal, car pèse sur lui en quelque sorte une obligation de résultats. L'élargissement de l'Union européenne, dont la préparation technique est assurée par la Commission de Bruxelles, se profile avec de plus en plus de précision, et pourtant les institutions communautaires, qui tanguent déjà avec quinze membres, ne sont absolument pas prêtes pour le « grand saut » vers un effectif à vingt-cinq. Quelques années plus tôt – très précisément le 16 juin 1997 –, à Amsterdam, les mêmes quinze pays membres avaient échoué à inventer le mode de fonctionnement d'une Europe à plus de vingt membres[1]. Après des discussions acharnées sur le futur poids de chaque pays au sein du Conseil européen, à la Commission européenne et au Parlement européen, la présidence néerlandaise avait déclaré forfait : « On verra plus tard ! » C'est une devise très prisée dans l'histoire de l'Union, et il faut reconnaître qu'au lieu de bâcler, il faut parfois avoir le singulier courage d'attendre.

À Nice, c'est la France qui mène le jeu. Or, en décembre 2000, la France, c'est un duo. Le président gaulliste Jacques Chirac cohabite avec le Premier ministre socialiste Lionel Jospin. Leur mission : formater l'Europe pour l'élargissement. Au bout du compte, ce duo ne fonctionne pas si mal. Les petites vacheries ne manquent pas dans les entourages, mais la tradition de la Ve République, qui impose une unanimité nationale en matière de politique étrangère sous la direction du président de la République, est largement respectée, car elle arrange tout le monde. Et puis, l'homme

1. À l'époque, on n'envisageait pas encore l'adhésion simultanée de dix pays, comme cela s'est finalement passé le 1er mai 2004.

qui fait le lien entre Jospin et Chirac, le ministre des Affaires étrangères Hubert Védrine, sait par nature arrondir les angles. C'est un socialiste avec lequel Chirac aime travailler.

Non, à Nice, le couple qui se déchire, c'est le couple franco-allemand. Il y a seulement deux ans que Gerhard Schröder s'est installé à la Chancellerie et il n' a toujours pas digéré les couleuvres que lui a fait avaler le président français. D'abord, il y a eu, pendant les élections de 1998, le soutien appuyé – et vain – apporté par Chirac à Helmut Kohl[1]. Ensuite, le socialiste allemand estime avoir été roulé dans la farine en 1999[2], lors du Conseil européen de Berlin, par son homologue français qui a profité de son inexpérience en matière de politique agricole commune. En décembre 2000, le chancelier est donc remonté comme une pendule ; il veut rendre à la France la monnaie de sa pièce et regagner le terrain perdu, quitte à utiliser sans vergogne un argument tout simple : l'Allemagne est plus peuplée et plus riche que la France.

Au menu des discussions entre les vingt-cinq pays participants : trois gâteaux qu'il s'agit de se répartir dans la perspective d'une Union à vingt-cinq, puis à vingt-sept, puis peut-être un jour à trente, voire plus.

Le premier gâteau, c'est la Commission européenne. En décembre 2000, elle compte vingt commissaires, étant entendu que chacun des cinq grands pays a le droit d'en avoir deux. Que va-t-il en advenir ? Cette machine dans laquelle beaucoup de commentateurs voient imprudemment l'« exécutif » européen, à la fois cerveau et trésor de l'Union, doté d'un considérable pouvoir d'initiative et de proposition, étendra-t-elle à l'infini ses effectifs ?

1. La leçon n'a, semble-t-il, pas été bien retenue, puisqu'en 2002 le même Jacques Chirac a fait recevoir en grande pompe Edmund Stoiber, candidat de la CSU au poste de chancelier.

2. Conseil européen de Berlin des 24 et 25 mars 1999.

Le deuxième gâteau, c'est le Conseil européen, le cénacle législatif où siègent les gouvernements de l'Union. Son futur rôle tient en une question : comment recalculer les voix pondérées dont chaque pays disposera lors des votes ?

Le troisième gâteau, bien sûr, c'est le Parlement européen. Quel sera le quota de députés de chaque pays membre ?

Rappelons que l'Union européenne fonctionne de la manière suivante : la Commission propose, le Conseil et le Parlement disposent, et ensuite la Commission exécute. C'est ce que l'on appelle une structure en losange.

À Nice, chaque participant sait qu'il repartira avec une portion de chacun des trois gâteaux, mais il doit décider sur lequel il va se battre le plus ardemment. Impossible de gagner sur tous les gâteaux ! C'est dans ce choix que les personnalités nationales vont se révéler de manière édifiante.

La France ne fait pas mystère de ses intentions. Jacques Chirac est aveuglé par l'obsession de ne pas déroger au Conseil par rapport à l'Allemagne, pays avec lequel la France a toujours conduit la construction européenne côte à côte, sur un pied de stricte égalité. Le président de la République exige que, dans la future Grande Europe, Paris et Berlin jouissent du même nombre de voix pondérées au Conseil. Jusqu'alors, les deux pays pesaient chacun 10 voix sur un total de 87 pour l'ensemble des quinze membres. Jacques Chirac demande que, dans la future Europe élargie, chacun des deux contrôle 29 voix sur un total de 345 sur la base d'une Europe à vingt-sept membres (à l'horizon 2008).

En Allemagne, la proposition fait sursauter. Tout le monde sait que, dans la lettre des traités, le poids d'un pays au sein du Conseil est déterminé en fonction de sa population. Les responsables allemands savent aussi fort bien que l'Allemagne réunifiée compte exactement 22 millions d'habitants de plus que la France, ce qui équivaut tout de même aux populations cumulées des Pays-Bas et de la Finlande. Toute l'habileté allemande va consister à feindre la compréhension à l'égard de cette curieuse arithmétique française. Après tout, l'alliance franco-allemande, celle qui est au cœur de l'idée même d'Europe, vaut bien quelques sacrifices, à tout le moins en début de sommet. Et puis, Jacques Chirac exulte à l'idée de ramener à Paris cette victoire, de montrer que la France, pays titulaire d'un siège de membre permanent au Conseil de sécurité des Nations unies et détenteur de l'arme nucléaire, ne s'est pas laissé engluer dans de vulgaires calculs démographiques. Les Allemands laissent donc faire, même si le chancelier Schröder avoue pendant le sommet de Nice que les querelles de marchands de tapis qui se poursuivent jusqu'au petit matin le rendent « malade ».

Ravi, Chirac ne fait aucune difficulté pour lâcher du « mou » sur les deux autres gâteaux : la Commission et le Parlement. Pour le Parlement européen, où les quotas nationaux de députés dépendent également de la population, les calculatrices se remettent à fonctionner normalement et la France accepte de n'avoir que 78 députés alors que l'Allemagne s'en voit octroyer 99. Bien sûr, Jacques Chirac devait faire une concession à l'Allemagne, mais celle-ci ne constitue pas seulement un mouvement tactique. Elle reflète surtout une indifférence sidérale du président français à l'égard du Parlement européen, dans lequel il ne voit qu'une assemblée bavarde, sans influence par rapport au Conseil. C'est là une lourde erreur qui fait jubiler les Allemands. Eux savent bien que le Parlement est un puissant levier d'influence, à condition naturellement de savoir s'en servir.

Quant au troisième gâteau, la Commission, la France ne tente rien pour inverser la tendance qui se dessine : comme les quatre autres grands pays de l'Union à quinze, elle accepte de renoncer à son second commissaire à partir de 2005. Cette rétrogradation n'était pas inéluctable, et la France aurait pu se battre, mais elle a préféré s'arc-bouter sur son rang au Conseil.

À Nice, on joue donc un tour pendable à la Commission européenne : on accepte à demi-mot le principe selon lequel chaque pays a *droit* à *son* commissaire ! Cette règle pose de nombreux problèmes. Le premier porte sur l'essence même de la Commission. Non seulement elle est la principale force de proposition et le principal instrument de mise en œuvre des politiques européennes, mais elle a le devoir d'incarner le « bien communautaire », c'est-à-dire les intérêts collectifs de l'Europe. Si elle devient une juxtaposition d'intérêts nationaux en nombre croissant, elle risque fort d'apparaître comme une sorte de Conseil européen *bis*. L'équilibre institutionnel s'en ressentira. Sans oublier que de minuscules pays comme la Lettonie ou la Slovénie auront au sein de ce collège autant de poids que la France ou l'Allemagne, ce qui sera politiquement intolérable.

Au tout dernier moment, les participants au Conseil européen de Nice trouvent un compromis et énoncent une règle de plus : jamais plus de vingt-six commissaires. En clair, dès l'entrée du vingt-septième pays membre, probablement en 2008, un système de rotation fera qu'un pays donné n'aura pas toujours un de ses ressortissants au sein de la Commission. Le compromis ne plaît à personne, mais Chirac ne peut pas faire mieux. La Commission ramassée, compacte, ce sera pour beaucoup plus tard[1].

1. En 2004, le projet de traité constitutionnel prévoit que, sauf unanimité pour ne rien changer, à partir de 2014 le nombre des commissaires sera égal aux deux tiers du nombre des États membres, avec rotation égalitaire à chaque changement de Commission.

Au vu du pugilat qui oppose les deux poids lourds de l'Union, les autres pays se lancent dans la mêlée. Impossible pour les chefs d'État et de gouvernement de quitter Nice et de rentrer dans leurs capitales respectives en ayant fait preuve de moins de combativité que la France et l'Allemagne. De quoi auraient-ils l'air ? Chacun a chez soi son petit club d'eurosceptiques qui n'attend qu'une erreur de sa part pour le hacher menu dans les médias nationaux. Par exemple, l'Espagne insiste longuement – quoique en vain – pour obtenir plus de voix que la Pologne, au prétexte que ce pays est un tout petit peu moins peuplé qu'elle. Les Belges protestent à l'idée de voir les Pays-Bas mieux lotis qu'eux, mais doivent finalement s'incliner : ce sera 12 voix au Conseil pour Bruxelles, et 13 pour Amsterdam. On se bat pour soi d'abord, mais pour les autres aussi quand cela se révèle utile à la diplomatie de proximité. La Finlande et le Danemark, pays nordiques, prêchent ardemment pour que la Lituanie, petit pays balte qui est leur voisin et leur client, reçoive un quota de voix plus rondelet au Conseil et soit mise à égalité avec l'Irlande. Ils obtiennent satisfaction.

Les négociations sont longues et fastidieuses, les marchandages sans limite. Vers 2 heures du matin, le 11 décembre, Wim Kok, Premier ministre néerlandais, s'énerve : « Pour les six grands, ça va ! Mais il faut une voix de plus pour l'Autriche afin de réduire la discrimination. » Costas Simitis, son homologue grec, n'est pas de très bonne foi quand il harangue l'assemblée : « Vous me traitez indignement par rapport à la Belgique. Nous sommes 300 000 habitants de plus, et nous avons deux députés de moins ! » Au bout de la nuit, les deux pays obtiendront exactement le même poids au sein du Conseil comme au Parlement.

Quand l'Italien Giuliano Amato fait remarquer que la Roumanie est traitée comme les Pays-Bas alors que sa population est supérieure d'au moins 7 millions, que la Lituanie est vexée par rapport à l'Irlande, de même que Malte par rapport au Luxembourg, Jacques Chirac laisse échapper ce cri du cœur : « C'est une nuance légitime ! Les vieux pays membres qui ont tant contribué doivent avoir plus de voix au Conseil que les nouveaux qui vont nous causer des problèmes. » Le visage blême de fatigue, malgré les regards étonnés de quelques dirigeants européens, le président français insiste : « Eh bien oui, les nouveaux arrivants auront moins ! Pour les députés, ce sera 22 pour la Grèce, 22 pour la Belgique, 20 pour la République tchèque, 20 pour la Hongrie et 22 pour le Portugal. Voilà : nous avons fait tout ce qui était humainement possible. »

Quand le sommet de Nice s'achève sur un accord, il est 4 h 23 du matin, le 11 décembre 2000. Le bilan est sombre et la comparaison avec le traité d'Amsterdam de juin 1997 n'incite pas à l'allégresse. À Amsterdam, il avait été convenu de limiter à 700 le nombre des députés européens, mais il a fallu céder aussi sur ce point : il y en aura 732. Ces élus européens éprouvent en outre une forte déception : ils comptaient obtenir un pouvoir de codécision avec le Conseil dans toutes les matières où celui-ci décide à la majorité qualifiée. Ce ne sera pas le cas – pas encore.

Ces batailles d'épiciers sont peu glorieuses, mais s'expliquent. Il s'agit de décider une fois pour toutes combien chaque pays pèsera dans les votes à la majorité qualifiée. Or le nombre des domaines où l'on décidera à la majorité qualifiée a vocation à augmenter. Tel est le sens de l'histoire. Avant le traité de Nice, environ 70 articles du traité – qui régit à un instant donné le fonctionnement de l'Union –, correspondant à 20 % des décisions communautaires, étaient encore sujets à des vetos nationaux, c'est-à-dire qu'ils ne pouvaient être amendés qu'à l'unanimité. Ce qui laissait tout de même 80 % des avancées européennes soumises au vote à la majorité qualifiée. Le traité de Nice ajoute une trentaine de domaines qui seront désormais tranchés à la majorité qualifiée, dont relèveront donc 90 % des sujets. Certes, les plus « sensibles » continuent de lui échapper : défense, diplomatie, fiscalité, immigration, culture, investissements, transports et (au moins provisoirement) aides structurelles. Parmi les domaines qui passent de l'unanimité à la majorité qualifiée, deux sont d'importance : le choix du président de la Commission et celui des commissaires siégeant à ses côtés.

Il restera des domaines réservés où un seul pays pourra tout faire capoter. Les Britanniques ont exigé, comme à leur habitude, que la fiscalité et la sécurité sociale demeurent hors d'atteinte. Comme il fallait contenter tout le monde, les Espagnols ont obtenu de conserver leur veto sur la question des fonds structurels, c'est-à-dire la répartition de la manne européenne dans les régions les moins favorisées de l'Union. Madrid, qui doit son prodigieux essor à ces fonds, cherche à éviter que ces sommes ne soient dérivées massivement vers les nouveaux pays.

Bref, à Nice, le périmètre de la majorité qualifiée, qui mesure en quelque sorte la capacité de l'Europe à évoluer rapidement, n'a pas été étendu de manière significative. À vingt-cinq membres, et dotée de ce traité, l'Europe sera beaucoup plus lourde et à peine plus mobile. Le traité de Nice a tout d'une garantie de paralysie.

5

Pourcentages et marchandages

Pendant toute la préparation du sommet de Nice, la France, on vient de le voir, poursuit un objectif unique : ne pas « décrocher » d'avec l'Allemagne dans l'enceinte où elle estime être la plus puissante et la plus performante, le Conseil. Paris veut continuer de parler avec Berlin d'égal à égal dans ce cénacle de la politique intergouvernementale. Tous les projets de calcul des voix qui lui sont suggérés sont passés au crible de ce critère. La Commission avait proposé le plus simple des systèmes : une double majorité qui aurait requis tout bonnement une majorité de pays – chacun comptant en somme pour une voix – représentant ensemble au moins une majorité de la population de l'Union. C'est le système « Un pays/une voix, Un citoyen/une voix ». Mais la France y a mis son veto car n'étant pas assez peuplée, cette méthode aurait contribué à diluer son « leadership » européen. Le « modèle italien », en revanche, plaît beaucoup au duo Chirac-Jospin. Dans ce schéma, la majorité qualifiée – le seuil d'assentiment pour faire passer une loi au Conseil – doit réunir au moins douze pays comptant au moins pour 61 % de la population totale, ce qui fait que la minorité de blocage tombe à trois pays, si toutefois ces trois-là pèsent pour au moins 17 % de la population totale de l'Union. Les Grands, dont l'Espagne, adorent ce modèle italien, car il leur permettrait on ne peut plus facilement de dire non.

On finit, non sans mal, par s'entendre sur le seuil de la majorité qualifiée, c'est-à-dire sur le nombre minimal de voix requis pour faire adopter un projet par le Conseil. Les âpres discussions débouchent sur un étrange algorithme dont la principale vertu, aux yeux de la France, est de remettre les petits pays à leur place. Cet étrange mode de calcul, le voici :

Les voix d'un pays – on dirait « droit de vote » dans un conseil d'administration – dépendent de sa population, sauf pour les quatre plus grands d'entre eux. Le nombre de voix s'échelonne donc de 29 pour chacun des quatre « premiers » (Allemagne, France, Royaume-Uni et Italie) à 3 pour Malte, en passant par 10 pour la Suède et l'Autriche, 7 pour le Danemark, la Finlande et l'Irlande. Nice accouche donc d'un système où la prise de décision en Conseil sera très difficile pour peu que le projet envisagé soit quelque peu controversé. Pour faire passer une directive en Conseil, il faudra en effet rassembler trois majorités : d'abord, une majorité simple d'États (8 sur 15 dans l'Europe d'avant 2004, 13 dans l'Europe à 25, 14 dans la future Union à 27) ; ensuite, une majorité qualifiée des voix pondérées (de 71,9 à 73,2 % selon le nombre de pays membres) ; ce n'est plus de la politique, c'est de la chimie !

Et le couple franco-allemand, comment se sort-il de cette moulinette mathématique ? Derrière le regard excédé du numéro un allemand, dans son visage épuisé par ce gymkhana diplomatique de quatre jours, curieusement, l'œil est plutôt guilleret. Jacques Chirac a voulu jouer au plus fin, mais l'Allemagne reste la plus forte. Juste après avoir cédé sur le nombre de voix revenant à chaque pays – ce chiffre où niche l'intégralité de l'ambition diplomatique française –, l'Allemagne exige une « petite » concession : qu'un « filet démographique » soit mis en place. En clair, Berlin veut imposer un nouveau seuil : pour être adopté par le Conseil et devenir la règle de l'Union, un projet européen *devra* être soutenu par un ensemble de pays rassemblant au moins 62 % de la population totale de l'Union. Ce qui veut dire à l'inverse que, pour bloquer un projet, il faudra constituer une coalition de pays rassemblant au moins 38 % de la population totale de l'Union. Quel pays en sera capable ? Là gît la subtilité du « filet » allemand. Pour parvenir à cette minorité de 38 %, Berlin n'aura besoin de s'allier qu'à deux autres grands pays[1]. La France, elle, pour obtenir le même résultat, devra trouver deux grands alliés, mais constituer au surplus une coalition de petits pays.

Voilà, en réalité, la morale du traité de Nice : la France a voulu passer en force, mais c'est l'Allemagne, en toute cohérence, qui a le mieux tiré son épingle du jeu. Conclusion : elle devient le chef de file du groupe des grands pays, étant entendu que ce groupe a par ailleurs creusé la distance avec les petits. Pas encore assez, toutefois, aux yeux des « grands ».

Pour la France, Nice représente un triple fiasco diplomatique : face à l'Allemagne, face aux petits pays et face aux futurs membres. Il aurait sans doute mieux valu un nouvel échec, comme à Amsterdam en 1997, plutôt que ce traité bancal qui révèle crûment les limites de la diplomatie hexagonale. Parce que la France, en tant que présidente de l'Union, a préparé le sommet, elle porte presque l'entière responsabilité de l'aigre confusion dans laquelle il s'achève.

1. Rappelons que nous considérons comme de « grands pays » l'Allemagne, la France, la Grande-Bretagne, l'Italie, l'Espagne et la Pologne. Ce dernier pays n'est pas encore dans l'Union en 2000, mais le sommet de Nice a pour objet d'organiser la future Europe élargie.

Le premier échec français est allemand. En dépit des tirades rituelles sur le caractère vital de l'axe franco-allemand, le grand couple européen n'a pas fonctionné. Il aurait pourtant fallu offrir une image d'unité sur ce qu'il est convenu d'appeler les « reliquats d'Amsterdam », c'est-à-dire tous les sujets épineux qui avaient été laissés pour plus tard lors du sommet de juin 1997 : la pondération des voix lors des votes au Conseil, l'étendue du champ des décisions prises à la majorité qualifiée, la composition de la future Commission. Cette incapacité à s'entendre sur ces questions cruciales, on peut, sans forcer le trait, l'imputer à l'arrogance de la France. Elle n'a pas voulu reconnaître que l'Allemagne réunifiée est en Europe une plus grande puissance qu'elle. Que, la guerre froide terminée, la France a plus besoin de l'Allemagne que l'inverse. En l'an 2000, l'orgueilleux aveuglement des responsables français est devenu un danger mortel pour les intérêts de la France en Europe. Au lieu d'accepter l'évidence, de comprendre que c'est de l'Europe qu'elle doit tirer sa force si elle veut grandir, la France campe sur cette étrange idée qu'il faut que l'Europe soit une France en plus grand, et elle s'arc-boute sur ces égalités fictives qu'elle estime mériter.

Cette phobie du « décrochage » a agacé les Allemands et elle maintient la France dans un état d'esprit qui lui fait négliger d'autres alliances – avec la Grande-Bretagne, par exemple. Pour rendre l'Europe gouvernable et donc – cyniquement – réduire au silence les petits pays et aussi quelques moyens, il aurait fallu un front franco-allemand sans faille. La tactique de Jacques Chirac aboutit à un paradoxe : non seulement l'Allemagne sort vainqueur du sommet de Nice, mais elle se paie le luxe d'apparaître comme la protectrice des petits pays membres et des pays candidats face aux manœuvres de Paris pour réduire leur influence ! Un couple franco-allemand parfaitement soudé aurait partagé et la responsabilité et l'impopularité. La Pologne se rappellera longtemps que c'est l'Allemagne, et non pas la France, qui a empêché qu'elle ne « décroche » à Nice par rapport à l'Espagne. Comment, après de telles passes d'armes, « vendre » l'idée d'une Commission restreinte alors que les nouveaux pays membres ont l'impression d'avoir déjà été floués au Conseil ?

Parmi les pays membres, l'Espagne a bien joué. Dans le nouveau système, sa capacité de blocage est identique à celle de la France ou de la Grande-Bretagne, c'est-à-dire qu'elle est capable de stopper un projet avec l'aide de deux grands pays et d'un petit. Pour José Maria Aznar qu'anime le rêve mégalomane d'une nouvelle Espagne impériale, voilà une victoire majeure qui accroît sa popularité déjà très forte en Espagne.

Comme nous venons de le voir, les petits pays ne pourront point trop bloquer les progrès voulus par les « grands ». Ils ne le pourront que dans les domaines qui continueront d'être régis par le principe de l'unanimité. Ce qui n'empêche pas l'architecture globale du pouvoir d'être numériquement en leur faveur. Comme tout pays dispose au Conseil d'au moins trois voix – c'est le cas de Malte –, les pays très peu peuplés se trouvent avantagés eu égard à leur population. Les chiffres parlent d'eux-mêmes : au Conseil européen, une voix représente 110 000 Luxembourgeois, 130 000 Maltais, mais 1,5 million d'Espagnols, 2 millions de Français et 2 850 000 Allemands !

Mais toutes ces belles équations niçoises ne rassurent personne. Un système aussi compliqué, tout le monde le craint, conduira à l'impasse politique. À Nice, la peur de la paralysie institutionnelle est telle qu'on relance une vieille idée, celle des « coopérations renforcées ». Si un groupe d'au moins huit pays souhaite mettre les bouchées doubles pour promouvoir plus d'intégration européenne, il pourra le faire. C'est évidemment le cas pour les onze – ils seront bientôt douze avec la Grèce – membres de la zone euro, qui ont besoin de tisser des liens de plus en plus étroits pour coordonner leurs politiques économiques.

La France, elle, est très favorable aux coopérations renforcées, surtout quand il s'agit de manifester de l'indépendance à l'égard des États-Unis, mais la Grande-Bretagne la voit venir de loin. Quand Jacques Chirac suggère que les Européens devraient intégrer leurs moyens militaires en prenant de l'autonomie par rapport à l'OTAN, Londres met le holà. Tony Blair s'est rapproché depuis 1998 de Jacques Chirac sur l'objectif d'une défense européenne commune, mais il ne veut pas que celle-ci se façonne au détriment de l'OTAN. Le Britannique s'oppose donc aux coopérations renforcées en matière de défense. La Grande-Bretagne exprime là un sentiment partagé par de nombreux pays européens : pas question de découpler militairement l'Europe des États-Unis, ne serait-ce que d'un millimètre. Chirac fait machine arrière en soulignant que l'OTAN demeurera toujours la clé de voûte de la défense collective européenne. On en reste là.

Vu l'extraordinaire complexité du dispositif mis au point à Nice, on pourrait au moins espérer qu'il est bien verrouillé. Il n'en est rien. Le texte officiel du traité de Nice est bourré d'erreurs. L'épuisant marathon nocturne a accouché de quelques « bugs », et l'on sait déjà qu'il faudra réviser ce traité. Par exemple, il a été conçu pour gérer une Europe à vingt-sept membres contenant la Bulgarie et la Roumanie. Or ces deux pays ne rejoindront pas l'Union avant 2008 au plus tôt. Dans l'intervalle, que faire des 14 et 10 voix que le traité accorde à Bucarest et à Sofia au sein du Conseil ? Et des députés, respectivement au nombre de 33 et de 17, que ces deux pays peuvent envoyer au Parlement ? Que faire de leurs sièges en attendant qu'ils arrivent ?

Autre problème : toutes les dispositions du traité de Nice entrent en vigueur à partir du 1er janvier 2005. Or le prochain élargissement – le passage de quinze à vingt-cinq membres – est prévu pour le 1er mai 2004. Comment fonctionnera la Grande Europe pendant cet intervalle de huit mois ?

Quand Nice s'achève, tout le monde, c'est la tradition, félicite l'hôte pour sa maestria diplomatique. Jacques Chirac reçoit sans illusions ces cajoleries de circonstance. Nice, il le sait, n'a rien réglé. C'est le chancelier Schröder qui le dit en peu de mots, moins d'un mois plus tard, en lançant un grand débat sur l'« avenir de l'Union », exactement comme si Nice n'avait jamais eu lieu. À Strasbourg, 51 députés du Parti socialiste européen dénoncent l'accord de Nice, « fragile, compliqué, incompréhensible pour l'opinion publique ». On parle déjà de relancer les négociations pour un nouveau traité, mais, cette fois, on s'y prendra autrement. La méthode intergouvernementale (entre dirigeants), que la France affectionne tant, a fait à Nice la preuve de son insuffisance. La prochaine fois, on recourra à la vraie démocratie, avec toutes les catégories de représentants des peuples européens. Pourqoi pas une convention, comme en Amérique ?

6

Une convention pour sauver l'Union

L'Histoire a parfois besoin de toucher le fond pour rebondir. À Nice, la construction européenne s'est révélée incapable d'adapter ses institutions et ses mécanismes décisionnels aux nouvelles dimensions qu'elle s'apprête à acquérir. De l'avis général – mais à mots couverts, pour ne pas vexer le président Chirac qui a déjà fort à faire avec sa cohabitation et la préparation de l'élection présidentielle de 2002 –, le traité de Nice est jugé largement insuffisant si l'on veut permettre à l'Union élargie de fonctionner. Sans aucun enthousiasme, il a été paraphé par les pays membres[1], mais le malaise est manifeste. Outre sa complexité paralysante, le texte présente un défaut majeur : il n'a pas grand-chose d'européen. Il constitue plutôt une juxtaposition d'exigences, d'aigreurs et de calculs purement nationaux. En tout cas, il ne fournit pas la « feuille de route » politique capable de structurer l'Union à travers les gigantesques mutations qui l'attendent.

Le seul mérite du sommet de Nice réside sans doute dans la démonstration par l'absurde qu'il propose : il est définitivement établi que la méthode intergouvernementale

1. Le 26 février 2001.

classique est inopérante, que son langage même est obsolète. Cette bonne vieille diplomatie du « un prêté pour un rendu » est, par essence, inapte à saisir l'enjeu politique et philosophique de la transfiguration de l'Europe. Respecter les intérêts de chacun ne suffit plus à dégager des perspectives pour la collectivité. Il est temps de confier la tâche à ceux qui sont les principaux concernés : les Européens eux-mêmes, les citoyens de l'Union. Sinon, l'élargissement ne sera jamais un tremplin, il restera un obstacle.

L'année 2001 commence sur cette note. Nice et son impression de chaos s'estompent peu à peu. L'Europe peut se permettre de rater des étapes intermédiaires, mais elle n'a pas le choix : elle doit réussir un jour à instaurer un système de gouvernement acceptable, ou bien « péricliter », c'est-à-dire demeurer une simple zone de libre-échange, riche mais faible, vulnérable et dépendante. Dans un monde idéal, elle pourrait prendre le temps de la réflexion, celui de l'approfondissement, mais la politique et le destin en ont décidé autrement. L'élargissement aura lieu au jour prévu, le 1er mai 2004, car il est politiquement impossible de le différer plus longtemps. Or cet élargissement est indéniablement un frein à la construction européenne. Il faut désormais faire en sorte qu'il ne soit pas un bourbier.

Pendant toute l'année 2001, l'Europe hésite entre résignation et fureur. Le temps passe. Les mêmes questions sont toujours sur la table et alimentent d'innombrables colloques à travers l'Union. Où allons-nous ? Comment y allons-nous ? La question qui revient le plus est celle-ci : les gouvernements vont-ils à nouveau se réunir en conclave et mijoter un nouveau traité comme à Nice et à Amsterdam ?

À cette idée, présidents et Premiers ministres sont affolés. Ils ne peuvent pas retourner tous les ans devant leur opinion publique en expliquant qu'ils viennent de signer un autre traité inutile, confus, qui garantit l'enlisement de l'Union. Il faut changer de méthode. Les citoyens-électeurs des pays membres en ont assez. Non qu'ils se passionnent pour les affaires européennes, soyons honnêtes : au mieux elles les ennuient, au pis elles les inquiètent, mais ils commencent malgré tout à comprendre que leurs dirigeants, quand ils se retrouvent entre eux, ne sont pas à la hauteur de la tâche. Voilà l'humeur qui prévaut pendant la seconde moitié de l'année 2001, celle de la présidence belge.

Il se trouve que Guy Verhofstadt, le Premier ministre belge, a vécu le sommet de Nice comme une humiliation. En tant que Belge et en tant qu'Européen. Mieux que personne, le chef de ce petit pays malmené dans les négociations sait qu'on ne peut continuer ainsi. Sa présidence de l'Union ne marquera une avancée réelle que s'il aide l'Europe à changer de « paradigme », comme on dit dans les *think-tanks* à la mode. Il réunit un groupe de personnalités de haut niveau et le charge de réfléchir aux futures grandes réformes dont l'Union a besoin. Les deux ténors de cette étude sont Giuliano Amato et Jean-Luc Dehaene, anciens Premiers ministres respectivement d'Italie et de Belgique. Ils connaissent l'intergouvernemental comme leur poche, ils savent ses limites et comment en contourner les faiblesses. Ce sont des hommes libres qui n'affrontent pas d'élection dans l'année. Ils se mettent au travail dans un état d'esprit proprement révolutionnaire : au lieu de se demander ce qui est possible, ils cherchent ce qui est indispensable. En essayant de coller, autant que faire se peut, à ce que le bon sens peut attendre de l'Europe.

En décembre 2001, la présidence belge s'achève par le sommet de Laeken et les travaux des deux anciens chefs de gouvernement sont à la base de la fameuse « déclaration de Laeken » des Quinze. Ils décident de convoquer une

« Convention pour l'avenir de l'Europe ». Établie sur le modèle de la convention qui a rédigé deux ans plus tôt la Charte des droits fondamentaux de l'Union[1], elle devra soumettre un projet de révision des traités en vue de la prochaine conférence intergouvernementale de 2004.

Une convention, qu'est-ce que c'est ? Rien d'autre qu'une assemblée des représentants des peuples, convoquée pendant une période limitée pour remplir une mission donnée. Fort bien, mais qu'est-ce que ça change ? Beaucoup de choses, en vérité. La convention n'est pas un club de chefs de gouvernement préoccupés par leur survie politique. C'est une assemblée qui accueille toutes les composantes de la vie démocratique, les forces vives de l'Union européenne ; la fusion de leurs ambitions, c'est l'Europe qui nous attend, celle que nous méritons.

Qui sont les conventionnels ? Le premier d'entre eux est un Français, l'ancien président Valéry Giscard d'Estaing, qui va présider la convention. Sa nomination n'allait pas de soi. Il a fallu que l'Allemand Gerhard Schröder persuade le Français Jacques Chirac que Giscard était un choix idéal. À ses côtés, juste récompense pour leur harassant travail de débroussaillage, Giuliano Amato et Jean-Luc Dehaene sont vice-présidents. La convention est composée en tout de 105 membres. On y trouve des représentants des gouvernements des États membres, du Parlement européen et de la Commission européenne, ainsi, bien sûr, que des représentants des parlements nationaux[2]. La présence de ces derniers est essentielle, car tout l'exercice de la conven-

1. À la suite du Conseil européen des 3 et 4 juin 1999, à Cologne.

2. Pour être exact, 16 parlementaires européens, 15 représentants des gouvernements de l'Union, 2 commissaires européens, 30 parlementaires nationaux, auxquels s'ajoutent 16 représentants des gouvernements candidats et 26 membres de leurs parlements nationaux.

tion consiste à dégager les grandes lignes d'une future démocratie européenne, celle que les citoyens ne ressentent pas encore alors qu'ils perçoivent sans difficulté le rôle de leurs propres députés dans le fonctionnement de leur démocratie nationale. Parmi les conventionnels, on compte également 39 membres désignés par les pays candidats, et qui, par conséquent, n'ont jamais participé de près ou de loin à la vie des institutions – Conseil, Commission, Parlement – qu'ils sont chargés de réformer en profondeur !

Malgré tous les efforts et toutes les bonnes intentions, la convention n'est pas une assemblée tout à fait égalitaire. Les vieux routards de l'Europe, qui connaissent Bruxelles depuis des années et y disposent d'une précieuse logistique – c'est en particulier le cas des commissaires et des parlementaires européens –, côtoient des ministres slovènes ou des parlementaires baltes un peu perdus dans la ville.

La convention, c'est l'Europe bigarrée, chaotique, apparemment illisible, mais c'est l'Europe réelle. L'exercice révèle celle-ci dans sa vérité, et c'est un immense service qu'elle lui rend. La diversité de l'Europe n'est pas une nouveauté, mais c'est un réflexe bruxellois traditionnel que de la minimiser pour favoriser l'homogénéisation, garantie présumée d'une construction européenne plus facile. Le fait communautaire s'accommode mal de trop de folklore national. Il flotte à Bruxelles une pensée centralisatrice qui tend à soumettre toutes les réalités à deux dogmes impérieux : le caractère sacré de l'acquis communautaire et le monopole d'initiative législative dont jouit la Commission dans presque tous les domaines. La convention jette à terre le veau d'or. Cette fois, tout le monde a le droit de proposer.

La convention tient sa première session de travail en février 2002. Elle a seize mois pour tenter de sortir la construction européenne de l'ornière. VGE a lu et relu l'histoire de la convention de Philadelphie qui avait conduit à la fondation des États-Unis d'Amérique, et il chauffe ses troupes à blanc en leur vantant cet exemple : « Voilà ce que vous devez faire si vous voulez qu'on vous érige des statues équestres dans vos villages ! » La convention européenne se réunit dans les locaux du Parlement européen, une ou deux fois par mois. VGE loge au *Conrad*, un hôtel de luxe dont le bar est un des hauts lieux du Bruxelles nocturne. Loin de l'opacité des réunions intergouvernementales, la convention agit en pleine lumière[1]. Les débats et les documents sont publics.

Pour préparer les délibérations, onze groupes de travail ont été créés et ont remis leurs conclusions. La convention les a patiemment écoutés : citoyens, associations, partenaires sociaux, acteurs économiques, universitaires, ONG. Une session consacrée aux jeunes a également été organisée en juillet 2002. En janvier 2003, les premiers articles sont discutés. Le document final sera présenté, c'est déjà prévu, lors du Conseil européen de Thessalonique[2]. En 2004, les pays membres se prononceront pour ou contre le projet de révision des traités, qui est précisément la raison d'être de la convention. Pour préparer cette révision, elle met au menu quatre grands thèmes, ceux qui avaient été arrêtés en décembre 2000 à Nice : délimitation des compétences respectives de l'UE et des États membres ; statut de la Charte des droits fondamentaux ; simplification des traités ; rôle des parlements nationaux. Tirant les enseignements de la réforme minimale adoptée à Nice, la « feuille de route » donnée à la convention pose une série de questions

1. Lors de la convention de Philadelphie, les délibérations étaient restées strictement secrètes.
2. Les 20 et 21 juin 2003.

sur les moyens d'améliorer l'efficacité du processus décisionnel dans la perspective d'une Union à trente membres.

La convention doit préparer le terrain pour les réformes à venir. Elle devra répondre à des questions difficiles qui ne relèvent pas uniquement des recettes de la cuisine diplomatique : comment renforcer l'efficacité et la légitimité de l'Union européenne ? faut-il un président pour l'Europe ? l'Union a-t-elle besoin d'une défense commune et doit-elle être représentée dans les organisations internationales comme l'ONU ? faut-il une Constitution européenne ? la protection de l'environnement doit-elle être inscrite dans la future Constitution ?

La convention part dans tous les sens, et c'est précisément sa vertu. Les débats ne sont pas prémâchés. Les conventionnels ne travaillent pas, comme les ministres et leurs experts, dans une atmosphère confinée. Toutes les idées s'expriment. Une joyeuse pagaille règne à l'occasion.

L'exercice des « 105 » n'est pas une sinécure. La convention commence d'ailleurs par une féroce empoignade à propos de l'éventuelle future Constitution. Les conventionnels britanniques, fidèles à leur hostilité traditionnelle à tout ce qui renforce l'intégration européenne, ne veulent pas en entendre parler. Ils ne veulent pas d'un texte qui viendrait, à leurs yeux, concurrencer les institutions du Royaume-Uni. De nombreux conventionnels d'Europe du Nord partagent cette méfiance. Il va falloir toute l'habileté de VGE pour les amener à accepter l'idée qu'il existera un jour une Constitution européenne, ou plutôt, expliquent les juristes, un traité constitutionnel européen, puisque l'Union n'est pas un État.

Pour certains acteurs du débat européen, il est impossible, inutile, voire dangereux, d'adopter un texte à valeur constitutionnelle pour l'Union. C'est le cas des « souverainistes », des

« réalistes » qui ne reconnaissent d'acteurs internationaux que les États, des gouvernements des pays traditionnellement sceptiques vis-à-vis de la construction d'une Union politique, comme le Royaume-Uni, la Suède et le Danemark. Sans oublier que bon nombre d'experts et d'intellectuels réputés europhiles sont convaincus qu'un tel texte constituerait une nuisance. Cette coalition des « contre » est si hétéroclite qu'il ne faut pas s'étonner que ses arguments paraissent au mieux composites, au pis contradictoires. La gauche française a peur qu'une Constitution n'impose à jamais le libéralisme en Europe. La droite britannique a peur qu'elle n'impose à jamais le socialisme en Europe. Et ainsi de suite...

Les arguments juridiques sont les plus faciles à manier, car rares sont ceux qui les comprennent. L'Union n'est pas un État et ne peut être considérée comme tel ni par les droits publics nationaux, ni par le droit international. Or, une Constitution est le socle juridique d'un État à l'exclusion de toute autre entité. C'est pourquoi la plupart des experts ayant fait part de leurs réflexions sur la réforme institutionnelle de l'Union ont avancé l'idée d'un « pacte constitutionnel » ou d'une « charte constitutionnelle » plutôt que d'une Constitution à proprement parler. En outre, l'Union possède déjà des textes à valeur constitutionnelle. La Cour de justice des communautés européennes (CJCE) a, en effet, déjà « constitutionnalisé » les traités. Elle a, de surcroît, reconnu la primauté du droit communautaire sur le droit interne. Les traités peuvent dès lors être considérés comme la norme supérieure d'un ordre juridique autonome. Même quand on est fédéraliste en diable, que demander de plus ?

Les arguments politiques sont plus discutables, mais ce sont aussi les moins faciles à contourner. La Constitution, expliquent ses détracteurs, déboucherait sur une fédération européenne niant la souveraineté des États. C'est un argument soulevé tant par les « souverainistes » que par les « réalistes » attachés au maintien du principe intergouvernemental dans l'action européenne. Il est difficile de les contredire. S'il y a Constitution en effet, c'est qu'il y a État. Pour les sceptiques, en outre, une Constitution n'apporterait pas de « valeur ajoutée démocratique » : en l'absence d'un véritable « espace public européen » avec ses propres relais (partis, syndicats, médias...), un tel texte ne serait que formel et n'accroîtrait en rien la consistance politique de l'Union.

Quant aux arguments philosophiques du « non », ils se nourrissent de l'inachèvement de la construction européenne : l'Europe n'existe pas. En l'absence d'un « peuple européen », pour entamer une démarche constituante, il n'y a pas de pouvoir constituant légitime. Le Conseil européen représente des États et non des peuples, encore moins « un » peuple. Le Parlement européen n'aurait pas non plus la légitimité suffisante pour être érigé en pouvoir constituant.

Les arguments techniques sont également foison. Un texte unique et uniformément contraignant n'est pas adapté à la réalité complexe du fonctionnement de l'Union. Si l'on veut rédiger une Constitution en raisonnant « à droit constant », il faut tenir compte de la complexité des mécanismes de décision au sein de l'Union (diversité des acteurs institutionnels, d'une part ; diversité des mécanismes selon les « piliers », d'autre part). Un tel texte serait nécessairement complexe et n'atteindrait donc pas son objectif initial de clarté et de simplicité. Cette crainte est justifiée : on verra bientôt que le texte final du projet de Constitution manque singulièrement de limpidité.

Ce que les pays d'Europe feront des travaux de la convention, nul ne peut le prédire, mais chacun a son idée. Le Parlement européen, par exemple, souhaiterait que la convention débouche sur la rédaction d'une Constitution européenne qui pourrait être approuvée par référendum par l'ensemble des peuples d'Europe à l'occasion des élections européennes de juin 2004. Référendum : le mot fait peur aux gouvernements, mais, à partir du moment où l'idée en est lancée, il n'est pas facile de l'arrêter. Celui qui se dérobe sait les risques politiques qu'il court. Au bout du compte, les travaux de la convention prendront plus de temps que prévu, bien trop pour que le projet de texte puisse être prêt pour les élections européennes. Un sursis, en somme…

Heureusement, les « pour » eux non plus ne sont pas désarmés. Pied à pied, ils répliquent aux « contre ». Techniquement, avancent-ils, un traité constitutionnel unique donnerait une meilleure visibilité aux mécanismes européens consignés aujourd'hui dans les différents textes qui forment les sources primaires du droit européen. Politiquement, ils estiment qu'une Constitution permettrait d'affirmer et de renforcer une identité et des valeurs européennes, notamment par l'intégration de la Charte des droits fondamentaux à son préambule. Un texte constitutionnel unique rendrait l'Europe plus proche et moins complexe. Sa légitimité démocratique en serait renforcée. Enfin, une Constitution européenne serait un geste véritablement « positif », là où la construction européenne a souvent été ressentie comme un phénomène « négatif » (suppression des frontières, dérégulation, restrictions sur certains produits alimentaires…). Sans oublier un argument quasi religieux : toute société démocratique a besoin de rituels. La Constitution, texte à forte charge symbolique, serait alors l'acte refondateur dont l'Union a besoin. La construction européenne retrouverait ainsi l'élan qu'elle a perdu depuis quinze ans.

C'est dans ce climat électrique que la Convention pour l'avenir de l'Europe entame ses travaux.

7

Le futur, mode d'emploi

La Convention pour l'avenir de l'Europe commence de travers, mais c'est d'abord parce que la méthode est inhabituelle. Toutes les catégories qui s'entrechoquent à Bruxelles n'ont pas l'habitude d'interagir ensemble en toute liberté, sans rapports de force préétablis. Cette autonomie nouvelle en déstabilise plus d'un. Mais, rapidement, contre toute attente, émerge de ce mouvement brownien un fil directeur. Au-delà de leurs différences parfois radicales – et si l'on exclut les ultra-europhobes –, toutes les femmes et tous les hommes présents ont intuitivement la même idée de l'idéal qu'ils poursuivent. La première partie de la convention, qui se termine au début de 2003, apparaît donc, par contraste, comme un succès. La conséquence immédiate en est politique. Les gouvernements d'Europe, constatant que la convention ne tourne pas à la foire, comme ils l'avaient redouté et parfois espéré, décident soudain que l'enjeu est crucial. Du coup, ils veulent surveiller de plus près et mieux influencer l'avancée des travaux. Pour peser, ils dépêchent donc des « poids lourds ». On voit monter sur scène le Français Dominique de Villepin, l'Allemand Joschka Fischer et l'Italien Gianfranco Fini. La convention a définitivement cessé d'être un « machin ». Elle est devenue le dernier endroit où il faut être, et être vu.

À mi-parcours, la substance des travaux est non négligeable. En particulier sur un des points les plus controversés du fonctionnement de l'Union, la subsidiarité. De quoi s'agit-il ? Ce principe essentiel est dissimulé derrière un mot barbare, mais que chaque Européen ferait bien de connaître. Pratiquer la subsidiarité, c'est s'assurer que l'Union européenne n'interviendra pas plus que ce qui est nécessaire pour exercer ses compétences ; par conséquent, qu'elle laissera les États membres et leurs collectivités locales décider et agir lorsque ceux-ci seront qualifiés pour conduire l'action. La subsidiarité bien menée, c'est la garantie que nos vies d'Européens ne seront pas régies d'en haut par un « super-État » fédéral, une sorte de *Big Brother* anonyme propre à faire éclore tous les fantasmes europhobes. La subsidiarité, c'est quand Bruxelles ne s'occupe pas de tout et quand les parlements nationaux gardent le contrôle politique qui est leur raison d'être. Bref, elle est une condition *sine qua non* de l'essor de la démocratie européenne.

L'autre accomplissement de la convention, c'est la simplification de l'innommable fatras juridique et institutionnel qui rendait l'Europe illisible. Au lieu de quatre traités empilés les uns sur les autres depuis un demi-siècle – Rome, Maastricht, Amsterdam et Nice –, les « 105 » tombent d'accord pour fonctionner avec un seul traité constitutionnel – la « Constitution européenne » –, auquel s'ajouteront une poignée de protocoles annexes.

Une fois la jungle juridique éclaircie, la convention passe aux instruments qui sont à disposition de l'Union pour prendre et appliquer ses décisions. Il existait jusque-là dix catégories d'instruments ; ce nombre peut être ramené à cinq, correspondant à des notions avec lesquelles l'opinion publique est familiarisée : lois européennes, applicables dans toute l'Union ; lois-cadres européennes, qui doivent être transcrites dans les législations nationales ; textes d'application ; simples avis ; enfin, décisions individuelles, lorsque l'Union est chargée d'appliquer directement ses compétences, par exemple en matière de concurrence. Comme l'écrit VGE : « On saura enfin qui fait quoi en Europe. »

Voilà pour les aspects un peu abscons des travaux, mais les conventionnels ont aussi des préoccupations plus matérielles. Ils se proposent ainsi d'inscrire dans la Constitution une « définition de la criminalité grave et transfrontalière », pour que la future législation pénale communautaire, applicable à ce type de crimes, soit plus efficace que les législations nationales existantes dont les réseaux criminels exploitent les divergences ou les lacunes. Les « 105 » dégagent également des consensus sur des sujets cruciaux comme la gouvernance économique de l'Union. Si la compétence monétaire est une prérogative inaliénable de l'Union – elle s'incarne dans l'euro –, les compétences économiques et sociales restent du ressort des États membres, ce qui est un point capital, notamment pour de nombreux partis de gauche qui redoutent une harmonisation par le bas des normes en matière de travail, de salaires et de retraites. Reste à trouver les mécanismes qui rendront possible la coordination entre les politiques économiques des États membres et la politique monétaire. Certains conventionnels estiment qu'on harmonise trop, mais la convention peut avancer en dépit de ces dissensions, car elle s'est affranchie dès le début de cette règle de l'unanimité qui paralyse si souvent le travail intergouvernemental. VGE a insisté sur ce point : puisque les travaux de la convention seront suivis d'un débat intergouvernemental pour approuver ou modifier ses conclusions

– à l'unanimité, cette fois –, elle-même a le devoir d'aller le plus loin possible, de profiter au maximum de cette liberté, si rare dans une enceinte européenne.

Il faut ensuite rédiger les articles de la Constitution. L'exercice transporte ses auteurs. Valéry Giscard d'Estaing en pleure presque d'émotion :

« Le travail de rédaction des articles est passionnant et, si le mot ne doit pas choquer, il est même enchanteur. Je m'y suis exercé pendant les vacances de fin d'année en cherchant à rédiger les articles sur les compétences, de l'article 7 à l'article 13. Les préjugés s'envolent, la nécessité de la précision et de la concision apparaît. Adieu, les adverbes qui diluent la vigueur du texte en croyant la renforcer, et les incidentes contournées qui aimeraient dire une chose et son contraire ! Le style de la Constitution ne doit pas être celui d'un acte notarié, voire d'un traité international où l'on cherche à se protéger de toutes les malversations et de toutes les ruses imaginables. Ce doit être un texte rigoureux, entraînant, créatif, où apparaissent à la fois la volonté de répondre à des attentes fortes, et le désir de mettre en place une architecture qui résistera au temps, en protégeant les faibles et en facilitant les avancées vigoureuses du progrès. Le lyrisme d'une Constitution, c'est en quelque sorte la calligraphie de l'Histoire[1] ! »

Si la Constitution suscite des passions, c'est aussi parce que les pays sentent que les rapports de force vont y être inscrits dans le marbre. Au moins pour cinquante ans ! jure VGE. Il est temps de répondre sans se tromper aux grandes questions, et d'abord à la plus importante d'entre elles, celle qui déchire les Européens : l'Union européenne a-t-elle vocation à devenir un ensemble unifié, doté d'un système de pouvoir

1. *Le Monde*, 14 janvier 2003.

unique ? Personne en Europe, hormis quelques fédéralistes forcenés, n'envisage pareille évolution. Une autre question se pose aussitôt : faut-il modifier la répartition des pouvoirs entre les institutions de manière à favoriser les composantes communautaires du système, la Commission et le Parlement, ou bien améliorer la coopération entre les trois institutions existantes ? Bref, faut-il organiser le déclin du Conseil ? Si une démocratie a pour but d'instaurer l'égalité, de quelle égalité parle-t-on ? Pense-t-on d'abord à l'égalité entre les États ou à l'égalité entre les citoyens ? Et puis, pour que l'Europe existe dans le monde, de quelle personnalité juridique faut-il la doter ? Lui faut-il une diplomatie commune ?

Comme souvent, les questions sont plus aisées à formuler que les réponses. L'Union européenne est un être politique double, voire équivoque : elle est à la fois une union d'États et une union de peuples. Lorsqu'elle se ressent comme une union d'États, les droits des États doivent être égaux. Lorsqu'elle se vit comme une union de peuples, ce sont les droits des citoyens qui doivent être égaux : droits à une représentation égale et à un accès équivalent aux différentes fonctions de l'Union. Le système actuel offre une réponse satisfaisante à cette double demande, à condition d'être corrigé de l'« effet de nombre » : égalité des citoyens vis-à-vis des compétences de l'Union – et donc du dispositif communautaire –, égalité des États lorsqu'il s'agit de leurs compétences propres, et de leur contribution à la vie de l'Union telle qu'elle s'exerce au sein du Conseil.

Modifier l'équilibre entre les trois grandes institutions, c'est mettre en péril la légitimité de l'Union tout entière. Si la concentration du pouvoir s'effectuait autour du Conseil, l'intérêt commun européen ne serait plus pris en compte, et l'égalité des citoyens serait sacrifiée à l'égalité des États. Si cette même concentration du pouvoir s'effectuait en direction des institutions strictement communautaires – toutes sauf le Conseil –, ce sont les intérêts propres des États qui ne trouveraient plus à s'exprimer, avec le risque que l'égalité des États petits ou grands s'estompe derrière le dogme de l'égale représentation des citoyens.

VGE a donc élaboré une définition de l'Union en pesant chaque mot : « Il s'agit d'une union d'États et de peuples qui coordonnent étroitement leurs politiques et qui gèrent sur le mode fédéral certaines compétences communes. » L'ancien président de la République aime ajouter une allégorie : le projet européen est un avion qui vole en prenant appui sur ses deux ailes, le communautaire et l'intergouvernemental. Il fait percevoir l'évolution possible du dispositif : l'émergence de fonctions fédérales dans les deux institutions à vocation exécutive – le Conseil et la Commission – qui finiront un jour par se réunir en faisceau pour donner naissance au gouvernement de l'Europe unie. Assurer le respect de la double légitimité, c'est faire en sorte que les trois institutions coopèrent effectivement, y compris dans une future Europe à trente membres. Il faut donc répartir judicieusement les pouvoirs, verticalement grâce à la subsidiarité, horizontalement sous la forme d'une collaboration intense et organisée entre les trois institutions de l'Union.

Quelles sont les modifications des institutions qu'impose l'« effet de nombre », c'est-à-dire le passage progressif de six à vingt-cinq du nombre des États membres de l'Union européenne ? Faut-il ou non remettre en cause l'architecture initiale choisie par les pères fondateurs – qui repose sur trois institutions distinctes : le Parlement, le Conseil et la Commission – pour faire face aux nouvelles tâches de l'Union ? Pour chacune de ces institutions se pose la question de savoir si elle sera en état de délibérer utilement en aboutissant à des conclusions précises et rapides. Le Conseil européen sera-t-il en situation de le faire ? Sa représentativité démocratique, qui repose sur le principe « un homme, une voix », sera-t-elle durablement reconnue ? Comment, enfin, chacune des institutions prendra-t-elle ses décisions, selon quelles règles de vote ?

La rotation semestrielle de la présidence du Conseil, lorsque l'Union passera à vingt-cinq membres et que le retour de la présidence ne s'effectuera que tous les douze ans et demi, ne pourra que fragiliser le fonctionnement des institutions en introduisant des priorités semestrielles, tout en empêchant la continuité et le suivi des décisions. Elle ne saura donc être maintenue, et il faudra la remplacer, nous le verrons, par un président du Conseil nommé pour plusieurs années.

La méthode conventionnelle ne pouvait faire l'économie d'un « clash de civilisations » : la démocratie directe contre les eurocrates de Bruxelles. Le duel pas si feutré que se sont livrés VGE, président de la convention, et Romano Prodi, président de la Commission, illustre bien ce choc des cultures. Pendant que la convention s'efforce de doser au milligramme la répartition des pouvoirs dans la future Constitution de l'Europe, Romano Prodi tente un coup de force institutionnel en concoctant dans le secret de son cabinet un projet concurrent baptisé « Pénélope », comme dans les thrillers américains. Dans la droite ligne de l'idéologie hyper-fédéraliste qui prévaut dans les couloirs de la Commission, « Pénélope » vise tout simplement à transformer la Commission en un véritable exécutif communautaire, un gouvernement à part entière. L'idée, visionnaire pour un petit nombre, reste scandaleuse pour le plus grand nombre, et elle a peu de chances d'être approuvée. Prodi s'y prend en outre si mal que Giscard considère la manœuvre comme un affront personnel et entreprend de sillonner l'Europe pour éreinter le projet du Bolognais. Il y parviendra sans mal : en cette année 2002 la Commission n'a pas très bonne presse.

8

La Constitution au forceps

L'élargissement européen du 1er mai 2004 est loin d'être le premier ; en revanche, il est bien le premier dans l'histoire de l'Europe à placer les « leaders » en situation d'infériorité numérique – bref, à inverser les rôles de la locomotive et des wagons. Le nombre des pays les plus engagés dans le projet européen devient inférieur à celui des pays qui ont choisi de rester au moins provisoirement à l'écart. Ces pays les plus engagés dans le projet européen sont ceux qui ont accepté de renoncer à leur souveraineté monétaire. Ils sont douze et appartiennent à ce qui s'appelle la zone euro, du nom de la devise qu'ils partagent depuis 1999. Dans l'Europe à quinze, les douze de l'euro pesaient lourd. Dans l'Europe à vingt-cinq, ils représentent moins de la moitié de l'ensemble. Cette arithmétique peut paraître indécente et sommaire – après tout, ces douze-là pèsent tout de même d'un poids démographique écrasant –, mais elle est loin d'être anodine, vu le mode de fonctionnement qui prévaut au sein des institutions de l'Union, très à cheval sur l'égalité entre les États. À douze, on pouvait entraîner les Quinze ; mais, à douze, peut-on tirer les Vingt-cinq ?

Certes, plusieurs pays de l'Est ont vite fait savoir qu'ils souhaitaient rejoindre la zone euro, et d'aucuns ont même promptement arrimé leur monnaie à l'euro[1], mais le nouvel équilibre n'en reste pas moins bancal. C'est un équilibre de confrontation, et non pas un équilibre d'action. Dans ce face à face, les « grands » vont être obligés de consacrer beaucoup de temps et d'énergie à se protéger des « petits ».

Dans l'Europe à vingt-cinq, la Lituanie possède un pouvoir inférieur à l'Allemagne ; mais, si on le rapporte à sa puissance économique et à sa population, elle jouit en réalité d'un sur-pouvoir considérable. Nous y reviendrons. D'où la tentation régulière de quelques grands pays – pas toujours les mêmes, d'ailleurs – de constituer des « noyaux durs » afin de poursuivre en petit comité l'approfondissement de la construction européenne, sans se laisser distraire par l'inévitable cacophonie de l'Union grand format.

Il paraît donc essentiel d'élaborer un mode d'emploi pour la Grande Europe ; à défaut, on débouchera sur un blocage institutionnel définitif. Y parvenir requiert de l'Union un effort de réalisme collectif sans précédent pour comprendre qu'il lui faut changer ses structures si elle veut avancer, ne serait-ce qu'à petits pas. Sinon, la vie communautaire dérivera vers un affrontement permanent et stérile entre « grands » et « petits » pays – ce qu'il faut éviter à tout prix, car cet affrontement, au fil des siècles, a souvent conduit les Européens à se faire la guerre.

Ces réflexions sont dans tous les esprits, les 20 et 21 juin 2003, quand les Européens se retrouvent à Thessalonique, en Macédoine grecque, pour leur sommet semestriel. Cette fois, il s'agit de recevoir des mains de Valéry Giscard d'Estaing le projet de Constitution préparé dix-huit mois

1. L'Estonie, la Lituanie et la Slovénie, le 27 juin 2004.

durant par la Convention sur l'avenir de l'Europe. Le champagne coule à flots, les compliments diplomatiques fusent. Giscard, qui n'en avait jamais douté, est encensé pour le caractère historique de son travail. Dans les coulisses, pourtant, les frustrations s'expriment. Le projet ulcère de nombreux pays, et seules les capitales qui se réjouissent de voir l'Europe piétiner y trouvent leur compte. Il y a deux ans et demi que le sommet de Nice s'est déroulé, mais la sérénité est loin d'être revenue entre les Vingt-cinq. À Thessalonique, tout le monde devine que la bataille des pourcentages, c'est-à-dire la bataille du pouvoir, va reprendre de plus belle.

Le sommet de Nice avait accouché d'un système horriblement complexe : pour être adoptée en Conseil à la majorité qualifiée, et dans l'hypothèse d'une Europe à vingt-sept membres, une décision devait recueillir l'approbation de la majorité des États pour peu qu'ils représentent 74 % des voix[1] et 62 % de la population de l'Union. Les voix de chaque pays membre étaient calculées selon une clé prenant en compte la population ; mais cette clé était biaisée, car la supériorité démographique de l'Allemagne était totalement gommée par rapport à la France, au Royaume-Uni et à l'Italie, et largement neutralisée par rapport à l'Espagne et à la Pologne. À Nice, on avait triché avec les peuples. Au fil des dix-huit mois écoulés depuis lors, la plupart des Européens de bonne foi ou simplement dotés d'un minimum de sens collectif se sont rendus à l'évidence : le mécanisme adopté à Nice était paralysant ; le seuil de la majorité qualifiée étant trop élevé, cela donnait à de petites minorités la possibilité de tout bloquer.

1. Il s'agit bien sûr des voix « pondérées » de chaque pays quand le Conseil vote.

Le projet de Constitution élaboré par la convention a bien sûr identifié les faiblesses du traité de Nice et tenté d'y apporter des correctifs. Le projet des « 105 » est en effet très marqué par la « revanche des "grands" ». Giscard a été effrayé par le traité de Nice. Il compte bien que la dernière grande entreprise de sa vie aboutira à redonner aux pays fondateurs de l'Europe le leadership qu'à ses yeux ils méritent, et que des gouvernements mous et sans imagination ont laissé s'effriter. Il sait en outre qu'il lui faut forcer le trait dans son projet, car il sera fatalement mutilé lors de son examen par la conférence intergouvernementale.

L'architecture institutionnelle voulue par Giscard résulte de quelques chiffres que le polytechnicien-inspecteur des finances a consultés systématiquement au cours de la convention pour garder les idées claires et les pieds sur terre. La Grande Europe abrite trois groupes de pays bien distincts. D'abord, six pays dont la population avoisine ou dépasse les 40 millions d'habitants[1]. Ils représentent 74 % de la population de l'Union et 77 % de son PIB, c'est-à-dire de la richesse qu'elle produit chaque année. Le deuxième groupe se compose des pays dont la population est comprise entre 8 et 16 millions d'habitants[2]. Ils sont au nombre de huit, représentent 19 % de la population totale et fournissent 17 % du PIB de l'Union. Le groupe des membres les moins peuplés, enfin, comprend onze pays[3] qui constituent 7 % de la population totale et procurent 6 % du PIB de l'Union. Il suffit

1. L'Allemagne (82,44 millions d'habitants), la France (59,34), le Royaume-Uni (58,92), l'Italie (56,33), l'Espagne (40,40) et la Pologne (38,63).

2. Les Pays-Bas (16,10 millions d'habitants), la Grèce (10,98), le Portugal (10,33), la Belgique (10,31), la République tchèque (10,21), la Hongrie (10,17), la Suède (8,90) et l'Autriche (8,13).

3. La Slovaquie (5,37 millions d'habitants), le Danemark (5,36), la Finlande (5,19), l'Irlande (3,88), la Lituanie (3,47), la Lettonie (2,34), la Slovénie (1,99), l'Estonie (1,36), Chypre (0,70), Luxembourg (0,44) et Malte (0,39).

d'étudier un instant ces chiffres pour comprendre les pièges dans lesquels la construction européenne n'a pas le droit de tomber, mais aussi pour écarter quelques fausses bonnes idées.

Il se trouve parfois quelques démocrates hypocrites pour suggérer que, dans un avenir plus ou moins proche, on élira un président du Conseil européen au suffrage universel, ou que l'on soumettra de grandes questions à un référendum à l'échelle européenne. Mais, à partir du moment où les quatre grands pays représentent à eux seuls 57 % des électeurs de l'Union, ils détiendraient donc à eux seuls la décision et c'en serait fini de la démocratie européenne. On en reviendrait alors pour de bon aux « noyaux durs ». Inversement, il faut se garder de la démagogie bien-pensante qui s'évertue à flatter les petits pays en leur promettant trop d'influence. Dans l'Europe à vingt-cinq, il faut treize pays pour constituer une majorité. Si l'on prend les treize pays les moins peuplés, cette majorité ne représenterait que 10, 5 % de la population de l'Union et 10 % de son PIB. Imaginons un instant une Commission européenne composée d'autant de commissaires que de pays, sans limitation de nombre, et votant à la majorité simple, comme maints nouveaux membres l'ont suggéré. Ce serait tout simplement la fin de la Commission, parce que la légitimité de ses décisions pourrait être contestée par plus des quatre cinquièmes de la population et de la puissance économique de l'Union. Il faut donc inventer un système qui préserve la dignité et le rôle de chacun sans handicaper l'ensemble.

La tâche n'est pas simple, car l'« effet de nombre » affecte en même temps les trois institutions : le Conseil européen, qui, de 19 membres en 1975, est passé à 32 dans l'Europe à quinze, puis à 52 avec l'élargissement de mai 2004[1] ; le Parle-

1. Ce nombre prend en compte les présidents ou chefs de gouvernement de chacun des États et leurs ministres des Affaires étrangères, auxquels s'ajoutent deux membres de la Commission.

ment européen, qui dépassera le plafond qu'il s'était lui-même fixé (700 membres) et deviendra ainsi la plus grande assemblée du monde occidental ; enfin la Commission, qui comptait initialement 9 membres, puis 20 dans l'Europe à quinze (dont 10 désignés par les cinq États les plus peuplés et 10 par les États les moins peuplés), et qui est passée à 25 commissaires en novembre 2004 (dont 6 désignés par les États les plus peuplés et 19 par les États les moins peuplés). Ce passage à 25 est dû à la désignation par les nouveaux États membres de 10 nouveaux commissaires, partiellement compensée par la suppression du deuxième commissaire des États les plus peuplés[1]. C'est la première fois depuis la signature du traité de Rome que le nombre des commissaires originaires des États les plus peuplés de l'Union – qui représentent 78 % de sa population – diminue de moitié pour ne plus atteindre que 24 % du total.

C'est à la lumière de ces équations mouvantes que Giscard et les conventionnels ont peaufiné leur projet de Constitution. Le système qu'ils proposent a deux qualités indéniables par rapport au traité de Nice. Il est plus simple. Il est plus efficace.

Plus simple, car l'adoption d'une décision à la majorité qualifiée ne sera plus soumise qu'à deux critères seulement – le nombre d'États et la population – au lieu de trois, le mécanisme de pondération des voix étant supprimé.

Plus efficace, car le seuil de la majorité démographique est fixé cette fois à 60 % de la population de l'Union, la barre étant donc abaissée de 2 % par rapport au traité de Nice. Cet écart peut sembler insignifiant, mais il ne l'est pas du tout. Il réduit considérablement la capacité d'obstruction de groupes minoritaires comme les pays latino-méditerra-

1. Allemagne, France, Espagne, Grande-Bretagne, Italie.

néens du Sud, les pays « radins » du Nord ou les anciens pays socialistes d'Europe centrale et orientale.

Des mathématiciens ont comparé la fluidité de l'Union à vingt-sept membres dans la configuration « Nice » et dans la configuration « Giscard ». Dans une Europe à vingt-sept membres, il existe des millions d'arrangements et de coalitions possibles. Parmi celles-ci, les ingénieurs ont prouvé que la proportion des « coalitions gagnantes » – c'est-à-dire celles qui permettent de faire adopter une décision, et donc de faire avancer l'Europe – passe de 2 % dans le traité de Nice à 22 % dans le projet de Constitution.

Si le projet de Constitution est donc indéniablement un facteur d'efficience, cela ne le rend pas pour autant populaire, bien au contraire ! Tout simplement parce que la méthode Giscard bouleverse la hiérarchie des États membres en modifiant radicalement leur capacité de conduire des minorités de blocage. Une fois de plus, un peu d'arithmétique est ici indispensable. Dans le système de Nice, il suffisait à quelques pays de rassembler au sein du Conseil 91 voix pondérées pour empêcher une décision. Dans le projet constitutionnel, il faut rassembler 193 millions d'habitants ! Le projet remet en somme chacun à sa place. Il fait aussi voler en éclats la parité artificielle que le traité de Nice avait bricolée entre les six grands pays de l'Europe à vingt-sept. La Constitution rend à l'Allemagne ce qui est à l'Allemagne. La République fédérale devient détentrice de 42,5 % de la population nécessaire à une minorité de blocage, contre 31 % pour la France, le Royaume-Uni ou l'Italie. Le projet Giscard n'est pas complaisant, c'est le moins qu'on puisse dire, avec son pays d'origine. À Nice, la France avait décroché de l'Allemagne au Parlement, mais tenu bon au Conseil. La Constitution la fait décrocher de l'Allemagne également au Conseil, en échange de la création d'une présidence non tournante du Conseil pour laquelle

Giscard serait éventuellement candidat. Est-ce une bonne affaire ?

Nul doute que les deux pays qui sont le plus sévèrement rabroués par la Constitution sont l'Espagne et la Pologne, les deux grands vainqueurs de Nice. À Nice, ces deux pays étaient quasi à égalité avec l'Allemagne (27 voix contre 29). Désormais, on leur propose de peser presque deux fois moins. Les Polonais avaient déduit du sommet de Nice que les Allemands étaient leurs amis et les Français leurs adversaires. Ils découvrent que l'Allemagne n'est pas décidée à replier ses ailes. Quant aux pays moyens, ceux dont la population avoisine les 10 millions d'habitants, comme la Belgique[1], ils n'ont pas même la satisfaction qu'éprouvent les petits à l'idée de simplement exister. Au lieu de peser pour environ 10 % de ce qu'il faut pour fabriquer une minorité de blocage, ces « moyens » sont ramenés à 5 %. Avec la Constitution, ils pèseront bien moins dans la formation des majorités démographiques et ne pèseront pas vraiment plus que les tout petits dans la formation des majorités d'États. Ainsi, l'Autriche et le Portugal ne seront pas plus puissants en Europe que Malte ou Chypre. Le projet Giscard – il n'est encore qu'un projet quand il est présenté à Thessalonique – est un véritable laminoir des ambitions.

Il reste vrai qu'en théorie, s'ils pouvaient constituer entre eux des majorités stables, le critère de la majorité des États dans la formation de la majorité qualifiée au sein du Conseil conférerait une influence décisive aux pays petits et moyens ; mais les observateurs avisés du grand jeu européen savent qu'ils ne sont pas souvent capables de saisir cet avantage. Il est notoire que, sur les questions institutionnelles, les petits pays, dont les intérêts concordent rarement, ne font pas front commun. Il en résulte que, pour les décisions

1. Ainsi que le Portugal, la Grèce, la République tchèque ou la Hongrie.

législatives et budgétaires importantes, ils ne pourront pas faire usage de leur nombre. Le critère démographique sera donc le seul déterminant.

Le projet constitutionnel change l'Europe. Certes, la fiscalité, la défense et la politique étrangère restent l'apanage des seuls États – comme l'exigent traditionnellement le Royaume-Uni et d'autres pays –, mais le rôle des parlements nationaux est aussi renforcé : il est prévu qu'ils auront un rôle à jouer dans les propositions de directives européennes.

En politique étrangère, qui reste un domaine exclusif des États et où la Commission a surtout un rôle d'exécutant, la grande nouveauté est la création du poste de ministre européen des Affaires étrangères. On prévoit aussi d'installer à la tête du Conseil un président dont le mandat durera plusieurs années et qui remplacera *de facto* la présidence tournante, laquelle avait fini par donner le tournis aux Européens et aux pays extérieurs à l'Union. En matière de lutte contre la criminalité, le terrorisme, le trafic de drogue, d'êtres humains et d'armes, le traité constitutionnel a fait aussi avancer les choses.

Ce sont là des progrès importants, mais le projet de Constitution présenté en grande pompe à Thessalonique marque les esprits pour une seule et unique raison : il est vraiment à l'avantage des grands pays, et tous les autres ont la ferme intention de le défigurer autant qu'il sera possible avant qu'il ne soit adopté officiellement. L'élagage va se dérouler en deux temps.

Le premier, celui du sommet de Bruxelles, les 12 et 13 décembre 2003, est un échec. Il ne permet pas de dégager un consensus sur la base du projet déposé par la convention. Une fois de plus, l'Europe trébuche sur des pourcentages. La procédure de prise de décision au sein de l'Union est le point d'achoppement des négociations. Le débat n'est toujours pas clos sur la question de savoir comment les décisions seront prises à l'avenir au sein de l'Union : en appliquant la « pondération des voix » fixée par le traité de Nice ou bien en retenant le principe de « double majorité » prévu par le projet de Constitution européenne ? Les chefs d'État ou de gouvernement de l'Union européenne ne sont pas parvenus à combler le fossé entre les intérêts nationaux et l'idée européenne.

À Bruxelles, la Pologne et l'Espagne refusent avec véhémence de renoncer à la pondération des voix stipulée dans le traité de Nice. Ce système accorde à chacun de ces deux pays presque autant de voix qu'à l'Allemagne, alors qu'ils ne comptent respectivement que moitié moins d'habitants. Madrid et Varsovie jouent la montre. Les deux pays savent que la procédure fondée sur le traité de Nice entrera en vigueur dès le 1er janvier 2004, soit quinze jours plus tard. Ce sera déjà ça de pris ! Peu importe, aux yeux de ces deux « petits grands pays », que le système manque de transparence, de démocratie et d'efficacité ! L'essentiel est qu'il sera aisé d'y bloquer la prise de décision, ou difficile d'y faire adopter des décisions par le Conseil. C'est le but que poursuit José Maria Aznar, président du gouvernement espagnol. Car, dans son univers mental, tout ce qui freine l'« Europe franco-allemande » grandit l'Espagne. Le chancelier allemand Gerhard Schröder a tenté jusqu'au bout de convaincre la Pologne, mais il lui a suffi d'une seule conversation avec son homologue polonais pour comprendre que ses efforts seront vains. Leszek Miller est trop faible sur la scène politique polonaise pour se permettre la moindre concession, et le sommet s'achève sur ce bref aparté entre les deux hommes, d'une rare franchise :

Schröder : « Pouvez-vous évoluer ?

Miller : – Non ! »

L'échec est consommé.

À Bruxelles, les pourparlers ont également achoppé sur le nombre des commissaires : les petits pays ont plaidé pour un commissaire par pays, soit vingt-cinq en tout. Le projet de Constitution propose pour sa part de limiter à quinze le nombre des membres de la Commission européenne. Les deux points de vue semblent d'autant plus inconciliables que les nouveaux pays membres font de leur présence à la Commission une affaire d'honneur. N'oublions pas, enfin, que le fiasco de Bruxelles doit beaucoup à l'amateurisme dont ont fait preuve l'Italie, présidente en titre de l'Union, et surtout son chef de gouvernement, Silvio Berlusconi. Après des fanfaronnades sur les projets de compromis qu'il avait en poche, et malgré de nombreuses consultations bilatérales selon la technique du « confessionnal », le *Cavaliere* a été incapable de fournir aux chefs d'État et de gouvernement le moindre texte à négocier. Il n'a pas non plus organisé de séances de négociations à vingt-cinq qui auraient eu au moins le mérite de permettre à chacun de réaffirmer officiellement sa position, et donc de compter.

Quand le verdict d'échec tombe sur Bruxelles, c'est la curée. Les souverainistes de tous bords se déchaînent. En Vendée, Philippe de Villiers, président du Mouvement pour la France, se sent pousser des ailes et ressort la tirade qui lui sert depuis vingt ans, quelles que soient les circonstances : « L'Europe des technocrates est morte ! »

L'ancien Premier ministre français Édouard Balladur, président de la commission des Affaires étrangères à l'Assemblée nationale, émet, lui, une suggestion plus subtile. Il propose de suspendre l'élargissement de l'Union tant qu'il n'y aura pas accord sur la Constitution européenne. Il pose là le vrai problème.

Pour tous les partis politiques de l'Union, l'échec du sommet de Bruxelles est plutôt une bonne nouvelle.

Particulièrement en France, où le gouvernement Raffarin voit se profiler deux élections qui lui font peur : les régionales en mars, les européennes en juin. Plus besoin de se déchirer sur l'Europe ! À l'Élysée, Jacques Chirac peut remettre à plus tard la décision de soumettre ou non la Constitution à référendum. Le naufrage de Bruxelles est un sursis auquel tout le monde, à l'exception peut-être des Allemands, ne voit que des avantages. Mieux vaut attendre, pour continuer, que soient passées les élections européennes du 13 juin 2004.

9

L'accord mineur du 18 juin

Il y aura fallu un certain temps, mais l'Histoire retiendra que c'est le vendredi 18 juin 2004 au soir que les vint-cinq pays de l'Union élargie sont parvenus à un accord sur la première Constitution européenne. Le public est si las des arguties et des querelles qu'il néglige l'événement. Il s'agit pourtant, en cette fin de printemps, à Bruxelles derechef, du premier sommet[1] de l'après-élargissement, c'est-à-dire du premier Conseil européen auquel participent, sur un pied d'égalité, les quinze anciens États membres et les dix nouveaux pays qui ont rejoint l'Union le 1er mai.

Vingt-huit mois après le début des travaux de la convention, le texte censé fonder l'Union en droit et sceller le destin commun de ses membres est un compromis qui ne satisfait pleinement personne. En outre, il représente un danger pour chacun des gouvernements signataires, puisque la future Constitution n'entrera en vigueur qu'après avoir été ratifiée par les vingt-cinq États membres, soit par la voie parlemen-

1. Les « sommets » ou Conseils européens, pour être plus précis, ont lieu tous les six mois, alternativement à Bruxelles et dans la capitale du pays qui préside l'Union à ce moment-là.

taire, soit par référendum. Bref, il faudra faire campagne et risquer le désaveu populaire. Et l'échec, beaucoup de gouvernements de l'Union viennent d'en subir un cuisant. Cinq jours plus tôt, le 13 juin, les élections européennes ont en effet sonné comme un glas. À quelques exceptions près, tous les partis majoritaires ont enregistré une défaite cinglante, tout particulièrement en Allemagne, en France et au Royaume-Uni. Voilà pourquoi, ce 18 juin, les États membres sont décidés à montrer à leurs électeurs « eurofatigués » que l'Europe, malgré tout ça marche ! Il y a maintenant un projet de Constitution : enfin un élément positif à mettre en avant ! Ça n'est pas si fréquent...

Puisque c'est le moins mauvais accord qu'on pouvait obtenir, les dirigeants de l'Union s'autocongratulent et émettent des phrases mémorables : « Tout le monde y gagne ! » s'écrie le Premier ministre irlandais, Bertie Ahern, président en exercice de l'Union. « C'est un succès pour la Grande-Bretagne et un succès pour l'Europe », renchérit Tony Blair. Mais le Premier ministre britannique ajoute aussitôt, en prévision du regain de hurlements que poussent déjà chez lui les cohortes d'eurosceptiques : « Nous voulons toujours être des nations fières, souveraines et indépendantes, et en même temps membres de l'Union européenne... »

Bertie Ahern a fait des miracles : il a su jongler avec les pourcentages, ces miettes de pouvoir qui déclenchent si bien les passions. Sur le calcul du seuil de la majorité qualifiée, celui qu'il faudra franchir pour qu'une directive soit adoptée en Conseil, il a réussi là où Silvio Berlusconi avait lamentablement trébuché. L'Irlandais est parvenu à satisfaire les « grands » sans humilier les « petits ». Ce prestidigitateur a trouvé la petite astuce qui débloque la situation. La voici : dans le nouveau système, il faudra au moins quatre pays pour stopper une proposition en Conseil. Une innovation toute simple mais politiquement précieuse, car elle interdit aux trois plus grands pays, l'Allemagne, la France et le Royaume-Uni, de constituer un front du refus quand il leur chantera.

Bertie Ahern, en bon Irlandais, possède une qualité rare : il sait comment les Britanniques pensent. Il devine que Londres ne s'intéresse pas autant que les autres pays à cette histoire de majorité qualifiée. Après tout, on vote assez rarement au Conseil, même si cette fréquence risque de croître avec l'extension du nombre des domaines soumis au vote à la majorité qualifiée. Tony Blair s'intéresse bien plus à la sauvegarde du veto britannique en matière de fiscalité. Aussi Ahern lui fait-il une promesse tentante : il s'engage à supprimer de la Constitution toute référence à la possibilité de légiférer à la majorité qualifiée en matière fiscale, y compris dans le cadre des enquêtes frontalières en cas de soupçon de fraude fiscale. Blair accepte, et le projet de traité constitutionnel est sauvé.

Par rapport à toutes les phases précédentes, le projet Giscard a encore bonne allure, mais l'« esprit VGE » en a été sérieusement élagué. En vieux briscard de la politique européenne, l'intéressé avait prévu l'inévitable reculade et poussé sciemment le bouchon fort loin. Un constat indéniable, néanmoins : le « texte du 18 juin » marque un recul par rapport au projet de la convention. Giscard avait voulu redonner leadership et autonomie aux grands pays. C'est désormais moins clair.

Dans le nouveau texte, la mécanique de prise de décision a encore été modifiée : à partir de 2009, pour prendre une décision en Conseil, la majorité qualifiée sera atteinte si elle recueille l'assentiment de 55 % du nombre des États – à condition que ces 55 % comportent au moins quinze pays et que ces pays représentent au moins 65 % de la population de l'Union (contre respectivement 50 et 60 % dans le projet de la convention). En pratique, cela signifie que douze pays (dans une Union comportant vingt-cinq membres) ou un nombre d'États membres représentant 35,01 % de la population ont la possibilité de rejeter telle ou telle initiative. Cela redonne évidemment du poids politique aux petits et moyens pays par rapport au sort que leur réservait le projet de Giscard. VGE est déçu mais pas surpris.

Le nouveau dispositif a donc mécaniquement pour conséquence de diminuer le nombre de coalitions majoritaires gagnantes et, par là, de réduire l'efficacité du système de décision envisagé par la convention : avec le traité de Nice, on l'a vu, le taux de coalitions majoritaires possibles était de 2 % ; avec le projet de la convention, il s'élevait à 22 % ; avec le texte amendé, il retombe à 12 %. Le nouveau texte confirme toutefois qu'une minorité de blocage ne pourra être constituée qu'avec au moins quatre pays, afin d'éviter que les trois plus grands ne disposent d'un droit de veto contre tous les autres.

Ce n'est pas le seul recul que les conventionnels les plus fédéralistes ont dû avaler. La convention avait préconisé d'étendre l'application de la règle de la majorité qualifiée à un nombre croissant de domaines. Les chefs d'État et de gouvernement sont revenus sur ces avancées, choisissant au contraire de maintenir la règle de l'unanimité dans toute une série de domaines cruciaux.

Chaque pays possède son jardin secret qu'il veut inviolable… Les Britanniques ont ainsi tenu bon sur les « lignes rouges » qu'ils avaient imposées à la Constitution. Avec l'aide des Irlandais, les propositions de la convention prévoyant le développement d'une harmonisation fiscale (en faveur de laquelle militent la France et l'Allemagne) ont été repoussées. La City, qui pratique un redoutable lobbying à Bruxelles, est saine et sauve. La règle de l'unanimité continuera de s'appliquer à la fiscalité ; chaque

État membre continuera de jouir d'un droit de veto, donc d'un droit de blocage. Bref, rien ne changera.

En dépit des progrès accomplis par la coopération judiciaire en matière civile et ceux concernant les politiques d'asile et d'immigration, chaque État conservera son droit de veto vis-à-vis de la coopération en matière pénale, ce qui promet des blocages chaque fois qu'un État jugera qu'une « loi » européenne est incompatible avec les « principes fondamentaux de son système pénal ». Concrètement, chaque État membre pourra saisir le Conseil européen grâce à une procédure dite du « frein d'urgence » si un tel danger vient à se profiler. Le nouveau texte limite aussi les pouvoirs du Parquet européen aux questions relatives aux intérêts financiers de l'Union, même s'il est vrai que le Conseil pourra étendre ces pouvoirs à la lutte contre la grande criminalité revêtant une dimension transfrontalière.

Enfin, la politique commerciale extérieure en matière culturelle et audiovisuelle, éducative et sanitaire, restera du ressort des États membres et sera soumise à la règle de l'unanimité, ainsi que le souhaite la France. Certains, comme le commissaire français Pascal Lamy, ont tenté d'exclure cette clause de la Constitution, mais Paris a tenu bon.

Dans certains domaines comme la politique étrangère, le Conseil européen pourra décider au coup par coup le passage à la règle de la majorité qualifiée, mais il devra le décider à l'unanimité ! Tel est le sens de la « clause passerelle » souhaitée par la France et qui permet de surmonter les risques de blocage liés à l'unanimité, hormis en matière de défense. L'autre moyen, *in fine*, de sortir de l'impasse est de recourir au système de la « coopération renforcée » (dont l'autorisation est conditionnée par un vote à l'unanimité) entre les États membres qui souhaiteraient aller de l'avant sans attendre tous les autres. Cette option doit rester ouverte à tous les États membres.

En ce qui concerne la « taille » de la Commission, la bataille pour une commission réduite a été partiellement gagnée. Elle restera composée d'un membre par pays jusqu'en 2014, et ne devrait plus compter ensuite que des ressortissants venant des deux tiers des États membres. Jusqu'en 2014, les petits pays bénéficieront ainsi d'une forte sur-représentation. Au-delà, la Commission sera composée d'un nombre de membres « correspondant aux deux tiers du nombre des États » (soit dix-huit membres dans une Union regroupant vingt-sept membres, quand la Bulgarie et la Roumanie auront adhéré ; ce chiffre comprenant le président de la Commission et le ministre européen des Affaires étrangères, également vice-président de la Commission). Le principe sera la rotation égalitaire des États. La convention aurait préféré que la Commission soit définitivement composée de quinze membres, mais son souci de compromis n'a pas été entendu.

Le nombre minimal d'eurodéputés envoyés par un pays au Parlement européen sera porté, à compter de 2009, à six au lieu de quatre. Cette nouvelle disposition traduit la volonté des « petits » pays de renforcer leur influence au sein d'une institution dont le poids politique va croissant. La conséquence en est que le nombre maximal de sièges au Parlement européen, qui avait été fixé à 700, puis à 732, devra être modifié pour passer à 750. Le nombre maximal d'eurodéputés pour un pays donné sera, en revanche, ramené de 99 à 96.

Le diable est dans les détails, et chaque pays se bat pour « ses » détails. Sous la pression des Britanniques, augmentée du soutien de la République tchèque, de la Slovaquie, de Chypre et de Malte, la Charte européenne des droits fondamentaux, qui fait l'objet de la seconde partie du traité constitutionnel, voit son champ d'application et sa portée juridique écornés. La Constitution précise aussi que les dispositions concernant la protection sociale des travailleurs migrants seront régies par la règle de la majorité qualifiée, même si les États membres qui jugeront ces dispositions incompatibles avec leur système de protection sociale garderont la possibilité de faire appel devant le Conseil européen, au sein duquel ils disposent d'un droit de veto. Sur le volet « social » de la Constitution, le nouveau texte introduit un élément important, une « clause sociale » qui stipule que l'Union doit promouvoir un « haut niveau » d'emploi, une protection sociale adéquate, et lutter contre l'exclusion. L'« Europe sociale », tant réclamée par la gauche française notamment, n'est donc pas absente de la lettre du texte.

La simplification des instruments d'action et des procédures constitue une seconde avancée importante. Rappelons-en les grandes lignes. Pour mettre un terme à la multiplicité des instruments de l'Union, la convention a réduit le nombre des moyens dont elle dispose pour agir (six au lieu de quinze) en établissant parallèlement une typologie fondée sur une simplification du vocabulaire utilisé. Cette question sémantique n'a rien d'anecdotique. Elle rend la Constitution plus lisible. Concrètement, le texte constitutionnel distingue entre : les actes législatifs, comprenant les lois européennes et les lois-cadres européennes (qui remplacent les règlements et les directives) ; les actes non législatifs, comprenant les règlements européens et les décisions européennes, ainsi que les avis et les recommandations. Cette clarification doit permettre de rendre le processus de décision plus compréhensible.

La subsidiarité, ce grand principe de l'Union européenne, est précisée. La Constitution clarifie le partage des compétences au sein de l'Union. Elle définit d'abord les principes. Les compétences de l'Union sont celles que les États membres lui attribuent de par la Constitution : c'est le « principe d'attribution ». Toutes les autres compétences continuent d'appartenir aux États membres, qui détiennent donc une compétence de droit commun. L'Union agit dans les domaines où les États ont décidé de mettre en commun leurs pouvoirs pour être plus efficaces – c'est le « principe de subsidiarité » – dans le respect de ce qui est nécessaire : c'est le « principe de proportionnalité ».

Il y a les compétences exclusives dans les domaines où l'Union légifère seule, comme la politique monétaire des États de la zone euro, la politique commerciale commune et l'Union douanière. Les compétences sont partagées dans les domaines où l'Union et les États partagent le pouvoir de légiférer, comme la sécurité intérieure et la justice. Restent les actions d'appui, de coordination ou de complément, par lesquelles l'Union peut soutenir certaines politiques qui relèvent des États, comme l'éducation dans sa dimension européenne, les échanges universitaires et l'enseignement des langues de l'Union.

Comment vérifier que ce partage est respecté ? La Constitution prévoit de doter les parlements nationaux d'un pouvoir de contrôle qui prend la forme d'un « mécanisme d'alerte précoce » en cas de présomption d'immixtion de l'Union dans des domaines qui ne seraient pas de sa compétence. Cette « résurrection » des parlements nationaux est une des grandes novations de la convention.

Qui représentera l'Union sur la scène mondiale ? Les propositions de la convention ont été maintenues. L'Union sera dotée d'un président stable, désigné à la majorité qualifiée par le Conseil européen (réunissant les chefs d'État et de gouvernement de l'Union) pour deux ans et demi, mandat renouvelable une seule fois. Ce nouveau système mettra fin à la rotation semestrielle de la présidence de l'Union européenne. Il entend donner une voix et un visage à l'Europe. Le président du Conseil, qui ne pourra détenir aucun mandat national pendant son mandat européen, aura pour fonction d'animer les travaux du Conseil européen et d'assurer la représentation extérieure de l'Union. Certains fédéralistes aimeraient qu'un jour le président du Conseil et le président de la Commission ne fassent plus qu'un, mais l'idée d'un seul chef pour l'Europe aura du mal à passer…

Un poste de ministre européen des Affaires étrangères sera créé en fusionnant les postes du commissaire européen en charge des relations extérieures et du haut représentant pour la politique étrangère et de sécurité commune : il sera désigné pour cinq ans à la majorité qualifiée et son rôle sera de conférer une plus grande unité à la politique étrangère de l'Union européenne.

En somme, la Constitution offre trois têtes possibles à l'Europe : le président du Conseil, le président de la Commission et le ministre des Affaires étrangères. Il y a là indéniablement une source permanente de conflits de pouvoirs, sans que le Parlement soit identifié comme pouvant en être l'arbitre.

Néanmoins – et paradoxalement ! –, la politique étrangère et de sécurité commune (PESC) de l'Europe restera dans le giron des États. Toute décision devra être prise à l'unanimité, chaque État membre disposant d'un droit de veto. Le ministre européen des Affaires étrangères présidera le Conseil des ministres des Affaires étrangères[1].

En matière de politique de défense, les chefs d'État et de gouvernement se sont engagés à définir une « défense commune », mais à condition de le faire à l'unanimité. La « clause de solidarité » en cas d'agression militaire contre le

1. Il s'agit là d'une exception à la règle retenue selon laquelle le système de présidence semestrielle tournante continuera à caractériser l'ensemble des Conseils des ministres sectoriels – Agriculture ou Finances, par exemple –, contrairement à ce qui avait été envisagé par la convention.

territoire d'un des États membres de l'Union, proposée par la convention, a été maintenue. De la même manière, la possibilité de « coopérations structurées » (ouverte par la convention) en matière de défense a été conservée et permettra la constitution de capacités de défense communes et la prise de décisions entre un petit groupe d'États qui souhaitent s'associer.

Et le Parlement européen ? Avec la Constitution, il monte en grade et devient un véritable colégislateur. La « codécision » avec le Conseil des ministres devient la procédure législative ordinaire au lieu d'être l'exception. On est loin de la chambre d'enregistrement qu'il était jusqu'il n'y a pas si longtemps. Le nombre de domaines auxquels s'appliquera la codécision doublera pour atteindre 80 au total : entre autres, l'aide humanitaire, la politique spatiale européenne, la coopération judiciaire en matière civile (à l'exception du droit familial), la protection de la propriété intellectuelle et de la politique commerciale. Le Parlement « nouvelle formule » détiendra un important pouvoir d'influence lors de la nomination du président de la Commission européenne. C'est d'ailleurs le moins qu'on puisse attendre d'un Parlement : qu'il sanctionne l'« exécutif ». Nul doute que cette nouvelle responsabilité accroîtra – et c'est tant mieux ! – la politisation des futures élections européennes.

Enfin, si le Parlement européen ne dispose toujours pas de l'initiative législative, puisque ce monopole appartient à la Commission européenne, le texte constitutionnel introduit un « droit d'initiative populaire » : les citoyens européens auront la possibilité de demander à la Commission de déposer une proposition législative, à condition qu'elle rassemble un million de signatures.

En résumé, le projet constitutionnel, malgré les reculs enregistrés par rapport au projet de la convention, reflète une volonté d'« avancer ». Mais avancer *vers quoi* ? La réponse à cette question est plus floue que jamais. Le texte du 18 juin est inopérant pour dissiper la contradiction fondamentale de l'élargissement. Toujours plus d'Européens, n'est-ce pas toujours moins d'Europe ? Les plus savants calculs n'y peuvent mais. Quant à ceux qui « vendent » la Constitution comme une protection contre le traité de Nice, ils ne sont pas tout à fait honnêtes. Que la Constitution soit ratifiée ou non, le traité de Nice s'appliquera de toute manière jusqu'en 2009 pour ce qui concerne le calcul de la majorité qualifiée au sein du Conseil, et jusqu'en 2014 pour ce qui est de la composition de la Commission. En somme, Nice n'a pas fini de se survivre…

10

Le « non », combien de divisions ?

L'Europe inquiète ses administrés en mettant la charrue avant les bœufs. Dans un univers mondialisé où les citoyens ressentent déjà un cruel manque de contact avec les élus de leur démocratie nationale, on leur propose un échelon politique supplémentaire encore plus éloigné, plus diffus. Comment s'étonner qu'ils s'en méfient ? Au lieu d'apparaître comme une assurance contre le risque, l'Europe est souvent perçue comme le risque lui-même. C'est le prix à payer pour avoir trop longtemps négligé le dialogue politique au profit exclusif du processus technocratique.

À la manière de la monarchie française et à l'inverse de la démocratie américaine, l'Europe est tombée d'en haut sur les citoyens. Le combat souverainiste surfe sur cette vague d'insécurité que provoque la dislocation des démocraties nationales. Quelle que soit la composition de la Commission, quelle que soit l'organisation du Conseil, quels que soient les contingents nationaux de députés européens, cet enracinement national existe, et le dédain agacé qu'on lui manifeste à Bruxelles ne fait que le renforcer. La Constitution, dont l'objectif était d'incarner les valeurs dans lesquelles chaque Européen se reconnaîtra, n'a pas remporté son pari. Le lien quasi physique qui unit les

Américains à leur Loi fondamentale n'existe pas ici. Quels éléments, dans ce texte enflé, inciteront les citoyens à se sentir moins impuissants face à la construction européenne, voire à aimer cette construction ? On peut construire une administration en cinquante ans ; la légitimité, elle, vient beaucoup plus lentement, ainsi que l'explique Dominique Rousseau[1] :

« L'Europe s'est développée d'une manière telle qu'un fossé s'est creusé entre lieu d'exercice des compétences et lieu de la légitimité politique. Pour faire bref, les États-nations ont toujours la légitimité politique, mais ont progressivement perdu leurs compétences, alors que l'Union a gagné des compétences, mais n'a toujours pas de légitimité politique. Dès lors, pour combler ce fossé dangereux pour la démocratie, il faut porter la légitimité politique là où sont les compétences. C'est-à-dire construire l'Europe politique. Et cette Europe-là se construit par l'écriture d'une Constitution qui transforme une opinion publique européenne en collectivité de citoyens européens, une capacité d'influence en pouvoir de décision, et un espace réglé par les seules lois du marché en espace de la puissance légitime des lois du politique. »

Le camp du « non » exploite les mêmes constats, mais en tire des conclusions radicalement différentes. Les mêmes arguments se retrouvent tout le long de l'arc souverainiste, et celui-ci ratisse très large, de l'extrême gauche à l'extrême droite. Lisons par exemple cette profession de foi de la « Droite libre » :

« Il y a aussi l'Europe des technocrates, du Parlement bavard et paperassier, de la Commission toute-puissante. L'Europe de l'uniformisation, des subventions, de la réglementation. Cette Europe a surtout produit des privilèges,

1. Professeur à l'université Montpellier-I, membre de l'Institut universitaire de France, dans *Libération* du 6 octobre 2004.

de l'opacité, des fraudes, de la bureaucratie et des contraintes stupides, comme cette impossibilité ridicule pour la France de baisser sa TVA sur la restauration ou sur les disques. »

Prévoyant cette levée de boucliers, certains conventionnels avaient proposé de créer un « Congrès des peuples », formé de représentants des parlements nationaux, ou de reconnaître à ceux-ci le droit de contrôler la subsidiarité. Mais, après les contre-attaques de la Commission et du Parlement européen, il n'est rien resté de ces tentatives. Il n'y aura donc pas de Congrès des peuples. Quant au contrôle de la subsidiarité, on le trouve mentionné dans le « Protocole sur l'application des principes de subsidiarité et de proportionnalité » figurant dans l'annexe 2 de la Constitution. Les parlements nationaux n'y tiennent plus qu'une place ridiculement faible. Alors que ce sont eux qui, jusqu'à nouvel ordre, ratifient les traités et devraient être les juges suprêmes de leur interprétation, il ne leur est plus accordé qu'un droit d'adresser aux institutions européennes un « avis motivé » lorsqu'ils estiment qu'une proposition de la Commission n'est pas conforme au principe de subsidiarité. Mais, à la suite de cet « avis motivé », les institutions européennes ne sont obligées à rien. Si un tiers des parlements nationaux partage la même opinion, la Commission est seulement « tenue de réexaminer sa proposition » ; elle n'est même pas astreinte à la modifier ou à la retirer. Elle peut la maintenir purement et simplement. Dans les faits, l'arbitrage final sur les limites de la subsidiarité sera rendu par la Cour de justice si un État membre la saisit, en application des règles déjà en vigueur aujourd'hui. Autrement dit, rien ne sera changé. L'arbitrage par les démocraties nationales est écarté au profit de l'arbitrage par les juges de la Cour de justice qui, comme on sait, tirent plutôt dans le sens de l'extension des compétences communautaires.

En dépit des louables efforts de certains conventionnels, la Constitution ressemble encore trop à un « machin ». Rétablir le contact avec le citoyen n'était pourtant pas chose impossible. Il aurait fallu rappeler en termes vigoureux la nature de l'Europe. Dans le préambule de la Constitution, le mot « nation » aurait mérité de figurer en bonne place, mais on ne le trouve nulle part. Aucune référence non plus aux origines des valeurs des pays d'Europe, en particulier à leurs origines chrétiennes. Leur est substituée la notion d'humanisme, concept dont neuf Européens sur dix ignorent tout ! Toutes ces lacunes confirment ce soupçon : la « Convention sur l'avenir de l'Europe » est restée sous l'emprise des institutions européennes. Elle n'a pas su sortir des sentiers battus de la pensée fédéraliste.

Comparons les Constitutions américaine et européenne. La Constitution américaine fait 17 pages. Son texte originel compte 7 articles et n'a donné lieu, au fil de l'histoire, qu'à 27 amendements. Cette apparente minceur est en réalité un gage de souplesse qui lui a permis de traverser les siècles en s'adaptant, tout en demeurant le texte de référence absolu pour la conduite de la vie politique et sociale des États-Unis. Le projet de Constitution européenne, lui, est lourd et rigide. Le « traité instituant une Constitution pour l'Europe », conclu à Bruxelles le 18 juin 2004 fait 298 pages ! Il compte près de 500 articles auxquels il faut ajouter 36 protocoles, 2 annexes et 39 déclarations. La Constitution américaine dit quels sont les pouvoirs du Président, ceux du Congrès et comment on sort des situations de blocage. Elle ne prétend pas fixer les futures politiques. Quand Roosevelt est élu président, il peut lancer le New Deal. Quand les citoyens choisissent Reagan, celui-ci peut déréguler. Avec la même Constitution, on peut mettre en œuvre aux États-Unis des politiques radicalement différentes. La « convention

Giscard » a fait d'autres choix : elle a décidé de conférer au contenu des politiques (fiscalité, monnaie, emploi) une valeur constitutionnelle et donc *a priori* « intouchable », vu les conditions de renégociation prévues par la convention.

Quelques conventionnels, et parmi eux des commissaires, auraient préféré que le traité constitutionnel se cantonne aux seules questions institutionnelles afin d'éviter de provoquer à nouveau des tensions à propos des politiques communes, que beaucoup de pays contestent, telles que la Politique agricole commune, la politique de concurrence ou le traité Euratom sur l'énergie nucléaire. Sur les institutions, au lieu de choisir des mécanismes simples (par exemple, un régime parlementaire tel que le proposaient les Allemands), la convention a louvoyé pour n'effrayer personne.

Voilà pourquoi les critiques fusent et pourquoi le débat est si mal engagé…

Au moment où les chefs d'État s'autocongratulent à Bruxelles pour saluer la signature du projet de Constitution, on pourrait croire que l'Europe entière se réjouit avec eux. Que non pas ! Une Constitution européenne supérieure aux Constitutions nationales et qui instaurera un droit européen avec préséance sur toute forme de droit national ? Beaucoup disent non, ou plutôt le hurlent ! Ils pressentent la marginalisation des démocraties nationales et reprochent son caractère fallacieux à la démocratie européenne. Souverainistes, altermondialistes, trotskistes et autres ne veulent pas de cette Constitution qu'on leur vend comme un triomphe de l'Europe. Mais si tous ces camps identifient le même problème, ils y apportent des solutions bien différentes.

Le saut dans l'inconnu de la démocratie européenne, les souverainistes n'en veulent à aucun prix. Ils veulent le rassurant concret de ce qui existe et qui fonctionne, c'est-à-dire la démocratie du terroir national. Coopération en Europe, d'accord. Union, peut-être. Constitution, jamais !

Pour ces « marris » de l'Europe, la Constitution est la dernière pierre du « super-État » européen, celle qui vient parachever, de traité en traité, les processus de décision supranationaux en gestation depuis cinquante ans. À leurs yeux, la Constitution est la clé qui va condamner pour toujours l'idée qu'ils se font de l'Europe. Examinons donc cette Constitution avec leurs yeux.

Considérons, pour commencer, l'article I-6. Il affirme : « La Constitution et le droit adopté par les institutions de l'Union dans l'exercice des compétences qui lui sont attribuées ont la primauté sur le droit des États membres. » Cela signifie, par exemple, que le moindre règlement de la Commission de Bruxelles a une valeur supérieure aux Constitutions nationales, qui étaient jusque-là l'incarnation des valeurs démocratiques de chaque pays. L'idée qu'un droit est supérieur à l'autre était déjà présente dans la jurisprudence de la Cour de justice depuis les années 60, et cette notion avait même été introduite de manière subreptice au détour d'un protocole annexé au traité d'Amsterdam. Mais, au fil des années, alors que la formulation est restée la même dans les traités, les compétences communautaires, celles pour lesquelles la Commission a le monopole de l'initiative, ont considérablement étendu leur périmètre. Cette ambiguïté sur ce que vaut encore le droit national est au cœur du malaise que ressentent les Européens. À ceux qui veulent les dresser contre l'Europe, elle offre une inépuisable manne d'arguments. La presse britannique, qui constitue l'un des plus puissants lobbies anti-européens, fait son miel de cette équivoque. Dans l'univers mental de dizaines de millions d'Européens, il n'y a plus de droit fiable. Celui qu'ils connaissent s'effrite, celui qui s'applique vient d'ailleurs, d'« en haut ».

Pour le juriste souverainiste Georges Berthu, c'est un peu comme si l'on disait aux peuples d'Europe : « Vos nations n'ont plus le pouvoir[1]. »

L'effacement progressif des souverainetés nationales se lit aussi dans les mots. L'article I-33 évoque des « lois européennes » et des « lois-cadres européennes » en lieu et place des anciennes expressions de « règlements » et « directives ». Au mot « loi » est attachée, dans une démocratie, une charge émotionnelle toute particulière, liée au respect inspiré par les institutions qui les votent et qui les promulguent. Avec la Constitution, la solennité et la légitimité s'éloignent des pays. Elles sont aspirées par l'Europe. Cette dignité est-elle méritée ? Ces « lois » européennes sont-elles bien des lois ? En démocratie, une loi est adoptée par un parlement capable d'exercer toutes les fonctions législatives. Le Parlement européen est loin de remplir ces conditions minimales. Les citoyens-électeurs européens ne peuvent lui reconnaître cette dignité, puisqu'il ne représente pas un peuple européen « en pleine souveraineté ».

Le projet constitutionnel pulvérise les anciennes allégeances de diverses autres manières, notamment dans le domaine des « piliers ». Depuis le traité de Maastricht et jusqu'à l'entrée en vigueur de la Constitution (si elle est jamais ratifiée), on utilise le terme « piliers » pour ranger les activités européennes : « premier pilier » pour les politiques strictement communautaires (avec monopole d'initiative de la Commission, comme l'agriculture ou la concurrence) ; « deuxième » et « troisième piliers » pour les politiques relevant de l'intergouvernemental, c'est-à-dire restant l'apanage des États qui en débattent en Conseil (c'est le cas des affaires étrangères, de la

1. « Constitution européenne : les dernières marches vers le super-État », intervention de Georges Berthu à l'Université d'été du souverainisme, 6 septembre 2003.

défense, de la justice et de la police). Il y a donc un « pilier » communautaire et deux « piliers » intergouvernementaux. Le projet de Constitution européenne supprime ces catégories. Il fusionne le traité sur l'Union (Maastricht) et le traité sur la Communauté. Du coup, il fusionne les trois « piliers », c'est-à-dire les procédures communautaires et les procédures intergouvernementales, dans une même procédure de droit commun, la procédure communautaire, et il aligne sur elle, à terme plus ou moins proche, toutes les autres procédures. Le monopole d'initiative de la Commission, la majorité qualifiée au Conseil et la codécision avec le Parlement européen sont généralisés, même si des exceptions sont prévues.

En matière budgétaire, la notion de « dépenses obligatoires » disparaît et, avec elle, la protection assurée aux agricultures nationales, notamment l'agriculture française. Pour l'« espace de liberté, de sécurité et de justice », c'est-à-dire l'ancien « troisième pilier », toutes les subtilités d'Amsterdam et de Nice sont balayées au profit d'une « simplification » capitale : l'application générale de la codécision à la majorité qualifiée, en particulier pour les contrôles aux frontières, l'asile et l'immigration. Il s'agit d'une évolution si radicale que, quelques chapitres plus loin, l'article III-265-3 s'efforce de corriger un peu le tir, précisant que ces dispositions « n'affectent pas la compétence des États membres concernant la délimitation géographique de leurs frontières, conformément au droit international » !

La fusion des traités a d'autres conséquences. Elle aboutit à une extension considérable de la juridiction de la Cour de justice : auparavant, celle-ci ne traitait pour l'essentiel que des matières communautaires et n'intervenait qu'exceptionnellement dans les matières intergouvernementales. Désormais, si la Constitution entre en vigueur, elle sera habilitée à intervenir dans pratiquement tous les domaines. Cette extension nouvelle va s'ajouter à celle résultant de l'intégration de la Charte des droits fondamentaux pour transformer la Cour de justice en véritable Cour suprême fédérale.

À l'insu de centaines de millions d'Européens – l'immense majorité de ceux qui n'ont ni le temps, ni l'envie, ni les moyens de pénétrer les arcanes juridiques et philosophiques de la Constitution –, une autre métamorphose se prépare, aussi importante qu'invisible. L'entité centrale unique dénommée Union européenne, qui résulte de la fusion des traités et du regroupement Union-Communauté, reçoit la personnalité juridique, alors qu'auparavant c'était le cas de la seule Communauté. Désormais, l'Union européenne pourra se présenter en acteur international à part entière. Elle pourra négocier, agir et conclure des traités en son nom propre, et non plus au nom des États membres. La Constitution lui octroie le droit de conclure des accords internationaux dans de vastes domaines à la suite de négociations qui seront approuvées par des votes à la majorité qualifiée au sein du Conseil. Comment imaginer que cette nouvelle entité internationale unique, l'une des plus influentes du monde, ne revendiquera pas rapidement un siège au Conseil de sécurité des Nations unies ? La France sera-t-elle amenée à lui céder le sien ? Celui de la Grande-Bretagne est également en danger, mais les Britanniques manifestent à ce sujet beaucoup plus d'inquiétude que les Français…

Il n'est pas possible de conduire ici une exégèse complète du projet de Constitution, mais au moins pouvons-nous mentionner quelques autres avancées supranationales spectaculaires. Le projet du 18 juin généralise par exemple la méthode de décision supranationale. Les actes européens de nature législative font maintenant l'objet d'une procédure d'adoption de droit commun, dite « procédure législative ordinaire », qui comprend la décision à la majorité qualifiée au sein du Conseil des ministres et la codécision avec le Parlement européen. La majorité qualifiée et la codécision font elles-mêmes l'objet de très nombreuses extensions qui les rendent quasi générales.

L'article I-23-3 rend ainsi systématique la décision à la majorité qualifiée (ou super-qualifiée dans certains cas) au Conseil, « sauf dans les cas où la Constitution en dispose autrement ». L'unanimité ne persiste que dans quelques domaines très particuliers (politique étrangère, défense, fiscalité, sécurité sociale, ratification du traité lui-même...), mais sont introduites toutes sortes de « passerelles » qui, nous l'avons déjà mentionné, permettent au Conseil européen de décider à l'unanimité que les Conseils des ministres délibéreront désormais à la majorité qualifiée dans tel ou tel domaine qui n'en relève pas encore.

La politique étrangère est en principe un des secteurs inviolables, où la souveraineté nationale reste entière. Certes, elle résiste plutôt mieux que les autres domaines, mais le principe d'unanimité (c'est-à-dire la possibilité pour tout État d'imposer son veto) affiché à l'article I-40-6 est encadré par l'obligation de réaliser « un degré toujours croissant de convergence » (article I-40-1), et cette unanimité est en outre alourdie par une série de dérogations très complexes que l'on trouve à l'article III-300.

Tous les pays membres sont traversés par les mêmes contradictions. Ils se font les fesrvents avocats de la décision à la majorité qualifiée – « pour que l'Europe avance plus vite ! » – tout en insistant pour protéger leurs petits jardins privés. En France, le jardin privé, c'est la culture. Les ministres français – y compris les ténors qui faisaient partie de la convention – réclamèrent la généralisation du vote à la majorité qualifiée et de la codécision avec le Parlement européen, tout en opposant un « niet » inflexible dans les matières hexagonales les plus sensibles. Pour l'agriculture, elle refusait la codécision. Pour les négociations commerciales internationales concernant les « services culturels », elle refusait la majorité qualifiée. Sur les deux fronts, elle a échoué. L'article III-315-4-a lui fait simplement cette concession : sur les services culturels en particulier, l'unanimité – et donc le droit de veto de la France – ne sera maintenue que si des accords « risquent de porter atteinte à la diversité culturelle et linguistique de l'Union ». Notons que c'est alors à l'État demandeur de prouver la réalité de la menace et de requérir l'arbitrage de la Cour de justice. Rien ne trahit mieux la progression de la supranationalité que cette extension générale des décisions à la majorité qualifiée. Pour les pays membres, le droit de dire « non » s'éloigne irrémédiablement au nom d'un avenir – au mieux – indistinct.

L'intégration de la Charte des droits fondamentaux dans la partie II du projet de Constitution entame un autre attribut indéniable des États : déterminer la Loi suprême à laquelle obéissent leurs citoyens. La Constitution allemande, par exemple, contient une première partie, dite « Droits fondamentaux ». L'intégration de la Charte dans la Constitution européenne aboutirait à un transfert massif de compétences au détriment des États membres, peut-être même au transfert le plus massif que l'on ait connu depuis le début de la construction européenne. Certes, la Charte jure ses grands dieux, en son article II-111-2, qu'elle « ne crée aucune compétence ni aucune tâche nouvelle pour l'Union ». Il n'en demeure pas moins qu'à partir de l'entrée en vigueur de la Constitution, aucun pays ne pourra plus définir de manière autonome ou souveraine les droits de ses ressortissants. Si un pays voulait modifier pour son compte un des droits figurant dans la Charte, il faudrait qu'il obtienne le consentement de tous ses partenaires ; sinon, cela lui serait impossible. Ce transfert de compétences profitera sans doute surtout à la

Cour de justice : c'est probablement elle, plutôt que le Conseil à l'unanimité, qui à l'avenir fera évoluer les droits fondamentaux par sa jurisprudence. Les démocraties nationales, si elles survivent, n'auront en tout cas plus leur mot à dire.

Nous interromprons ici ce décryptage, non sans énoncer quelques vérités simples et incontournables. Tout Européen qui adopte la Constitution européenne doit comprendre qu'il exprime sa volonté de voir graver dans le marbre les principes d'un super-État supranational tels qu'ils viennent d'être établis. Si Valéry Giscard d'Estaing a baptisé son projet « Constitution » plutôt que « Traité fondamental », c'était pour enraciner cette réalité nouvelle : celle d'une entité centrale et supranationale, dotée d'un pouvoir supérieur aux nations, officialisée de manière solennelle aux yeux des peuples. Dans une communication du 22 mai 2002, la Commission avait d'ailleurs averti : « Ce texte aura pour l'Union la même valeur qu'une Constitution pour un État membre. »

En Europe, les « modernes », c'est-à-dire ceux qui vivent dans la certitude que la construction européenne est fondamentalement bonne, ridiculisent les craintes des « ringards » et rappellent qu'il ne s'agit pas, au sens strict du terme, d'une vraie Constitution. Leurs arguments provoquent des débats juridiques enflammés qui ne cesseront sans doute jamais. Autre grand pare-feu, expliquent les « modernes » pour tenter de ramener les « ringards » à la raison : le projet de Constitution préserve la souveraineté nationale, puisqu'il prévoit un droit de sécession sous la forme d'une clause de « retrait volontaire de l'Union » : « Tout État membre peut décider, conformément à ses règles institutionnelles, de se retirer de l'Union. »

Si les Français adoptent la Constitution, ils conserveront donc, grâce à l'article I-60, la faculté de demander à leurs gouvernants de quitter l'Union, par exemple en élisant une majorité « souverainiste » à l'Assemblée nationale. Mais est-il vraiment possible de quitter l'Union ? Oui, sauf que c'est très compliqué. Après formulation de la demande, il faut que la majorité des États membres votent pour laisser un pays partir. Le pays candidat à la sécession devra mener une négociation d'au moins deux ans avec les autres membres. Une fois sorti, le pays en question ne pourra plus rentrer sans passer par le long processus de convergence aujourd'hui imposé aux pays candidats à l'adhésion. C'est la première fois, depuis le début de la construction européenne, qu'une telle clause est insérée dans un traité européen. L'accord de sécession est conclu au nom de l'Union par le Conseil statuant à la majorité qualifiée, après avis conforme du Parlement européen. Mais l'État qui se retire ne participe ni aux délibérations ni aux décisions le concernant. Si l'on ne parvient pas, au sein de l'Union, à un accord avec le pays ayant décidé de quitter l'UE, le retrait sera effectif « deux ans après la notification ». S'il y a accord sur le retrait, la sortie de l'Union est effective dès la date d'entrée en vigueur de l'accord en question.

La procédure de retrait est donc quasi impossible à mettre en œuvre si les autres partenaires se montrent réticents. En outre, les pays ne peuvent menacer de quitter l'Union chaque fois qu'apparaît une divergence sur un texte quelconque. À supposer même qu'il soit applicable, ce droit ne résout nullement le problème de l'authenticité démocratique. Car enfin, si un pays mécontent de l'Union n'a d'autre choix que de la quitter, peut-on dire que ce pays est encore libre ?

11

Toi non plus, Fabius ?

Tout sauf Nice ! C'est l'un des plus puissants arguments – et même parfois le seul – des partisans du « oui » à la Constitution : elle vaut mieux que le traité de Nice, dont nous avons vu en détail pourquoi il est une glu dans laquelle l'Europe s'enliserait : tout simplement parce que ce traité transforme l'Union en une girouette aux mains des petits pays. Naturellement, les eurosceptiques les plus pervers apprécient le traité de Nice : n'est-il pas une assurance rêvée contre l'Europe ?

En cette seconde quinzaine de septembre 2004, la plupart des eurosceptiques français pensent que l'affaire est entendue, que la marche à la Constitution est irréversible, que leur combat de vingt ans est vain. Et puis, voilà qu'un homme qui est tout sauf un eurosceptique leur rend un immense service. Laurent Fabius, ancien Premier ministre de la France, ancien président de l'Assemblée nationale, ancien ministre des Finances, connu comme un « grand Européen », annonce qu'il dira « non » au référendum sur la Constitution dont Jacques Chirac vient d'annoncer la tenue pour 2005. Le « non » de Fabius déclenche une tempête en Europe. Comment un homme politique qui a apposé sa signature à l'Acte unique européen, puis à l'adhésion de l'Espagne et du Portugal, peut-il refuser de doter l'Europe d'une Constitution ? Cette première question, que se posent avec effroi les socialistes à travers le continent, est immédiatement suivie d'un rugissement de satisfaction de la part des eurosceptiques. Ils cessent d'un coup d'être ces marginaux nationalistes un peu méprisés par les élites, pour devenir « tendance ». Fabius le « moderne » passe du côté des « ringards », et cet allié tactique providentiel leur redonne vie. Pour tous les inquiets, le « Fabius-gate » est une bouffée d'oxygène : un tabou est tombé.

La sortie de Fabius fait l'effet d'un tremblement de terre. Avant même que le traité ne soit signé solennellement par les Vingt-cinq à Rome[1], il est déjà l'otage de calculs politiciens dans un des pays les plus emblématiques de l'Union, la France. Jacques Chirac a décidé du référendum en partie parce qu'il se sentait contraint par la décision de Tony Blair d'en organiser un, mais aussi dans l'espoir d'élargir la fracture européenne qu'il devine au sein du Parti socialiste en particulier et de la gauche française en général. À partir de ce moment, Fabius estime ne plus avoir le choix. S'il penche vers le « oui », il sera noyé dans la masse. Pour se sculpter une statue de présidentiable avant 2007, il est obligé de dire « non », quitte à penser ce qu'il veut. Manque de confiance en soi ou vrai pari, il considère que c'est sa dernière chance de s'installer un jour à l'Élysée. Le geste est tactique, mais il n'est pas purement cynique. Le numéro deux du PS a de sérieux reproches à formuler à la Constitution. À ses yeux, le texte n'est tout simplement pas une Constitution, laquelle doit se borner à proclamer des principes, mais une

1. Le 29 octobre 2004, les chefs de gouvernement et les ministres des Affaires étrangères de vingt-huit pays européens (les vingt-cinq pays de l'Union européenne, la Roumanie, la Bulgarie et la Turquie) cosignaient à Rome le traité entérinant le projet de Constitution européenne. Roumanie, Bulgarie et Turquie signent en tant que candidats officiels à l'Union. La Croatie est présente, mais ne signe pas.

sorte de programme d'action ultra-libéral déguisé sous de vagues oripeaux juridiques. Il l'accuse de mélanger principes institutionnels et choix politiques.

Il y a du vrai dans cette critique. Sur le demi-millier d'articles de la Constitution, 342 s'attellent à définir les politiques que devra conduire l'Union en matière de marché intérieur, d'agriculture, d'emploi, de transports, de santé et de fiscalité, dans le respect d'une « économie de marché ouverte où la concurrence est libre et non faussée ». Tous ces articles, expliquent les juristes dans leur écrasante majorité, n'ont pas leur place dans une vraie Constitution. Le problème n'est pas qu'ils véhiculent une pensée économique libérale, mais qu'un tel texte n'a pas à prendre parti pour telle ou telle politique. Lisons à nouveau Dominique Rousseau :

« Une constitution n'est pas une loi ordinaire. Elle est la Loi commune, celle sous laquelle vivent tous les citoyens et qui, pour cette raison, ne doit privilégier *a priori* aucun choix politique. Au contraire, elle doit les permettre tous et laisser les citoyens libres de décider, d'élections en élections, si leurs gouvernants doivent mener une politique libérale, sociale, écologique ou autre. Une constitution fixe les règles du jeu, pas le jeu. Ce sont les citoyens qui “jouent” libéral, social ou écologique[1]. »

Pour Fabius, la Constitution fige à jamais l'Europe dans l'entonnoir d'un marché tout-puissant. Elle signe l'arrêt de mort de tout espoir d'« Europe sociale », ce concept politique flou mais tellement français dont il imprègne tous ses discours. Cette comptine sur l'« Europe sociale » ne rencontre de véritable écho qu'en France, où l'on a tendance à plaquer sur l'Europe le culte de l'État-providence fort à la française. Partout ailleurs, nul ne se fait d'illusions : si jamais une harmonisation sociale voyait le jour en Europe, elle se ferait

1. *Libération*, 6 octobre 2004.

en s'alignant non pas sur le coûteux modèle français de solidarité, mais plutôt sur le système plus léger et plus brutal des Britanniques. L'« Europe sociale », ce serait au meilleur prix, et la gauche n'aimerait sûrement pas ça.

Fabius n'a cure de ces finasseries. Quand on fait barre à gauche toute, il faut changer de style, et l'Élysée vaut bien quelques raccourcis. Car le catalogue politique dont il affirme qu'il pollue le texte de la Constitution n'a rien de bien nouveau. S'il est ultra-libéral, alors il l'est depuis longtemps. Les politiques de l'Europe font en effet partie de tous les traités depuis le début. Les orientations qui y figurent étaient déjà présentes dans le traité de Rome du 27 mars 1957, modifié au fil des années par l'Acte unique (signé en 1986 par le Premier ministre Laurent Fabius), le traité de Maastricht (1992), le traité d'Amsterdam (1997) et le traité de Nice (2000).

Les reproches du socialiste sont donc bien tardifs. Il aurait pu faire les mêmes vingt ans auparavant. Il aurait pu les faire pendant les dix mois qu'a duré la convention. D'autant qu'avec son poids politique, s'il avait haussé la voix plus tôt, il aurait pu peser sur les débats préparatoires au texte du traité. Il aurait pu aussi avertir ses amis. Pervenche Berès, l'eurodéputée socialiste qui préside actuellement la commission des Affaires économiques et monétaires, faisait partie de la convention et a approuvé la version finale du texte avant de se retourner contre la Constitution par discipline fabiusienne, et sous les quolibets de ses adversaires qui chantonnent depuis sur son passage : « J'ai la mémoire qui flanche... »

Les socialistes européens s'arrachent les cheveux en découvrant le tête-à-queue du camarade Fabius, surtout ceux qui ont lutté pied à pied pendant la convention pour parvenir à glisser dans le texte du projet de Constitution quelques avancées sociales. Pour eux, il n'y a aucun doute, Fabius joue avec l'Europe pour gagner à Paris. Comme c'est français ! Ceux qui n'ont jamais cru que Fabius était authentiquement socialiste lèvent les yeux au ciel, mais un peu tard. Qui aurait imaginé qu'il se retrouverait un jour aux côtés des conservateurs britanniques et des cohortes de Jean-Marie Le Pen ? Robert Goebells, un eurodéputé socialiste luxembourgeois, s'emporte : « Pour assurer son destin national, Fabius est prêt à faire n'importe quoi. Il a joué la carte politicienne à l'extrême. On ne peut pas aspirer à un destin national en étant anti-européen[1]. »

Les élus du Parti socialiste européen (PSE) ne comprennent pas la volte-face du Français car ils savent, eux, que le traité constitutionnel est bien plus progressiste que le traité de Nice. Le texte rédigé par les conventionnels a été modifié par certains États dans le sens de « plus de social ». L'article III-117 déclare ainsi : « Dans la définition et la mise en œuvre des politiques et actions visées par la présente partie, l'Union prend en compte les exigences liées à la promotion d'un niveau d'emploi élevé, à la garantie d'une protection sociale adéquate, à la lutte contre l'exclusion sociale, ainsi qu'à un niveau élevé d'éducation, de formation et de protection de la santé humaine. » Cette formulation volontariste ne figurait pas dans le projet constitutionnel tel que sorti de la convention. Elle a été ajoutée pendant la conférence intergouvernementale par la France et la Belgique. Ces mots ne sont pas que de vains mots. Ils ont vocation à devenir le droit. Cela signifie que toute la troisième partie de la Constitution, celle qui porte sur les politiques de l'Union européenne et que Fabius voudrait ôter, est contrainte par ces dispositions. Conséquence pratique : si l'Europe met en place une politique contraire aux exigences de l'article III-117, il sera possible de saisir la Cour de justice et d'interrompre le processus législatif en question. De même, la Charte des droits fondamentaux n'est pas une annexe et constitue bel et bien la

1. *Libération*, 23 septembre 2004.

deuxième partie de la Constitution. Elle aura donc, elle aussi, valeur contraignante. Les partis politiques, les syndicats, les associations, les États ou encore le Parlement européen pourront influer sur les politiques suivies. Sans oublier que le traité « constitutionnalise » à l'échelon européen les partenaires sociaux, le droit de grève et les services d'intérêt général. Il y a là les bases légales d'une reconnaissance du service public... N'en déplaise à Fabius, et qu'on soit ou non d'accord avec ses termes, le traité constitutionnel apporte bel et bien des avancées sociales.

Les pourfendeurs de l'Europe libérale ont tendance à se dissimuler que les objectifs sociaux font partie du contrat communautaire depuis l'aube de la construction européenne. Le traité de Rome se faisait déjà fort de « promouvoir l'amélioration des conditions de vie et de travail de la main-d'œuvre ». Il appelait à une « collaboration étroite entre les États membres dans le domaine social », en insistant particulièrement sur trois domaines : l'emploi, la protection contre les accidents et maladies professionnels, et le droit syndical. Beaucoup de temps a ensuite passé avant que de nouveaux progrès soient inscrits dans le marbre, en raison de la réticence de certains pays membres. D'ailleurs, en 1989, quand une Charte des droits sociaux fondamentaux a été adoptée, le Royaume-Uni ne l'a pas signée. C'est le traité de Maastricht qui a mis les points sur les *i*, en 1992, en réclamant « un niveau d'emploi et de protection sociale élevé ». En 1997, le traité d'Amsterdam a renchéri en appelant de ses vœux une « stratégie coordonnée pour l'emploi ». Bref, il est difficile de prétendre, comme Laurent Fabius, que l'Europe ne fait pas assez de « social ». Voilà pourquoi Fabius a été sévèrement battu lors du mini-référendum organisé le 1er décembre 2004 au sein du Parti socialiste français.

12

Les mille et un pièges du référendum

Une fois le traité constitutionnel adopté par les gouvernements en ce mois de juin 2004, les festivités sont bruyantes, mais de courte durée. Le plus dur reste à faire. Chaque dirigeant se prépare à affronter, non plus dans les bureaux aseptisés de Bruxelles, mais dans le bourbier politique intérieur, une nouvelle bataille autrement périlleuse, car il y va cette fois de sa propre survie politique : il doit obtenir la ratification du traité. C'est la règle ; en démocratie, un traité doit être avalisé par une institution démocratique supérieure aux gouvernements, ce qui laisse deux possibilités : un référendum[1] en appelant à tous les citoyens ou un vote du Parlement[2]. Le Parlement européen a plaidé pour le regroupement des procédures autour du 8 mai 2005, soixantième anniversaire de la fin de la Seconde Guerre mondiale, mais il

1. C'est le cas d'au moins dix pays qui ont prévu une date approximative : les Pays-Bas, la France (en juin 2005), la Grande-Bretagne (début 2006), l'Espagne (février 2005), le Portugal (janvier 2005), le Danemark, le Luxembourg (10 juillet 2005), l'Irlande, la Belgique, la Pologne, la République tchèque (2006), et sans doute également la Lettonie.
2. Suède, Grèce, Finlande, Chypre, Malte, Estonie, Lituanie et Hongrie.

a été impossible d'organiser une consultation simultanée à travers toute l'Union.

Une question hante les dirigeants à leur retour de Bruxelles : que deviendra le dirigeant d'un pays qui aura dit non, et que deviendra alors l'Europe ? Il suffit qu'un seul des Vingt-cinq dise non pour enrayer la mécanique. Texte fondateur de l'Union nouvelle, la Constitution doit être adoptée par tous, ou bien modifiée. Indiscutablement, la perspective d'avoir à revivre des années de négociations tatillonnes affole les responsables politiques.

Chaque dirigeant a regagné sa capitale avec, en poche, quelques morceaux de victoire, assez pour montrer à son opinion publique qu'il a bien défendu les intérêts supérieurs de son pays, qu'il ne s'est pas fait avoir. Mais la campagne de ratification qui se profile va exiger une force de persuasion peu commune. Quelques mois à peine après des élections européennes qui ont témoigné d'une profonde désaffection des Européens à l'égard de leur Parlement, mais aussi plus généralement de leurs institutions, il va falloir convaincre ces mêmes Européens de dire oui à un texte qui reste incompréhensible à l'immense majorité de ceux dont il est censé défendre les droits. Les gouvernements se sont battus sur un texte, mais le texte, lui, ne va pas se battre pour eux ! Il va falloir se battre sur le sens même du référendum. Ceux qui souhaitent la victoire du « oui » ont intérêt à dire que c'est le destin de l'Europe qui est en jeu. Les adeptes du « non » ont au contraire tendance à minimiser l'importance de la consultation en usant de cet argument : en cas de rejet de la Constitution, la belle affaire, il suffira d'en refaire une autre, voilà tout !

La campagne promet d'être décapante, au sens propre du mot. Dans chaque pays, le centre de gravité politique, que les gouvernements ont systématiquement déplacé vers Bruxelles au nom du consensus nécessaire à l'adoption d'un texte commun, va recouvrer sa position d'équilibre naturelle – non sans causer des dommages collatéraux, peut-être irréversibles. La bataille de la ratification sera l'ultime test de marketing politique : vendre à l'électeur un produit dont il n'est pas sûr de vouloir. Car, au fond, cette Constitution, nul n'en est vraiment fier ni amoureux. On est loin de l'enthousiasme messianique des conventionnels de Philadelphie rédigeant en 1787 la Loi suprême des États-Unis d'Amérique.

En réalité, la bataille de la ratification a commencé longtemps avant l'adoption de la Constitution. Elle a débuté sur une sorte de coup fourré britannique. En novembre 2003, Londres bruit d'une rumeur étrange[1] et démentie bien mollement par l'entourage de Jack Straw, chef de la diplomatie britannique. Selon cette rumeur, un responsable britannique de haut rang, c'est-à-dire un proche du Premier ministre, Tony Blair, a approché discrètement des diplomates français importants, à savoir l'ambassadeur de France à Londres, mais plus vraisemblablement le secrétaire général du Quai d'Orsay, voire le directeur de cabinet de Dominique de Villepin, ministre français des Affaires étrangères. Le message que Londres veut alors faire passer à la France est tout simple : Jacques Chirac ne doit pas recourir au référendum lors de la ratification de la future Constitution. À en croire ces mystérieux émissaires, pareille initiative serait catastrophique pour Tony Blair, qui fait face à d'énormes pressions de la part de son opposition conservatrice pour que le Royaume-Uni adopte lui aussi le référendum comme instrument de ratification. Les Tories ont fait leurs calculs et estiment que le clan eurosceptique est assez puissant pour que le « non » l'emporte outre-Manche. C'est l'époque où le Premier ministre travailliste répète à l'envi qu'un réfé-

1. *The Sunday Telegraph*, 9 novembre 2003.

rendum n'est pas nécessaire, tout simplement parce que la Constitution européenne ne représente pas une modification fondamentale de la relation entre l'Union européenne et ses États membres. À entendre le locataire du 10, Downing Street, elle est bien moins importante que l'Acte unique européen de 1986 ou le traité de Maastricht de 1992, deux transitions que la Grande-Bretagne a ratifiées par un simple vote parlementaire.

Assez jolie manœuvre de diversion de la part de Tony Blair. Si le Royaume-Uni rejette l'idée d'un référendum, cela n'est évidemment pas sans conséquence pour les autres grands pays de l'Union, qui ont tous de bonnes raisons de redouter eux aussi l'organisation d'une telle consultation. En un mot, si Londres n'y va pas, peut-être y échapperont-ils eux aussi. La rumeur a aussitôt suscité à mots couverts une réaction en chaîne à travers l'Europe entière.

Quelle n'est donc pas la stupéfaction de la France et des autres pays membres quand, le 20 avril 2004, Tony Blair annonce devant la Chambre des lords que le Royaume-Uni ratifiera la Constitution par… voie de référendum ! Ce sera le premier en trente ans. Le dernier en date remonte à 1975 et portait déjà sur l'Europe[1]. La surprise est presque totale. Ce qui était présenté quelques jours auparavant par Blair comme inconcevable et dangereux devient aussitôt un coup de génie dans la bouche des *spin-doctors*, ces conseillers médiatiques qui pullulent autour du dirigeant britannique. Blair a coupé l'herbe sous le pied de l'opposition tory et va réussir ce coup de maître : remplacer l'Irak par l'Europe comme principal sujet de conversation dans les dîners londoniens. Mais ce tête-à-queue est aussi un formidable pari : Blair sait qu'il devra

1. Le Premier ministre travailliste de l'époque, Harold Wilson, avait remporté un référendum sur la question de savoir si le pays devait demeurer dans la Communauté économique européenne (CEE) ou bien la quitter.

peut-être abandonner son poste si le « non » triomphe – à moins qu'auparavant un autre pays ne dise non à la Constitution, ce qui lui permettrait de surseoir à son propre référendum. En attendant, il a changé radicalement d'avis sur l'importance de la Constitution et le proclame hardiment : « Il est temps de décider une fois pour toutes si ce pays veut être au centre et au cœur de la prise de décision – ou non. »

Il faut brusquer les Anglais, car ils sont instinctivement eurosceptiques, que leur Premier ministre s'appelle Winston Churchill, Margaret Thatcher ou Tony Blair. Notamment parce qu'à la différence des continentaux, ils n'ont pas été déchirés au fil des siècles par la même litanie de conflits intra-européens. Pour eux l'Union n'est pas, comme pour la France et l'Allemagne, l'antidote absolu à la guerre. Ils la voient plutôt comme un cartel à surveiller. Pour dire oui à la Constitution, les Britanniques ont besoin d'une incitation plus tangible, et Tony Blair leur propose celle-ci : si le Royaume-Uni dit non à la Constitution, cela reviendra à quitter l'Union, il sera marginalisé sur la scène mondiale et devra en subir les conséquences aussi bien politiques qu'économiques et financières. Le Premier ministre jure que, si son pays quitte l'Union européenne, il lui en coûtera trois millions d'emplois. Blair met les bouchées doubles. Il devine qu'il va subir six semaines plus tard une défaite cuisante aux élections européennes. Il lui faut galvaniser ses trop rares partisans.

En attendant, la manœuvre est brillante. Nous sommes encore à des mois de l'adoption du texte de la Constitution, et les négociations sur le moindre de ses articles sont féroces, tant chaque gouvernement entend protéger ses arrières. Maintenant que Londres, la première, a choisi une formule de ratification et que cette procédure est le référendum, chaque négociateur voit peser sur lui une nouvelle responsabilité : dire non à la Grande-Bretagne sur le moindre détail du texte constitutionnel, c'est risquer de fragiliser Tony Blair face à son opposition et c'est donc prendre le risque que la Grande-Bretagne, pays majeur de l'Union ne vote non. En se dévoilant le premier, Blair a pris l'avantage au cours de la phase cruciale des marchandages constitutionnels. Bien joué, mais le pari est tout de même risqué : en ce début de printemps, les sondages indiquent que seulement 16 % des Britanniques voteraient pour la Constitution, face à 53 % qui voteraient contre[1].

L'autre question décisive est celle du « quand ». Organiser le référendum trop tôt, c'est l'offrir en pâture aux meutes europhobes qui grouillent dans l'opposition et jusque dans certains recoins du parti travailliste. Il apparaît que la « fenêtre d'opportunité » se situe entre février et avril 2006. Et ce, afin de ne pas perturber les élections législatives qui auront lieu en principe au cours du premier semestre 2005. Tony Blair pense pouvoir les remporter assez facilement en faisant campagne sur la belle santé économique du pays et sur l'effort de réhabilitation de ses services publics. En fixant une date tardive pour le référendum, il essaie en revanche de se rassurer. Il calcule qu'après plusieurs référendums favorables en d'autres pays, les électeurs d'outre-Manche n'oseront pas dire non à l'Europe. Et si, entre-temps, un pays a dit non, alors plus besoin de référendum ! Le Britannique estime être gagnant à tous coups.

Pourquoi cette volte-face de Tony Blair, et pourquoi à ce moment-là ? Parce qu'en ce 20 avril 2004 souffle sur le Britannique un vent venu d'Espagne. Un mois plus tôt, dans ce pays martyrisé par une série d'attentats islamistes, les Espagnols ont chassé José Maria Aznar du pouvoir et l'ont remplacé par le socialiste José Luis Rodríguez Zapatero. Du point de vue de

1. Sondage YouGov paru dans le *Sun* du 26 mars 2004.

Tony Blair, c'est un changement capital. Tant que l'Espagne et la Pologne ergotaient sans fin sur leur poids au sein du Conseil européen, l'espoir d'un accord sur la Constitution était assez lointain pour qu'on puisse l'ignorer. Avec la nouvelle Espagne, la Constitution devient soudain une possibilité beaucoup plus tangible et Tony Blair comprend que les députés de son camp, pour faire campagne en faveur du « oui », ont besoin de pouvoir promettre aux électeurs un référendum s'ils veulent empêcher les conservateurs de le réclamer les premiers à cor et à cri. Aussi prend-il l'initiative. À trop attendre, en outre, il compromettrait les chances des candidats travaillistes au Parlement européen, qui affrontent un tir de barrage serré en provenance des conservateurs eurosceptiques. En brandissant lui-même le référendum, il espère priver ces derniers de leur principal atout. Et puis, ce duel est une sorte de banc d'essai pour le grand affrontement auquel Blair se prépare : la future bataille en faveur de l'entrée dans l'euro.

Ce que le Premier ministre, en revanche, ne clame pas sur les toits, c'est que sa décision n'est pas d'ordre purement politique ou philosophique. Rupert Murdoch, l'Australien qui contrôle d'influents journaux comme le très huppé *Times* et le très puissant tabloïd *Sun*, a très clairement annoncé qu'il fera campagne contre Blair sur l'Europe s'il n'y a pas de référendum. Or Blair est un pragmatique. Avoir le *Times* contre soi, passe encore. Mais il sait bien qu'on ne gagne pas une élection difficile contre le *Sun* et ses 3,5 millions de lecteurs. Outre-Manche, le quatrième pouvoir en est vraiment un, et Blair vit littéralement dans la terreur d'une presse britannique très majoritairement europhobe depuis la fin des années 80. Le *Sun* ne l'a-t-il pas qualifié de « traître » quand il est revenu du sommet de Bruxelles ? Les propriétaires de certains de ces journaux jugent qu'il est de leur intérêt de saborder la Constitution pour affaiblir l'Union. C'est à cause des tabloïds et de leurs mensonges éhontés que de nombreux Britanniques sont persuadés que leur fiscalité va passer sous la coupe de Bruxelles, que leur passeport sera supprimé au profit d'un passeport européen, ou que le siège de membre permanent du Conseil de sécurité de l'ONU sera arraché au Royaume pour être transféré à l'Union.

L'Europe observe ce qui se passe à Londres. Pendant un temps, l'agacement a gagné certains dirigeants. En Allemagne et en France, on s'arrache les cheveux : comment Blair a-t-il pu prendre le risque de fragiliser tout l'édifice communautaire en provoquant un scrutin qu'il ne peut pas gagner ? Cet agacement ne va pas durer. À Paris, Jacques Chirac comprend vite le parti qu'il peut tirer du virage de Blair. Le 14 juillet 2004, au cours de la garden-party de l'Élysée, il annonce enfin que la France organisera elle aussi un référendum. D'une nécessité – il ne pouvait refuser aux Français le droit d'expression offert aux Britanniques par Tony Blair –, il va faire un avantage tactique. Il sait que le Parti socialiste est divisé entre le camp du « oui », emmené par François Hollande, et le camp du « non », dont Laurent Fabius s'apprête à prendre la tête. Voilà jusqu'où mène l'échappée britannique. Il n'est donc pas exagéré de dire que Tony Blair a aggravé les divisions au sein du Parti socialiste français...

Il n'y a pas qu'en France que la perspective d'un référendum affole les milieux politiques. Inversement, partout, l'idée que les citoyens puissent ne pas être consultés sur un pareil enjeu en ulcère beaucoup. Que doit, par exemple, faire l'Allemagne, le plus grand pays de l'Europe à vingt-cinq ? Peut-elle se contenter d'un vote parlementaire alors que les deux autres ténors de l'Union mettent les petits plats dans les grands ? Roman Herzog, ancien président de la République fédérale, s'inquiète à l'idée que l'Allemagne soit le « seul pays » de l'Union à refuser une consultation populaire. L'avenir de toute l'Europe pourrait se trouver fragilisé si le « oui » allemand n'avait pas toute la légitimité requise.

Sept Allemands sur dix veulent un référendum. On ne leur a pas demandé de voter pour abandonner leur cher mark et adopter l'euro, ils n'ont pas eu leur mot à dire pour sélectionner les Allemands qui ont participé à la convention. Habituellement, les grandes avancées européennes sont ratifiées en Allemagne par un double vote parlementaire à la majorité des deux tiers. Cette fois, pourtant, l'Allemand de la rue veut en être. Cependant, la Constitution d'après-guerre[1] de la République fédérale d'Allemagne, afin de l'ancrer dans un modèle strictement parlementaire et de supprimer toute possibilité, pour un parti extrémiste, de prendre le pouvoir, n'autorise pas ce type de consultations populaires à l'échelon national. Même si les nazis avaient conquis le pouvoir au moyen d'élections régulières, c'est un référendum qui avait conféré à Adolf Hitler les pleins pouvoirs qui en firent un dictateur. Seuls sont donc autorisés les référendums à l'intérieur de l'un des seize *Länder* fédérés. Le chancelier Schröder, tout en soutenant vigoureusement la Constitution européenne, insiste sur ce point et rejette donc l'idée d'un référendum. Les chefs de gouvernement se méfient toujours des scrutins qui risquent de se transformer en verdict porté sur l'action gouvernementale. Michael Müller, vice-président du groupe social-démocrate (SPD[2]) au Bundestag, le dit sans ambages : « Parfois, l'électorat doit être protégé contre le risque de prendre les mauvaises décisions... » En revanche, plusieurs responsables du SPD sont prêts à amender la Constitution allemande, c'est-à-dire à étendre pour

1. Rédigée en 1948.
2. Sozialistische Partei Deutschlands.

l'occasion le domaine de ce que l'on appelle en Allemagne les « plébiscites ». Trente juristes parmi les plus éminents d'Allemagne n'y voient aucune objection. Il faudrait pour cela que chaque Chambre se prononce en faveur de l'amendement à une majorité des deux tiers. Or, si le Bundestag est tenu de justesse par le SPD, le Bundesrat est, lui, aux mains de l'opposition. Le seul fait d'évoquer un référendum peut permettre au SPD de rebondir, à l'issue d'un été 2004 marqué par une profonde angoisse après les réductions de l'aide publique aux chômeurs et les mesures d'allongement du temps de travail.

Dans tous les pays, la décision fondamentale de ratification du traité constitutionnel passe ainsi à la moulinette des préoccupations locales. La grande stratégie devient l'otage de la petite tactique, et ce mélange des genres inhérent à la démocratie oblige, dans le meilleur des cas, les hommes politiques à en appeler à la profondeur de leurs convictions ; dans le pire des cas, il les pousse sur la pente de la facilité démagogique.

D'autres pays sont plus circonspects à l'égard du référendum. En Autriche, c'est une franche hostilité qui se fait jour. Le président Heinz Fischer craint que la campagne ne tourne aux pugilats populistes au lieu de porter sur la question européenne. Il appelle en revanche de ses vœux un référendum à l'échelle de toute l'Europe[1], les 450 millions de citoyens se prononçant en même temps sur la Constitution. Une belle idée, mais trop risquée ! À l'inverse, en Espagne, dès la mi-2004, le nouveau pouvoir a dit vouloir organiser un référendum dès que possible. En Italie, les citoyens devront sans soute se contenter d'un vote parlementaire, mais le référendum a ses adeptes, comme le président de la Chambre des députés, Pier Fernandino Casini.

1. *Alpach Forum*, 29 août 2004.

Toutefois, ce catholique redoute l'influence que pourrait avoir sur les fidèles la colère que le pape a laissée s'exprimer devant l'absence de référence aux racines chrétiennes de l'Europe dans le texte constitutionnel. Il tente en ces termes d'apaiser les électeurs catholiques : « Le vote des catholiques doit s'inspirer d'un principe maintes fois mis en avant par l'Église : préférer la voie possible à la meilleure. »

Maintenant que tous les pays ont fait leur choix sur le mode de ratification, le monde entier s'interroge : que se passera-t-il si un pays rejette la Constitution ? que deviendra l'Union ? comment tournera la construction européenne ? En réalité, nul ne sait vraiment ce qui se passerait dans de telles circonstances. Si c'est un petit pays qui dit non, sans doute sera-t-il possible de le faire voter à nouveau comme on le fit en Irlande après qu'elle eut refusé une première fois de ratifier le traité de Nice, ou bien de trouver un compromis comme celui que les Quinze offrirent à Copenhague quand le Danemark envoya balader le traité de Maastricht en 1992. Il faut par exemple s'attendre à ce que Malte, qui a opté pour une ratification parlementaire, rejette la Constitution. L'alternance politique quasi systématique que connaît ce pays lors des élections législatives garantit pratiquement que le camp qui était dans l'opposition lors de la signature du projet constitutionnel sera au pouvoir lors de la ratification. Il suffira d'attendre une législature pour que l'île revienne dans le droit chemin.

Si l'on se réfère au texte du projet constitutionnel, le « non » d'un pays n'entraîne pas obligatoirement son abandon complet. Si le traité indique bien, à son article IV-447-1, qu'il doit être ratifié par tous pour entrer en vigueur, les auteurs du texte ont prévu des repêchages. À l'article IV-443-4, on découvre qu'une situation de « petite crise » a été envisagée : si, en juin 2006, soit deux ans après la signature du traité, au moins quatre cinquièmes des États ont effectivement ratifié et que certains autres rencontrent des « difficultés », alors le Conseil européen se saisira de la question et tentera de trouver une issue.

Bien sûr, ce genre de rafistolage n'est concevable que pour un petit pays – disons de moins de 6 millions d'habitants, pour reprendre les tranches chères à VGE. Si le non vient d'un grand pays – un des six comptant plus de 38 millions d'habitants –, alors la Constitution est morte et enterrée. Et c'est naturellement le traité de Nice qui restera applicable au-delà de 2009. En résumé, si un grand pays dit non, l'Europe se repliera sur un « noyau dur » composé de ses quelques pays fondateurs et de ceux, parmi les nouveaux, qui seront capables de les suivre.

En somme, les Européens qui estiment que la Grande Europe est une fiction aussi dangereuse qu'inutile ont à leur disposition une raison positive de voter non. Pour eux, voter non, c'est empêcher la dilution de l'idée européenne dans un ensemble trop vaste et lui assigner des limites raisonnables qui lui permettent de progresser efficacement. C'est dynamiter un système qui a atteint les limites de son efficacité, et commencer à en chercher un autre. Voter oui, c'est sauter dans l'inconnu. Choisir le non, c'est garder le connu et entreprendre de le réparer.

DEUXIÈME PARTIE

La machine à refaire l'Europe

« L'Europe est un berceau vide où il n'y a pas d'enfant. »

Marie-France Garaud,
Géopolitique, mars 1984.

1

La cabale fédéraliste

Au fait, qui aime l'Europe ? À entendre polémiques, pugilats et insultes, on finirait par croire que l'Europe entière est hostile à l'Europe. En fait, ce n'est pas l'Europe qui divise, c'est l'Union ! Car, en passant du concept d'Europe à celui d'Union européenne, il faut passer par la case Fédéralisme. Or ce mot est l'un des plus violemment controversés du débat européen. Ceux qui rêvent d'une Union forte et puissante se baptisent fédéralistes comme s'il s'agissait de bâtir les États-Unis d'Europe. Face à eux, les inquiets crient au « complot fédéraliste », car le mot recouvre toutes les peurs qu'inspire la construction européenne : perte de l'identité nationale, dilution dans la mondialisation, manipulation par un « super-État » bruxellois, abandon de son âme à une bureaucratie de fonctionnaires sans visage. Mais il ne faut pas se voiler la face : l'Europe n'existera que si émerge une certaine forme de fédération européenne, c'est-à-dire un transfert de souveraineté calibré des États vers une fédération. Même l'« Europe des nations » si chère aux politiciens français, si elle veut représenter autre chose qu'une formule creuse, doit comporter une dose de « fédéral ».

Alors, qu'est-ce donc que le fédéralisme ? Tout simplement la mise en place d'une organisation politique dans laquelle plusieurs États partagent démocratiquement et équitablement une partie de leur souveraineté. Parmi les pays ayant adopté un tel système, on compte les États-Unis et l'Allemagne. C'est le fédéralisme, expliquent ses partisans, qui permet l'exercice d'un pouvoir démocratique aux niveaux les plus appropriés pour être efficace et au plus près des peuples et des citoyens. C'est donc l'application rigoureuse du principe de subsidiarité. Le fédéralisme est le meilleur garant de la diversité des cultures et des traditions. Opposé au centralisme, il assure les droits des communautés et des minorités, il unit les États en respectant leurs particularités. Dans un État fédéral, le fonctionnement du Parlement repose sur deux Assemblées : l'une représente les citoyens, l'autre, les États membres de la fédération. Le principe d'autonomie laisse chaque État fédéré souverain pour ce qui est de ses propres affaires. La répartition des compétences entre l'Union fédérale et les États membres doit être le fruit d'un débat démocratique. Pour ses plus chauds partisans, le fédéralisme ne devrait pas s'appliquer au seul domaine politique, mais également à l'organisation des entreprises.

Le projet politique fédéraliste n'est pas nouveau au niveau européen. En 1950 déjà, Robert Schuman voyait dans le traité de la Communauté européenne du charbon et de l'acier (CECA) « une première étape vers un objectif de fédération européenne ». Pour ces fédéralistes de la première heure réunis autour du ministre français des Affaires étrangères, l'exemple fédéral américain est la référence en matière de répartition des pouvoirs. Il s'agit, au bout du compte, de mettre en commun certains éléments cruciaux de la souveraineté nationale tels que la monnaie, la politique économique, la politique étrangère et la défense. Mais le projet achoppe vite. Si la CECA, dans son secteur très circonscrit, est un indéniable succès fédéral, le rejet du projet de Communauté européenne de défense (CED) par l'Assemblée nationale française, quatre ans plus tard, en 1954, porte un coup d'arrêt au rêve d'États-Unis d'Europe.

Le terme « fédéralisme » n'est pas compris partout de la même façon. Belges et Allemands ont tendance à s'inspirer de leur système national alors que le projet fédéral tient de la menace pour les Français, voire de l'épouvantail diabolique pour de nombreux Anglais. On entend souvent murmurer – et pas seulement de la part d'un Jean-Pierre Chevènement – que la campagne des sociaux-démocrates allemands en faveur du fédéralisme n'est qu'une tentative d'imposer à l'Europe le modèle allemand. Ces phobies oublient en général qu'une fédération européenne serait unique en son genre, constituerait une première, en somme, car elle engloberait des États et des peuples.

Les souverainistes ne veulent pas plus d'Europe que le strict nécessaire, parce qu'ils désirent que chaque identité nationale reste intacte. Face à eux, les fédéralistes veulent toute l'Europe possible pour qu'il ne subsiste un jour qu'un seul pays, l'Europe, dont les régions s'appelleraient Allemagne, France, voire Turquie…

Les fédéralistes veulent en finir avec les veto nationaux au Conseil européen ; ils souhaitent que tous les domaines soient soumis au vote à la majorité qualifiée, y compris la politique étrangère, la défense, la fiscalité et les questions sociales. Ils étaient minoritaires au sein de la convention, et le texte de la Constitution les déçoit. À côté du futur ministre européen des Affaires étrangères, ils réclament un ministre des Affaires économiques et sociales qui serait lui aussi vice-président de la Commission : il existerait ainsi un vrai pendant politique face à l'euro et à la Banque centrale européenne, et une authentique politique économique européenne capable de fabriquer de la croissance. Ils demandent que le Parlement européen soit colégislateur en toutes matières, et non pas seulement pour celles prévues dans le traité. Ils suggèrent même que les citoyens européens puissent se prononcer par référendum sur des lois européennes et sur la révision de la Constitution. Ils auraient naturellement apprécié que la Constitution européenne soit soumise à un référendum européen simultané.

De nombreux fédéralistes sont aussi socialistes, et leurs exigences s'en ressentent : respect mieux garanti des services publics nationaux ; création de services publics européens ; consécration de minima sociaux sur le plan européen ; affirmation d'une ambition européenne autonome sur la scène mondiale.

Le débat européen se déroule-t-il vraiment entre fédéralistes et antifédéralistes, entre thuriféraires de la Commission et partisans inconditionnels de l'intergouvernemental, c'est-à-dire du Conseil européen et du Conseil des ministres ? Le courant fédéraliste serait-il celui qui veut préserver la méthode communautaire et éventuellement la renforcer en l'étendant à des domaines, telles la politique extérieure et la défense, qui en sont aujourd'hui exclus ? Voilà une étrange dérive sémantique qui en dit long sur la montée de l'ignorance, de l'inquiétude et de l'hostilité envers l'Europe. Qualifier, non sans intention maligne, de « fédéralistes » ceux qui soutiennent la méthode communautaire, est tout simplement une façon de condamner la méthode communautaire en essayant de la réduire au travail de la Commission. Or la méthode communautaire est bien plus que cela ! Elle est au cœur de l'histoire européenne depuis cinquante ans, et elle a remporté des succès considérables. Au cours de cette période, personne n'aurait imaginé identifier le fonctionnalisme communautaire, c'est-à-dire l'européisme officiel, avec le fédéralisme. Celui-ci se présentait au contraire comme une alternative radicale à la Communauté et à son mécanisme décisionnel – un mécanisme que les fédéralistes, à commencer par Altiero Spinelli[1], ont toujours sévèrement critiqué. L'objectif fédéraliste, à cette époque, c'était le transfert de la souveraineté à un État fédéral européen. Le projet communautaire y était opposé : il avait pour but de perpétuer la souveraineté nationale en donnant aux problèmes de dimension européenne des réponses précaires et partielles par le biais de la collaboration entre les gouvernements.

La méthode communautaire prévoit que le pouvoir exécutif et une bonne part du pouvoir législatif sont détenus par le Conseil, c'est-à-dire par les États membres ; que la Commission a seulement la faculté d'émettre des propositions et que le Parlement européen dispose d'une part mineure du pouvoir législatif, son autorité étant toujours subordonnée d'une manière ou d'une autre aux décisions du Conseil. La méthode communautaire prévoit donc un mécanisme décisionnel qui, s'il a évolué avec le temps, a toujours été caractérisé par le rôle déterminant des gouvernements nationaux dans la prise de décisions. Si elle comporte des volets « fédéraux », elle n'a donc rien de « fédéraliste ».

L'étrangeté du psychodrame que vit actuellement l'Union européenne repose sur un contresens à propos du rôle de la Commission. N'en déplaise aux souverainistes obsédés par le fantasme du « super-État », l'Europe souffre aujourd'hui davantage de la faiblesse de la Commission que de sa prétendue puissance. La Commission a joué dans le passé un rôle moteur lorsque, grâce à une situation internationale favorable et au petit nombre d'États membres, elle pouvait agir en tant

1. Eurodéputé italien à l'origine de la réforme institutionnelle de la Communauté et du projet de traité d'Union européenne adopté le 14 février 1984 par le Parlement européen. Ce projet devait fournir une des bases les plus solides de la relance européenne de la seconde moitié des années 80 et aboutira à la création de l'Union européenne par le traité de Maastricht en 1992.

qu'expression d'une forte convergence des intérêts des gouvernements nationaux sans leur ôter leur rôle de décideurs effectifs. En 2005, dans une atmosphère internationale délétère, avec des pays membres divisés et un nombre d'États passé à vingt-cinq, la Commission en est réduite à une fonction de secrétariat du Conseil et de bouc émissaire commode quand les États membres rencontrent des difficultés de politique intérieure, par exemple en matière de déficit budgétaire. Si l'on souscrit à ce qui précède, affaiblir la Commission, ce n'est pas affaiblir les « fédéralistes », c'est affaiblir l'Europe et ses États membres. La méthode communautaire n'est qu'une des innombrables variantes possibles de la méthode intergouvernementale, et l'identifier avec le projet fédéraliste est le produit d'une équivoque aussi grossière que délibérée.

Les fédéralistes, en revanche, souhaiteraient créer un gouvernement européen qui aurait un lien réel avec les citoyens de l'Union, qui devrait être l'expression de leur consensus et comprendre dans son champ de compétences le pouvoir d'agir directement sur les individus en leur imposant, à l'aide d'instruments coercitifs adéquats, le respect des lois fédérales et de ses décisions.

L'Union européenne actuelle est moins avancée que la Confédération américaine qui avait précédé la convention de Philadelphie de 1787. À l'époque, l'insuffisance criante de cette confédération avait fait prendre conscience de la nécessité de refonder sur des bases nouvelles la coexistence entre les ex-colonies américaines et leurs citoyens. La Confédération américaine disposait en fait de la compétence en matière de politique extérieure et de défense ; elle décidait à la majorité sur toutes les questions (sauf sur la réforme de son propre statut). Si elle fut condamnée à la paralysie, c'est qu'elle dépendait, pour son existence propre, de l'accord entre les États membres qui conservaient intacte leur souveraineté, et qu'elle ne disposait pas du pouvoir d'imposer directement ses décisions aux citoyens. Elle dépendait, pour leur exécution, du bon vouloir des gouvernements des ex-colonies, auxquels le Congrès ne pouvait qu'adresser des recommandations. Les pères fondateurs eurent alors la clairvoyance et le courage d'élaborer et de proposer à la ratification des États un projet radical avant que les États-Unis ne soient emportés par les forces de désintégration. Cette clairvoyance, ce courage et surtout cette volonté font malheureusement défaut aux gouvernants de l'Europe d'aujourd'hui. Ils ne s'engagent que pour défendre leurs intérêts nationaux, c'est-à-dire leur propre pouvoir. Pourtant, l'Europe est peut-être à son tour à la veille de la désintégration et du chaos. C'est ce qu'espèrent, par exemple, les eurosceptiques britanniques qui ont juré la perte de la Commission et de ses réalisations en l'accusant de ce péché mortel : le « fédéralisme ».

Pourtant, même sans fédéralisme, l'Europe change…

2

La métamorphose par le droit

Les souverainistes qui clament à tout va qu'il faut protéger l'intégrité de la République contre le poison eurocrate sont des rêveurs ou des hypocrites. Il y a belle lurette que la France et ses voisins ont changé en profondeur sous l'impact des directives bruxelloises, ces « lois » venues d'en haut, de la Commission, qui obligent tous les pays membres. Depuis que l'Union existe, c'est-à-dire depuis le traité de Maastricht, la machine à réformer est en route et écrase tout sur son passage. Cette lente métamorphose est vécue différemment selon les pays. En France, cette injection d'Europe à coups de « transferts de compétences » est ressentie plus vivement qu'ailleurs, sans doute à cause de l'histoire nationale, suite de siècles consacrés à façonner un ensemble structuré, rigide et fort. Il n'empêche : bon gré, mal gré, les directives européennes s'imposent de plus en plus par rapport aux lois ordinaires de la République.

Les règles institutionnelles européennes influent également sur la Constitution française. Depuis 1958, dix-sept révisions constitutionnelles ont été adoptées, soit par référendum, soit par vote du Parlement. Sur ce nombre, quatre sont liées à la construction européenne. Deux d'entre elles ont été fondamentales : l'une découle du traité de Maastricht, l'autre a été imposée par le traité d'Amsterdam. À chaque fois, le Conseil constitutionnel, saisi, a constaté que l'accord international signé était contraire à la Constitution. Il a d'abord fallu modifier la Loi fondamentale française avant de ratifier l'accord.

La révision permettant de ratifier le traité de Maastricht a été conduite le 25 juin 1992, soit quelques mois avant le référendum de septembre qui devait voir une courte victoire du « oui ». Pratiquement, la révision a débouché sur l'inscription dans la Constitution d'un titre XV intitulé *Des communautés européennes et de l'Union européenne*. L'article 88 précise les bases juridiques régissant notamment les transferts de compétences imposés par le traité. La République et l'Union, y lit-on, choisissent d'« exercer en commun certaines de leurs compétences ». L'essentiel des dispositions concerne en particulier « les transferts de compétences nécessaires à la détermination des règles relatives à la libre circulation des personnes », autrement dit les accords de Schengen. Cette réforme constitutionnelle de 1992 évoque aussi les compétences « nécessaires à l'établissement de l'Union économique et monétaire européenne ». C'est bien sûr de l'euro qu'il s'agit. On y trouve également une innovation majeure : le vote et l'éligibilité des citoyens originaires de l'Union pour les élections municipales. Puis la réforme constitutionnelle de 1999, consécutive à la signature du traité d'Amsterdam, est venue compléter le titre XV.

Il se trouve des juristes pour se demander si, de réforme en réforme – jusqu'à la signature du traité constitutionnel européen à Bruxelles en juin 2004 –, on ne porte pas gravement atteinte au pacte républicain à la française. Certes, des garde-fous ont été érigés pour tenir à distance les compétences communautaires et borner leur extension ; mais, aux yeux des observateurs les plus sourcilleux, l'étau se resserre irrémédiablement.

Une fois de plus, le traité de Bruxelles de juin 2004 exige une révision de la Constitution française, qui devra donc recevoir une nouvelle injection de fédéralisme. Le traité prévoit en effet de nouveaux transferts de compétences, mais surtout supprime la règle de l'unanimité pour « l'adoption des décisions européennes prises sur proposition du ministre des Affaires étrangères » de l'Europe à la suite d'une demande du Conseil (art. III.300 de la future Constitution européenne). Cela pose problème, car en France la négociation des traités et des accords internationaux est du ressort du président de la République. Ce nouvel engagement de la France va donc entraîner un abandon de souveraineté particulièrement marqué.

Il y a ensuite la question du « bloc de constitutionnalité[1] », cet édifice de référence auquel se trouve rapportée toute initiative juridique nationale. L'article 2 du traité de Bruxelles, relatif aux « valeurs de l'Union », proclame que celle-ci est « fondée sur [...] le respect des droits de l'homme, y compris des droits des personnes appartenant à des minorités ». Y a-t-il, dans cette formulation, l'embryon d'une justification de la « communauté », ce concept que rejette la République une et indivisible ? Reconnaître un rôle à cette « communauté », n'est-ce pas dégrader l'idée de citoyen que l'on définit comme « sans distinction d'origine, de race ou de religion » ? Le principe d'indivisibilité de la République est au cœur de l'« héri-

1. Il s'agit de l'ensemble des textes auxquels se réfère le Conseil constitutionnel pour juger de la conformité des lois avec la Constitution. Ce bloc inclut non seulement la Constitution de la Ve République, mais aussi, depuis 1971, le préambule de la Constitution de 1946 et la Déclaration des droits de l'homme et du citoyen de 1789, deux textes auxquels fait référence le préambule de la Constitution de 1958. On a parlé alors d'« élargissement du bloc de constitutionnalité ».

tage républicain », lui-même constitutif de la « forme républicaine du gouvernement ». Si la reconnaissance des minorités – ou des communautés, si l'on préfère – découlant d'une interprétation de l'article 2 du traité de Bruxelles s'imposait à la France, elle pourrait contredire ce principe et porter atteinte à la forme républicaine de notre régime. Or celle-ci, insiste l'article 89 de la Constitution française, « ne peut pas faire l'objet d'une révision ».

La future Constitution européenne contient d'autres formulations qui ne sont pas forcément « franco-compatibles ». L'article 70 – un des plus fameux, car il donna lieu à des débats passionnés lors des travaux de la convention – consacre la « liberté de manifester sa religion ou sa conviction individuellement ou collectivement, en public ou en privé ». Il faudra vérifier qu'il ne contrevient pas au dogme de la laïcité. L'article 84, pour sa part, offre aux enfants de pouvoir « exprimer librement leur opinion », ce qui risque d'interférer avec le « libre et tranquille exercice » de l'autorité que la Constitution française confère aux parents.

En cas de ratification du projet européen, la belle architecture constitutionnelle française et, avec elle, les fondements mêmes de la République vont devoir être de plus en plus assouplis – or la souplesse n'est pas, on le sait, leur qualité première...

3

La défaite du vrai chocolat

Les changements qu'apporte l'Europe ne consistent pas tous en d'obscures greffes juridiques. Les manifestations pratiques de son influence dans la vie quotidienne des Européens sont innombrables. À l'insu de la plupart des citoyens qui ont d'autres choses à faire que de lire les communiqués publiés chaque jour sur le site web de la Commission[1], celle-ci s'occupe de l'ensemble – ou presque – des domaines communautaires compris dans ce qu'il est convenu d'appeler le « premier pilier ».

Le 17 septembre 2004, par exemple, la Commission de Bruxelles annonce sa volonté de libéraliser le marché des pièces détachées de voitures à travers l'Union. Ce jour-là, pas d'applaudissements dans les vingt-cinq pays membres. Et pourtant, quelle révolution ! Car cette libéralisation a des chances de se traduire par des pièces meilleur marché, donc par des réparations moins onéreuses. En clair, les garagistes ne seront plus tenus d'employer les pièces fournies par le fabricant, mais pourront utiliser des copies réalisées par ses concurrents. Apparemment, voilà une belle idée européenne propice

1. http://europa.eu.int/comm/index_fr.htm

au bien commun, c'est-à-dire à l'obtention de meilleurs prix pour le consommateur. Verra-t-elle le jour ? Rien n'est moins sûr… Les fonctionnaires de la Commission ont déjà eu le plus grand mal à accoucher d'un projet. Par un lobbying incessant, les constructeurs automobiles ont tout essayé pour le faire capoter. Les grandes marques ne manquent pas d'arguments : si les prix des pièces baissent, la recherche en sera ralentie et l'innovation en pâtira. Et si des copies sont admises, qui garantira la sécurité des véhicules ?

Entre Bruxelles et les constructeurs, la guerre dure depuis des années : en 2002 la Commission a tenté de les contraindre à couper les liens avec les concessionnaires alors que, jusque-là, ces derniers étaient tenus de ne vendre qu'une seule marque, à des prix fixés et sur un territoire limité. À Bruxelles, la Commission est divisée : certains commissaires issus de pays abritant une puissante industrie automobile déploient tous leurs efforts pour ralentir le processus. Günter Verheugen, le commissaire allemand, fait feu de tout bois et n'essaie même pas de donner à croire qu'il est au-dessus des considérations nationales. La guerre est d'ailleurs loin d'être finie : la Commission reviendra à la charge et les lobbyistes de Mercedes, Fiat ou Renault n'ont pas dit non plus leur dernier mot.

Quelques jours plus tard, Bruxelles frappe à nouveau. Nous sommes le 22 septembre 2004. Cette fois, il s'agit du temps de travail, domaine à très hauts enjeux politiques depuis que les entreprises allemandes ont commencé à exiger de leurs salariés de travailler plus, ou de prendre le risque de voir leurs emplois délocalisés hors d'Allemagne. Si la Commission bouge et se prononce en faveur d'un allongement de la durée légale hebdomadaire du temps de travail, c'est qu'elle subit des pressions considérables en provenance d'une part des entreprises, d'autre part des pays de l'Est européen où les salariés brûlent de travailler plus pour produire plus et gagner plus. Cinq des huit pays à exiger cette évolution font partie des dix qui ont rejoint l'Union au mois de mai précédent. Parmi les membres plus anciens de l'Union, la Grande-Bretagne leur a fourni un appui précieux. Bref, Bruxelles semble prête à abandonner aux pays eux-mêmes la décision de fixer leur durée légale du temps de travail. Voilà un recul significatif par rapport à la directive de 1993, qui visait à empêcher que l'instauration du Marché unique ne se traduise par une érosion des droits des salariés.

Cette « directive sur le temps de travail » a du plomb dans l'aile. Elle limite la semaine de travail à quarante-huit heures, heures supplémentaires incluses, ce qui en fait la réglementation sur le temps de travail la plus restrictive au monde. Aux États-Unis, il n'existe aucune limite fédérale en la matière. La petite révolution que propose la Commission obéit à l'air du temps : il faut travailler plus en Europe si l'on veut rattraper un jour les États-Unis et l'Asie en termes de croissance. Le calcul des heures de travail ne sera donc pas effectué tous les quatre mois, mais tous les ans, et le temps de permanence ou de garde – pour un médecin, par exemple – ne sera plus considéré comme du temps de travail. Si le Parlement et les États acquiescent à cette idée, elle s'imposera à un arrêt de la Cour de justice européenne de 2003 considérant le temps de garde comme un temps de travail, qu'il y ait ou non travail effectif.

Bruxelles recommande aussi que les salariés aient le droit de s'affranchir des lois nationales sur le temps de travail. À ce jour, seules la Grande-Bretagne, Chypre et Malte sont dans ce cas. Désormais, pour éviter que les ouvriers ne soient contraints de renoncer aux protections de la loi, il sera interdit de leur faire signer une dérogation le jour de leur embauche ou pendant leur période d'essai. De ces propositions, ni les syndicats ni les patrons ne sont satisfaits : un bon point pour la Commission !

L'Europe se glisse absolument partout, y compris dans votre réfrigérateur, dans votre micro-ondes ou dans vos boîtes de bonbons. En août 2004, la Commission provoque une très vive émotion dans le monde chocolatier en adoptant une directive qui désole les puristes. Désormais, l'équivalent de 5 % du beurre de cacao contenu dans le chocolat pourra être remplacé par d'autres graisses végétales, et le produit en résultant pourra continuer d'être appelé « chocolat ». La féroce bataille que viennent de perdre les amoureux du vrai chocolat dure depuis longtemps, depuis les années 70, en fait depuis que la Grande-Bretagne est entrée dans la Communauté européenne. Londres avait mis cette condition à son entrée, car c'est ainsi que l'on fabrique le chocolat outre-Manche. Alors que Français, Suisses et autres traditionalistes du chocolat affirment qu'il doit contenir exclusivement du cacao, du sucre et du beurre extrait des fèves de cacao, qui coûte il est vrai fort cher. Les graisses végétales reviennent dix fois moins cher et les ténors de l'industrie, Nestlé ou Suchard, n'aiment rien tant que réduire leurs coûts.

De manière générale, les habitudes alimentaires un peu sophistiquées comptent parmi les principales victimes de l'harmonisation centralisatrice menée à Bruxelles. Celle-ci conduit à des heurts fréquents entre les États membres et la Commission. Un jour, l'Allemagne est poursuivie pour n'avoir pas mis un terme à la vente de faux parmesan. Le lendemain, c'est la Grèce qui fait valider le principe selon lequel seule sa *feta* est authentique.

Les États membres entretiennent des relations ambiguës avec l'appareil législatif et juridique de Bruxelles. Il arrive à la France de ne suivre qu'à reculons ses recommandations. Elle est même un des plus mauvais élèves de l'Union en la matière. En février 2004, elle s'est fait épingler par la Cour de justice européenne pour sa réticence à commercialiser les aliments enrichis en vitamines et en sels minéraux, baptisés « compléments alimentaires ». Le gouvernement français s'est donc retrouvé pris en tenaille entre Bruxelles et les associations professionnelles. L'une de ces dernières, le syndicat de la diététique et des compléments alimentaires se plaignait de Jean-Pierre Raffarin et demandait l'intercession de Bruxelles : « La France poursuit devant les tribunaux la fabrication de compléments alimentaires à base de plantes comme la prune, l'olive ou l'ail, et ne reconnaît l'utilisation alimentaire que d'une trentaine de plantes alors que d'autres États membres de l'Union en reconnaissent plus de quatre cents. » Selon la Cour européenne, l'attitude de Paris constitue une « entrave à la circulation des marchandises », d'autant plus qu'il n'est pas prouvé qu'il y ait un « risque réel ».

Cela étant, et contrairement à une idée reçue, les États membres bénéficient d'une certaine souplesse dans l'application des directives européennes. Ils peuvent les adoucir ou les durcir. Le cas des « petits marchés » est édifiant. Il s'agit d'une directive européenne du 14 juin 1993 qui réglemente les conditions d'hygiène que doivent remplir les vendeurs de produits frais sur les marchés en plein air. Nous sommes en avril 2000 et, dans toute la France rurale, c'est l'affolement. Pour les marchés de plein vent, la dérogation, c'est fini ! Le 16 mai approche et les professionnels, dont la surface de vente se limite le plus souvent à quelques planches posées sur des tréteaux ou à l'auvent d'une camionnette, devront se plier à un arrêté ministériel français découlant d'une directive européenne qui les contraint à des investissements auxquels certains estiment ne pas pouvoir faire face. Les nouvelles normes, encore jamais appliquées, sont pourtant anciennes. Elles datent de 1995 et sont draconiennes. Toute la marchandise, y compris dans le cas des vendeurs de fruits et légumes, devra être disposée de telle manière que le client puisse la voir sans la toucher. La ménagère ne pourra plus soupeser un melon, un chou-fleur, ni vérifier qu'une tomate est bien mûre. Des panneaux de protection en verre ou en plastique transparent le lui interdiront. Des points d'eau pour le nettoyage et des prises de courant pour le froid seront obligatoires. Des sanitaires avec eau potable chaude et froide devront aussi être disponibles à proximité des commerces.

Pour les poissonniers, les charcutiers et les fromagers, le coup est d'autant plus rude que l'arrêté brille par une précision diabolique : les poissons devront être exposés à une température comprise entre 0 et 2 degrés ; le poulet, lui, pourra aller jusqu'à 4 degrés. Pour créer une vitrine réfrigérante, il faut parfois compter jusqu'à 50 000 euros. Le texte impose aussi de transporter les produits à bord d'un camion réfrigéré.

Faut-il en vouloir à l'Europe ? Pas obligatoirement, car les recommandations initiales de Bruxelles étaient beaucoup plus vagues. Mais, traumatisée par le scandale du sang contaminé, la France a fait du zèle et a considérablement durci ces recommandations. Pour leur part, les Italiens, les Espagnols et les Belges se sont montrés beaucoup plus coulants.

Un autre de ces petits conflits concerne l'échalote. Il dure depuis l'an 2000 et empoisonne les relations entre les maraîchers français et leurs collègues hollandais. Le 5 février 2004, le Conseil d'État français rend un arrêt estimant que l'inscription au catalogue commun européen de l'« échalote de semis » cultivée par deux groupes hollandais serait contraire au droit européen. Cet arrêt est considéré comme une grande victoire par les « tradi ». Les deux groupes incriminés, De Groot en Slot et Bejo Zaden, ensemencent depuis quelques années leurs terres en graines d'échalotes qui, à la vente, sont trois fois moins chères que les échalotes traditionnelles, notamment parce qu'elles sont récoltées mécaniquement alors que les françaises sont cueillies à la main. Yvon Kerleguer, responsable associatif des producteurs de légumes de Bretagne, estime avoir là un dossier solide : « La variété batave ne possède pas les mêmes propriétés que la française. Son calibre est souvent plus petit et son goût est quasi identique à celui de l'oignon. L'échalote de semis n'a donc pas les qualités requises pour figurer sur le catalogue européen, ou alors sous un autre nom[1]. » La France n'a jamais plaisanté avec l'échalote. Dès 1990, un arrêté de commercialisation rappelait que « ne peuvent être vendus sous le nom d'échalotes que les produits issus d'une multiplication par bulbes ». À parler franc, l'Europe n'est pas le seul souci des producteurs d'échalote : depuis 1999, comme le roquefort, la moutarde et le foie gras, l'échalote fait l'objet de mesures de rétorsion aux États-Unis pour punir le refus de l'Union européenne d'importer du bœuf aux hormones américain. Les exportations à destination des États-Unis sont tombées de 4 000 à 500 tonnes.

L'Europe elle-même reconnaît de temps à autre qu'elle exagère et que son prurit technocratique a empilé les directives parfois jusqu'à l'absurde. Au printemps 2004, l'Union a décidé par exemple d'en finir avec la règle qui limitait à dix mètres la hauteur des échelles qu'utilisent les laveurs de vitres. Cette règle nuisait tout particulièrement aux Hollandais, dont les maisons traditionnelles nécessitent des échelles d'au moins douze mètres. Quant à l'obligation faite aux éleveurs de porcs de placer dans leurs mangeoires de la paille ou des copeaux de bois afin d'empêcher les bêtes de s'ennuyer, elle compliquait singulièrement la vie de cette profession. L'obligation de n'utiliser qu'un certain type de matériaux pour construire les aires de jeu pour enfants était

1. Agence France-Presse, 5 février 2004.

vouée à disparaître elle aussi en décembre 2004. En revanche, tout ce qui touche à l'environnement n'est pas assoupli. Environ 90 % des lois environnementales applicables dans les États membres sont directement concoctées à Bruxelles. Celle-ci, par exemple : les sacs en plastique à poignée remis aux clients dans un magasin, gratuitement ou à titre onéreux, sont des emballages ; à ce titre, ils sont soumis à la directive de 1994 qui prévoit une obligation de collecte, de reprise et de recyclage.

L'Europe se mêle de tout.

4

Faut-il un chef à l'Europe ?

Septembre 2004. L'Europe est un club de dirigeants faibles. En France, Jacques Chirac est confronté à la rébellion de plus en plus ouverte de son ministre des Finances, Nicolas Sarkozy, qui va s'emparer du parti, l'Union pour une majorité populaire (UMP), et qui bouscule Jean-Pierre Raffarin, le Premier ministre. En Allemagne, le chancelier Gerhard Schröder accumule les déboires électoraux. À Londres, Tony Blair se débat dans l'incessante polémique sur le bien-fondé de son intervention militaire en Irak aux côtés des États-Unis. À Bruxelles, Romano Prodi achève son mandat à la tête d'une Commission européenne en proie à une grave crise interne. À part l'Espagne qui s'est offert en mars 2004 un nouveau gouvernement de gauche avec José Luis Zapatero, les pays de l'Union sont gérés par des dirigeants usés ou affaiblis. Qui dirige donc l'Europe ?

À force de voir les présidents de la Chine, de la Russie ou des États-Unis parader sur les petits écrans, entourés d'une nuée de gardes du corps, symboles universels du pouvoir et de la puissance, certains citoyens de l'Europe se posent à mi-voix cette question qu'ils devinent ne pas être tout à fait politiquement correcte : Et nous ?

Bien sûr, il y a le président de la Commission européenne, son sourire convivial, ses déclarations apaisantes ; mais cet homme qui se déplace pratiquement sans aucune protection, qui ne représente aucun peuple, que pèse-t-il sur la scène mondiale ? L'Union a beau être une belle idée, elle manque singulièrement de pompe et de majesté. Même sur les photos officielles, elle a l'air de ce qu'elle est : un désordre à l'occasion joyeux, le plus souvent hargneux. Elle ressemble un peu à un club turbulent de hauts fonctionnaires.

Comme l'Europe est riche, très riche, elle fait envie ; on reçoit avec égards ses différents présidents, qu'il s'agisse de celui de la Commission ou de celui du Parlement, mais elle ne fait pas sérieux. Surtout, elle ne fait pas peur. Peu importe ! glosent les tenants d'une Europe-marché. Elle n'a nul besoin d'intimider qui que ce soit, puisqu'elle est protégée par les États-Unis qui, eux, font vraiment peur. Alors, pourquoi s'embarrasser d'un chef ? À travers les siècles, les chefs en Europe, qu'ils aient été faibles ou forts, ont à d'innombrables reprises conduit leurs pays à la guerre et à leur perte. À bien des égards, d'ailleurs, le ciment de l'Europe, c'est la volonté de tenir cette cruelle histoire à distance. Choisir un chef, ne serait-ce pas verser à nouveau dans ces errements-là ? À l'Europe, il faut des comptables et des juristes ; mais un chef, à quoi bon ? Au fond d'eux-mêmes, les partisans de l'Europe molle vénèrent son insignifiance comme une vertu cardinale, car elle reflète précisément, à leurs yeux, la grandeur du projet communautaire : une Europe à jamais en paix avec elle-même et avec le reste du monde.

Les partisans d'une Europe politique influente à l'échelle du monde savent bien, eux, qu'il lui faudrait au contraire un visage que chaque téléspectateur puisse reconnaître instantanément. Rien de plus dommageable à la réputation de l'Europe et à sa compréhensibilité que la rotation semestrielle de ce qu'il est convenu d'appeler la « présidence de l'Union ». On dirait que l'Europe a le hoquet !

Plusieurs gouvernements – pas tous, loin de là, mais la France en tête – suggéraient, au début des années 2000, de désigner un président du Conseil pour cinq ans. Cet homme – ou cette femme – serait déchargé de toute fonction politique nationale pour la durée de son mandat ; il (elle) aurait sous son autorité le « ministre des Affaires étrangères » de l'Europe, dont la fonction a été réaffirmée dans le projet de traité constitutionnel. Mais ce qui a l'air simple et naturel pose de sérieux problèmes de « cohabitation ». Ce président du Conseil nommé pour cinq ans par les États membres n'aurait-il pas fait double emploi avec le président de la Commission européenne nommé pour cinq ans par les États membres, même s'il est, lui, confirmé par le Parlement européen ? Et que se passerait-il si, dans le pays d'où est issu le président de l'Europe, la majorité change de camp ? Prenons un exemple : imaginons que Jean-Pierre Raffarin, ayant quitté Matignon, se retrouve pour quelques années président du Conseil européen et qu'entre-temps Laurent Fabius soit devenu président de la République ; comment une France gouvernée à gauche se comporterait-elle face à un président français du Conseil européen de droite ?

Le traité constitutionnel a apporté une clarification. Le Conseil européen devient une institution à part entière. C'est la fin des présidences semestrielles tournantes : un président aux pouvoirs limités est élu pour deux ans et demi – son mandat est renouvelable une fois – à la majorité qualifiée des chefs d'État et de gouvernement[1]. Il sera le coordinateur des travaux du

1. Article I-21.

Conseil européen ainsi que le représentant de l'Union européenne à l'étranger. Sa légitimité politique sera donc supérieure à celle du président de la Commission. Au bout du compte, l'Europe aura trois visages : le président du Conseil, le ministre des Affaires étrangères (qui sera également vice-président de la Commission), et le président de la Commission.

Ce dispositif présente des avantages, mais si le président de l'Europe se révèle être une personnalité tenant sa légitimité des seuls chefs d'État et de gouvernement, sans aucune intervention directe ou indirecte du suffrage universel, il se retrouvera fatalement éloigné de l'Europe des citoyens, ce qui ne manquera pas de faire resurgir les fantasmes souverainistes sur le « super-État » orwellien. Les « petits pays » seront tentés de croire que la présidence du Conseil européen incarne les « grands pays » face à une Commission qui, depuis le traité de Nice, fait la part belle aux petits. Or une Europe durablement installée dans un face à face entre petits et grands serait la négation de toute l'aventure communautaire.

Ce serait mentir que de prétendre que la question du pouvoir en Europe est réglée. Les fédéralistes continuent de voir dans la Commission l'embryon du futur exécutif de l'Europe, son président étant élu par le Parlement. Les « intergouvernementaux », eux, rêvent d'une présidence de l'Union avec une seule et même personne à la tête de la Commission et du Conseil. Quand il était encore commissaire européen, Michel Barnier était l'un d'eux. Il confiait :

« Un jour, je l'espère, les États membres de l'Union seront confrontés à l'exigence absolue de parler ensemble, d'une voix unique et forte, sur la scène mondiale, parce que le poids relatif de chaque État à l'échelle des enjeux mondiaux ne permettra plus d'entretenir aucune autre illusion[1]… »

1. *Le Monde*, 16 mai 2003.

Quand, quelques mois plus tard, il sera nommé ministre des Affaires étrangères par Jacques Chirac, il sera bien obligé de revenir à un langage plus « Quai d'Orsay », où il est surtout question de la voix de la France et de son écho à travers la planète. Mais revenons à son songe bruxellois :

« ... Alors, et alors seulement, il faudra unifier le pouvoir exécutif en Europe et lui donner une légitimité indiscutable. Ce qui implique de confier à une seule et même personne la présidence de la Commission européenne et celle du Conseil européen. Ce qui est utopique aujourd'hui, un président de l'Union européenne, ne le sera peut-être pas dans quelques décennies[1]. »

Dans son esprit, ce président serait élu démocratiquement et tiendrait entre ses mains tous les instruments de l'influence européenne. La convention avait voulu laisser ouverte cette possibilité, mais les pays membres l'ont rejetée et elle ne figure pas dans le projet de Constitution, sans toutefois que l'hypothèse soit explicitement exclue. Barnier conclut à l'époque, c'est-à-dire à la fin des travaux de la convention :

« L'heure n'est pas venue d'ériger, au centre de l'arène européenne, le totem présidentiel. Peu de gens en Europe, et moins d'États encore, sont prêts à voir un président européen prétendre à la supériorité exécutive. D'autant que ce président serait aujourd'hui un roi presque nu, incarnant un pan seulement du pouvoir exécutif, et réduit à disputer à son propre ministre des Affaires étrangères la tâche difficile de représenter l'Union dans le monde. »

Pour des raisons qui tiennent à une histoire remplie de tentatives hégémoniques des grands États, l'Europe doit jouer la carte de la collégialité qui, au demeurant, faciliterait,

1. *Ibid.*

à terme, l'élection de l'exécutif au suffrage universel des peuples.

Les penseurs de l'Europe à venir ont émis d'autres idées. Plutôt que de placer à la tête de l'Europe une personnalité solitaire émanant du seul Conseil européen, il serait plus conforme aux spécificités européennes de constituer une équipe présidentielle, un cabinet politique composé d'un président entouré de cinq ou six vice-présidents. Le président présiderait à la fois aux travaux de la Commission et, sans droit de vote, à ceux du Conseil européen et du Conseil des Affaires générales. Les vice-présidents disposeraient chacun d'un vaste domaine de compétence : relations extérieures et défense ; sécurité intérieure, immigration, asile ; économie, monnaie ; marché intérieur, concurrence ; politiques de solidarité ; politiques sectorielles. Ils assisteraient le président de l'Union dans les négociations et la représentation extérieure. Ils pourraient présider les Conseils de ministres correspondant à leur compétence.

Ce cabinet politique européen situé à l'intérieur de la Commission, dont il coordonnerait les travaux, apporterait une solution au problème posé par l'exigence de tous les États de compter un ressortissant dans la Commission. Le cabinet politique ne pourrait agir sans l'accord de la majorité des commissaires, mais la majorité des commissaires ne pourrait adopter une décision sans l'accord du cabinet. La désignation des membres de ce cabinet, qu'on pourrait appeler Présidium, et leurs attributions devraient faire l'objet d'un accord entre les deux autorités porteuses de la légitimité européenne, le Parlement et le Conseil européen. Leur responsabilité, comme celle de l'ensemble des commissaires, pourrait être mise en cause devant le Parlement, mais le Conseil européen pourrait répondre à la censure par la dissolution. La composition du Présidium permettrait un équilibre entre États de dimensions différentes, entre anciens et nouveaux membres, entre Sud et Nord, et même entre les sexes, ce que ne permettrait pas une présidence monarchique. La visibilité interne et externe de l'Europe serait assurée, ainsi que la cohérence des politiques intérieure et extérieure, d'intégration et de coopération.

Une chose est certaine : si un jour l'Europe se dote d'un chef aussi puissant, il faudra face à lui des contre-pouvoirs capables de lui tenir tête.

5

Trois pouvoirs en chiens de faïence

Qui fait quoi en Europe ? La question est dans l'air depuis cinquante ans, mais on attend toujours la réponse. Pendant les travaux de la convention constitutionnelle de 2002-2003, la quête a progressé. L'Union européenne est gérée par trois institutions : le Parlement européen, élu au suffrage universel ; le Conseil européen, qui exprime la participation des États membres à l'action de l'UE ; la Commission européenne, organe indépendant et théoriquement apolitique, qui définit et propose ce qu'il est convenu d'appeler le « bien commun » européen. De manière extrêmement schématique, leur rôle peut être résumé comme suit : la Commission propose les mesures législatives, le Parlement et le Conseil codécident, et, une fois qu'ils ont donné leur feu vert, la Commission exécute. La Commission gère aussi certaines actions, notamment à l'extérieur de l'Union, qui lui sont confiées par le Conseil. Sur un plan plus philosophique, le Parlement incarne une légitimité démocratique à proprement parler, alors que le Conseil et la Commission représentent des légitimités étatique et technique.

Autant prévenir le citoyen habitué à évoluer au sein d'une démocratie européenne traditionnelle : au début, il aura beaucoup de mal à s'y retrouver. Posons donc des questions simples. Quelles institutions européennes incarnent respectivement les pouvoirs exécutif, législatif et judiciaire ? La classification traditionnelle entre ces trois pouvoirs est ici difficile à établir, surtout entre législatif et exécutif, et ce, pour deux raisons : d'une part, les compétences au sein du « triangle institutionnel » (Commission, Conseil de l'Union et Parlement) se chevauchent ; d'autre part, les mêmes institutions fonctionnent dans les trois « piliers » qui composent l'Union européenne (UE), mais avec des pouvoirs différents selon le « pilier » concerné. Rappelons une fois encore ce que sont ces trois « piliers » : le premier représente les affaires communautaires, c'est-à-dire les politiques si complètement intégrées que les États n'ont pratiquement plus leur mot à dire dans leur conception ; le deuxième concerne la politique étrangère et de sécurité commune, domaine dans lequel les États membres n'ont en revanche abandonné presque aucune de leurs prérogatives à la Commission ; le troisième recouvre la coopération policière et judiciaire en matière pénale.

Une fois ces précisions apportées, on peut dégager les orientations suivantes :

Le pouvoir législatif européen est partagé entre les trois institutions. La Commission européenne dispose du monopole de l'initiative pour les affaires communautaires (premier pilier). Elle propose les textes et définit leur base juridique qui détermine la procédure à suivre. En revanche, pour la politique étrangère et de sécurité commune et pour la coopération policière et judiciaire en matière pénale (deuxième et troisième piliers), elle partage ce droit d'initiative législative avec les États membres de l'Union. Le Conseil de l'Union et le Parlement sont colégislateurs dans le cadre du premier pilier : le pouvoir législatif du Parlement s'exerce la plupart du temps selon la procédure de codécision, mais, pour certaines politiques, il garde un rôle consultatif. Les décisions des deuxième et troisième piliers, qui sont intergouvernementales, relèvent pour leur part du seul Conseil. Le Conseil est le principal centre de décision politique de l'Union européenne. C'est en son sein que se réunissent les ministres des États membres ; selon les domaines à l'ordre du jour, chaque pays peut y être représenté par le ministre responsable du domaine en question (Affaires étrangères, Finances, Affaires sociales, Transports, Agriculture, etc.). Tant que la Constitution n'est pas entrée en vigueur, la présidence du Conseil est exercée à tour de rôle pendant six mois par chaque État membre.

Pour ce qui concerne le pouvoir exécutif – et en gardant à l'esprit que cet adjectif est à manier avec précaution, dans l'atmosphère très eurosceptique qui prévaut depuis les élections européennes de juin 2004 –, il est l'apanage commun de la Commission européenne et du Conseil de l'Union. La Commission est notamment chargée de l'exécution du budget. Par ailleurs, le Conseil de l'Union délègue dans la plupart des cas ses compétences à la Commission pour l'exécution des règles communautaires. Une fois un budget voté, par exemple, c'est à celle-ci de le répartir.

Le pouvoir judiciaire, lui, est beaucoup mieux localisé. Il appartient à la seule Cour de justice des communautés européennes, même si la Commission européenne, en tant que gardienne des traités, veille également à l'application du droit communautaire par tous les États membres.

Quand les trois sommets du triangle travaillent en bonne intelligence, l'Europe avance. Quand ils se regardent en chiens de faïence, comme c'est le cas depuis 1999, et quand chacun s'active à rogner les pouvoirs de l'autre, l'Europe piétine.

La Commission a beaucoup évolué au fil des années. Elle est passée de neuf membres en 1967 à dix-sept dans l'Europe à douze, qui est demeurée telle jusqu'aux années 90. Ce fut sa grande époque. Sous la présidence de fortes personnalités comme Roy Jenkins (1977-1981)[1] et Jacques Delors (1985-1994), elle apparaît alors comme un facteur d'intégration efficace et authentiquement collégial. Nul ne doute à l'époque qu'elle incarne le « bien communautaire », comme le précise sa feuille de route. Elle fait progresser le Marché unique, entame la marche vers l'euro, jette les bases d'une réflexion sur l'Europe sociale. Ce sont les élargissement successifs qui vont la vulnérabiliser.

La Commission se retrouve tout à coup « forte » de vingt membres, sans que le nombre des tâches à leur confier ait réellement augmenté. En décidant de ses futures avancées politiques, l'Union n'a pas assez précisé le rôle que la Commission devait y tenir. Dans une Europe à vingt-cinq, vingt-sept, voire trente membres, elle risque de se muer en une sorte d'administration informe, paralysée par ses effectifs et donc réduite à une juxtaposition d'individus. Le collège pourrait virer au « tour de table ». En décembre 2000, nous l'avons vu, le traité de Nice a tenté de retarder cette évolution. À Nice, les grands pays ont renoncé à leur second commissaire et l'on a rajouté par ailleurs cinq commissaires supplémentaires. Ce qui fait vingt-cinq commissaires pour douze fonctions à exercer. La règle de vote reste celle de la majorité simple, ce qui inflige aux grands pays un désavantage considérable. Il est clair que, dans ces conditions, la notion de « bien commun » perd un peu de son sens. Aussi le traité de Nice a-t-il ajouté un codicille : à partir de vingt-sept membres, certains pays n'auront pas du tout de commissaire, à tour de rôle. Bref, l'élargissement progressif de l'Europe, s'il n'est pas convenablement aménagé, risque de se révéler une maladie mortelle pour la Commission.

1. Roy Jenkins est décédé le 5 janvier 2003.

Dans ce domaine comme en d'autres, la convention a essayé d'enrayer le déclin de l'institution. Elle a d'abord rappelé son caractère irremplaçable. Elle l'a ensuite renforcée en proposant que son président soit « élu » – ou plutôt confirmé solennellement – par le Parlement européen, un peu comme le chef de l'exécutif dans une démocratie nationale. Le Parlement pourra donc refuser d'avaliser le candidat suggéré par le Conseil si celui-ci ne correspond pas à la majorité issue des élections européennes. Inversement, le Conseil prendra soin de sélectionner, pour présider la Commission, quelqu'un d'acceptable par les eurodéputés. Subtile mais indéniable translation de responsabilité entre les deux « chambres » législatives européennes...

Les conventionnels issus des grands pays fondateurs ont beaucoup ferraillé pour que les douze fonctions essentielles de la Commission ne soient pas réparties en un nombre trop élevé de commissaires. Toutes les études mises à la disposition de la convention tendent à montrer que le nombre idéal de commissaires est compris entre neuf et quinze si l'on souhaite conserver la nature collégiale des délibérations. Les nouveaux pays membres entrés en mai 2004 ne veulent évidemment pas en entendre parler. Pour eux, la Commission peut bien accueillir trente membres pourvu que chaque pays ait le sien.

Ce qui, soit dit en passant, représente de formidables injustices. Ainsi, un Allemand aurait environ 80 fois moins de chances qu'un Letton de devenir un jour commissaire européen. Autre étrangeté : un État fédéral qui éclate gagnera des commissaires. Un jour, en théorie, l'ex-Yougoslavie fournira six commissaires, alors que l'Allemagne réunifiée n'en fournira qu'un. Tout cela prouve que le système « un commissaire par pays » n'est pas viable. Voilà pourquoi la convention a proposé un collège de quinze commissaires avec rotation des pays, étant entendu que les « petits » auront autant de chances que les « grands ». Pour résoudre la question de l'information des pays absents, on imagine des commissaires observateurs issus de ces pays, mais sans droit de vote. Enfin, pour que la pilule ne soit pas trop amère, on attendra 2009 pour mettre en place ce système. À un instant donné, plusieurs pays ne disposeront pas de commissaire, ce qui devrait normalement inciter l'institution à en revenir à sa mission originelle de fabrique du « bien commun » européen.

Une des caractéristiques les plus méconnues de la Commission est qu'elle ne fonctionne nullement comme un gouvernement. C'est un collège qui travaille, réfléchit et décide de manière collective. Lorsqu'elle décide, cela ne signifie naturellement pas que tous ses membres soient d'accord. Par exemple, lorsqu'elle adopta la réforme de la Politique agricole commune, le commissaire français, Michel Barnier, s'est abstenu. Il n'avait pas apprécié que Franz Fischler, le commissaire à l'Agriculture, lui cache jusqu'au dernier moment un pan important de cette réforme : le découplage entre les aides touchées par un exploitant et la production de son exploitation.

Quand elle fonctionne bien, la Commission européenne, avec ses innombrables experts, joue le rôle de « cerveau » pour la Communauté. Formidable instrument de transformation et d'harmonisation, elle est la machine à refaire l'Europe.

6

Commission : un fauteuil pour quatre

L'Europe manque certes d'un visage, mais, quand on lui en prête un, c'est celui du président de la Commission de Bruxelles. Il est souvent présent dans les grandes réunions internationales, même si les caméras de télévision ne s'attardent pas sur lui. Elles préfèrent détailler longuement les traits, les regards, les postures du président américain, du Premier ministre britannique, voire du président de la République française – des hommes qui, quand ils prennent une décision, peuvent l'appliquer sur-le-champ. Le regard du président de la Commission européenne n'est porteur d'aucun message fort. Bruxelles, combien de divisions ? demandent ironiquement les médias avant de passer à autre chose. Au visage du patron de Bruxelles n'est pas associée l'idée d'un grand pouvoir. Sans doute parce que, depuis plus d'une décennie, la Commission n'a pas eu à sa tête une personnalité assez forte pour faire oublier Jacques Delors, l'homme qui, en trois mandats (1985-1994), a changé l'Europe – grâce, il est vrai, à l'appui sans réserve de Helmut Kohl et de François Mitterrand. C'est lui, par exemple, qui réussit le coup de maître d'imposer l'idée d'un Marché unique à la fin des années 80.

Un bon président de la Commission européenne doit posséder plusieurs qualités. Il (ou elle !) doit pouvoir expliquer les objectifs de la Commission et donc, évidemment, parler un anglais irréprochable. Il doit être un manager, car sa tâche est de coordonner les travaux de plusieurs commissaires ; rien ne serait pire qu'un patron de la Commission qui laisserait ses commissaires suivre leur petit bonhomme de chemin sans s'assurer qu'ils œuvrent tous dans la même direction. Il doit ensuite pouvoir maîtriser les dossiers les plus importants de la Commission, dont certains – les restrictions aux exportations agricoles, pour n'en citer qu'un – sont d'une redoutable complexité technique. Seule la connaissance des plus infimes détails de ces dossiers peut permettre à la Commission de dégager des compromis entre les pays membres et d'en imposer au Conseil ; sinon, c'est elle qui se retrouve ballottée par les États et donne un sentiment de faiblesse. Savoir tisser une relation de confiance avec les États membres sans devenir leur otage est une des conditions fondamentales du succès du président.

Voilà pourquoi les deux successeurs de Jacques Delors sont apparus, par comparaison avec lui, fragiles, anodins et parfois carrément pathétiques. Le Luxembourgeois Jacques Santer (1995-1999) et sa Commission tout entière ont été contraints de démissionner collectivement à la suite de plusieurs scandales liés à la corruption. Quant à l'Italien Romano Prodi, nommé en 1999 et ayant quitté son poste à la fin de 2004, il n'a jamais su faire preuve à Bruxelles de la volonté qu'il avait manifestée comme président du Conseil italien en entraînant son pays à marches forcées pour qu'il soit prêt à temps pour l'euro. En peu d'années, les Européens se sont donc habitués à une Commission incertaine, houspillée par les chefs d'État et surveillée de près par le Parlement. Romano Prodi a multiplié les bourdes : non seulement il n'a pas su faire respecter le pacte de stabilité et de croissance – cette règle qui oblige les pays membres à contenir leur déficit budgétaire et que la Commission avait pour mission de faire appliquer –, mais il l'a qualifié lui-même de « stupide[1] » avant, contre toute logique, de lancer la Cour de justice européenne aux trousses des capitales qui le violaient. Même amateurisme en ce qui concerne le « processus de Lisbonne[2] » : cet accord solennel qui devait, en dix ans, faire de l'Europe l'« économie de la connaissance la plus compétitive du monde » est devenu, à Bruxelles, une source intarissable de sarcasmes amers. N'oublions pas enfin que la Commission Prodi n'a pratiquement joué aucun rôle dans l'élaboration du plus important document de l'histoire de l'Union européenne : sa Constitution. Bref, Romano Prodi ne laissera pas de traces profondes à Bruxelles, contrairement à plusieurs de ses commissaires. Car, paradoxalement, la Commission de ce poids moyen accueillait plusieurs poids lourds, parmi lesquels on doit citer l'Italien Mario Monti (Concurrence), le Français Pascal Lamy (Relations commerciales), l'Autrichien Franz Fischler (Agriculture), l'Allemand Günter Verheugen (Élargissement) et le Portugais Antonio Vitorino (Justice et Affaires intérieures). Le médiocre choriste était entouré de plusieurs ténors.

Ainsi cahote l'Europe. Les Européens ont un peu oublié, pendant la décennie 1994-2004, que la Commission est une énorme machine de pouvoir. Non seulement elle élabore la plupart des politiques communautaires, mais elle contrôle le budget permettant de les mettre en œuvre. Elle tient les cordons de la bourse, en somme. Elle peut aussi faire peur : si

1. *Le Monde*, 18 octobre 2002.
2. Le « processus de Lisbonne » se réfère aux décisions prises au sommet de mars 2000 à Lisbonne en vue de faire de l'Europe en 2010 « l'économie de la connaissance la plus compétitive et la plus dynamique du monde ». D'où un programme de baisse des coûts salariaux en faveur des entreprises et de flexibilisation du marché de l'emploi.

elle n'avait pas traîné un jour la France devant la Cour de justice des communautés européennes, Paris n'aurait peut-être jamais levé son embargo sur le bœuf britannique.

Il fallait donc s'attendre, pour le premier renouvellement de la Commission après l'élargissement, à une bataille féroce pour le choix du remplaçant de Romano Prodi. C'est bien ce qui s'est passé, et son issue illustre d'une manière très claire la nouvelle géographie de l'influence au sein de l'Union européenne. Longtemps avant le printemps 2004, les deux traditionnels poids lourds de l'Union, l'Allemagne et la France, avaient mis au point un plan pour contrôler la succession de Prodi : il s'agissait de pousser la candidature de Guy Verhofstadt, le Premier ministre belge, et de passer en force au Conseil, comme au bon vieux temps, pour bousculer Londres et Rome, et, surtout, imposer silence au Parlement européen – une institution pour laquelle Jacques Chirac éprouve une indifférence, voire un mépris sidéral.

Passer en force à Bruxelles en utilisant la tribune du Conseil européen est une vieille méthode franco-allemande. En effet, il n'est pas facile de s'opposer à ces deux pays quand ils chargent de conserve. Cette fois, pourtant, la mécanique si bien huilée va se gripper. Tout simplement parce que, dans une Europe à vingt-cinq, la charge frontale n'est plus une méthode de gestion efficace. Comme c'est de plus en plus souvent le cas dans les affaires européennes un peu sensibles, c'est de la presse britannique que va partir l'étincelle, et c'est la guerre d'Irak – elle fait rage à ce moment – qui va fournir le cadre. Les tabloïds d'outre-Manche font quotidiennement partager à leurs lecteurs la vie périlleuse des soldats de Sa Majesté engagés en Irak. Or le Premier ministre belge, avec le président français et le chancelier allemand, fait partie des dirigeants européens qui se sont opposés le plus vigoureusement à la guerre en Irak. Bref, il est un traître et sa présence à la tête de la Commission pourrait compliquer gravement la diplomatie et la politique intérieure britanniques. Tony Blair le sait. Lui non plus n'a pas pardonné l'initiative de Verhofstadt d'organiser, en avril 2003, un mini-sommet sur la défense européenne auquel seuls la France, l'Allemagne et le Luxembourg étaient conviés. Ce « sommet des chocolatiers », ainsi que l'avait raillé le département d'État américain, avait été perçu comme une inacceptable provocation au pire moment.

Vu de Londres, Verhofstadt n'est pas assez atlantiste, mais ses défauts ne s'arrêtent pas là. Blair ne veut pas d'un fédéraliste trop convaincu, d'un homme qui cherchera à accroître les pouvoirs de la Commission et à lui redonner son aura d'antan. Le Premier britannique a déjà beaucoup de mal à vendre l'Europe à ses électeurs. Il compte l'injecter à faibles doses dans l'univers mental de ses compatriotes. Sinon, il risque l'overdose et le rejet.

Décidément, les Premiers ministres belges n'ont pas de chance avec Londres quand ils se piquent de vouloir diriger la Commission[1] ! *Exit* donc Verhofstadt, candidat franco-allemand.

En 2004, c'est aussi la première fois que le président de la Commission est choisi selon les critères issus du traité de Nice, c'est-à-dire à la majorité qualifiée. La règle de l'unanimité a vécu. C'est un séisme, car les pays ne peuvent plus se reposer sur leur droit de veto. Il ne suffit plus d'imposer avec morgue ou de menacer. C'est devenu tout à fait inutile. Il faut au contraire savoir construire des coalitions, céder pour obtenir, marchander – bref, négocier. Les eurodéputés, à la

1. En 1994, à une époque où il fallait l'unanimité au Conseil pour nommer le président de la Commission, le prédécesseur de Tony Blair, John Major, avait déjà mis son veto à la nomination de Jean-Luc Dehaene, Premier ministre belge.

sensibilité souvent à fleur de peau, sont furieux de la tentative franco-allemande visant à leur imposer Verhofstadt. Paris et Berlin se comportent comme si le traité de Nice n'existait pas, comme si l'on en était toujours à la bonne vieille Europe à six.

Le traité de Nice a clairement stipulé que le choix du président de la Commission devait refléter la majorité au Parlement et que celui-ci devait être consulté régulièrement. Le Parti populaire européen (PPE), qui domine alors au Parlement, n'a pas de réserve fondamentale à l'encontre du Belge ; mais, menée dans ces conditions, la manœuvre de Chirac et Schröder met en rage l'Allemand Hans-Gert Pottering, le puissant et très ombrageux président du PPE. Rien que pour leur infliger une leçon, Pottering propose la candidature du Britannique Chris Patten, commissaire européen aux Relations extérieures. Il suscite aussitôt la colère de certains chefs d'État tout simplement parce qu'il exprime un choix, empiétant ainsi sur les attributions que le Conseil tient pour siennes. Il affirme son droit, en tant que leader du groupe politique dominant au Parlement, à voir un membre de cette famille présider la Commission. Cette candidature n'en est en réalité pas vraiment une. Elle vise à affirmer le nouveau pouvoir du Parlement et à neutraliser la candidature de Verhofstadt. L'Italie s'en mêle et Silvio Berlusconi, qui ne rate jamais une occasion d'égratigner le duo franco-allemand, rappelle à qui veut l'entendre que Verhofstadt a perdu les élections en Flandre, qu'il est un homme politique battu – bref, qu'il est indigne de postuler. Un partout. Balle au centre !

À Paris, on sait maintenant la partie perdue. La France doit se hâter de trouver une solution de remplacement si elle veut rester dans le jeu. Quelles cartes lui reste-t-il à jouer ? Quelques rêveurs se prennent à imaginer un candidat français. Pourquoi pas Alain Juppé, l'ancien Premier ministre, obligé de quitter la vie politique nationale pour son implication dans l'affaire des emplois fictifs à la mairie de Paris ? Impossible : ses démêlés judiciaires en font un candidat absolument inacceptable aux yeux de la plupart des pays européens, surtout ceux du Nord dans lesquels Jacques Chirac, soit dit en passant, a une réputation judiciaire qui ressemble à celle dont Charles Pasqua jouit à Paris. Et pourquoi pas Nicolas Sarkozy ? En attendant l'élection présidentielle française de 2007, la présidence de la Commission aurait constitué pour lui un tremplin de choix[1], mais le trublion de la droite française préfère prendre la tête de l'UMP. Finalement, « Sarko » n'est pas aussi audacieux que cela. Et Michel Barnier, l'ex-commissaire chargé de la Politique régionale, devenu depuis lors ministre français des Affaires étrangères ? Il est très en cour à l'Élysée, mais c'est une candidature difficile à vendre au Conseil : Barnier a certes été un bon commissaire, mais pas un ténor, et l'extrême pauvreté de son anglais à l'oral – source de plaisanteries sans nombre à Bruxelles – est rédhibitoire auprès des auditoires anglo-saxons. Sans oublier qu'il n'est que ministre des Affaires étrangères, alors qu'il convient désormais d'être ou d'avoir été Premier ministre[2] pour briguer le poste communautaire suprême. Quant à Giscard, on aurait pu l'imaginer, malgré son âge vénérable, à la tête de la Commission, mais il appartient à une génération de Français qui tenait celle-ci pour quantité négligeable. Il n'a jamais exprimé le moindre intérêt personnel pour le poste.

Parmi les candidats non français mais francophiles et francophones, Jean-Claude Juncker, Premier ministre du

1. Charles Grant, *The Financial Times*, 23 février 2004.
2. Une coutume souvent décriée au motif que les Premiers ministres tendent à survoler les détails afin de se consacrer à la grande stratégie. Le meilleur président de la Commission, Jacques Delors, n'avait jamais été que ministre des Finances.

Luxembourg, a un profil idéal, mais il se défile en expliquant que, les élections législatives coïncidant avec les européennes, il a promis de rester Premier ministre s'il est élu. La vraie raison est que, au début de cette année 2004, il croit que le traité de Nice va déboucher sur une impasse institutionnelle qui paralysera pendant quelques années la Commission européenne. Ce brillant sujet, qui fut ministre des Finances avant l'âge de trente ans, préfère rester en réserve de l'Europe en attendant des jours meilleurs. Il vise le poste, qui n'existe pas encore, de président du Conseil européen. Il va devoir se contenter, pour commencer, de celui de président de l'Eurogroupe, le club des ministres des Finances de la zone euro.

La présidence de la Commission va-t-elle rester vacante ? Non, bien sûr, mais le choix va se déplacer sur un terrain moins balisé. Toutes les « grandes » candidatures se sont neutralisées les unes les autres. L'heure des outsiders a sonné.

7

L'inconnu du Portugal

Il serait exagéré de dire que José Manuel Duraõ Barroso est venu de nulle part. Mais force est de constater que le Premier ministre portugais, qui a succédé à Romano Prodi à la présidence de la Commission européenne à la fin de 2004, n'est qu'un quatrième choix sorti du chapeau de la présidence irlandaise de l'Union. Il était quasi inconnu, et cet anonymat a précisément décidé de son destin. Après les forfaits successifs de Verhofstadt, Patten et Juncker, il fallait trouver un candidat acceptable par les conservateurs, qui constituent le premier groupe au Parlement de Strasbourg depuis les élections européennes du 13 juin. Peu de gens ont entendu parler de Barroso hors des frontières du Portugal, et nul ne connaît son pedigree : ancien leader maoïste du MRPP[1] de la faculté de droit de Lisbonne ; jeune ministre à vingt-neuf ans ; artisan d'un accord de paix entre le gouvernement et les rebelles en Angola en 1990. Bref, il a du métier. Ce n'est pas un flambeur ; il est capable de vivre chichement, puisqu'il a habité un très modeste appartement

1. Mouvement de réorganisation du Parti du prolétariat, qu'il rejoint après la « révolution des Œillets » de 1974.

à Lisbonne pratiquement jusqu'à sa nomination comme Premier ministre en 2002. Un profil sympathique pour une « troisième roue de secours », ricane l'eurodéputé vert Daniel Cohn-Bendit.

Et puis, Barroso est un Européen incontestable. Comment ne le serait-il pas ? Dans un pays qui a vu en vingt ans son niveau de vie « exploser » grâce aux transferts financiers en provenance de Bruxelles, faire la fine bouche n'est vraiment pas de mise. Le Portugal joue à fond le jeu européen. Il est membre de la zone euro et de l'espace Schengen. Trop petit pour se permettre des effets de manche diplomatiques, il navigue avec prudence entre ses différentes allégeances. Il appelle de ses vœux une vraie Europe de la défense – celle dont rêvent l'Allemagne et la France –, mais, en attendant, il se rassure avec du solide : l'OTAN. Barroso est un des huit dirigeants européens à avoir signé la fameuse lettre soutenant l'intervention américaine en Irak au début de 2003. Il figure aussi sur la « photo des Açores » aux côtés de George Bush, Tony Blair et José Maria Aznar, cliché pris lors du sommet à quatre organisé par ses soins dans l'archipel. Cette initiative aurait pu le rendre inacceptable par la France de Jacques Chirac, mais, heureusement, Barroso est un parfait francophone et il lui sera donc beaucoup pardonné. En français, il est très éloquent et a beaucoup impressionné le Premier ministre français Jean-Pierre Raffarin, qui l'avait invité le 21 avril 2004 à une réunion du club Dialogue & Initiative.

Bien sûr, comme Barroso vient d'un petit pays, la France a tendance à le traiter de manière un peu paternaliste. On lui fait comprendre qu'en échange du soutien français à sa candidature, il conviendrait d'octroyer un poste éminent au futur commissaire français, l'ancien ministre Jacques Barrot. À Berlin, le gouvernement allemand fait de même et signale à Barroso qu'il serait de bon ton de confier au seul Allemand de la Commission un poste de « super-commissaire » à l'Industrie. Quant aux Britanniques, d'une façon plus subtile mais tout aussi déterminée, ils laissent entendre que le portefeuille du Marché unique leur revient de droit. Le nouveau président hoche la tête et ne dit non à personne. Il voit bien que les « grands » pays sont sur les nerfs. La Commission Barroso va être la première dans laquelle les six plus grands pays de l'Union – ils abritent 74 % de sa population et produisent 77 % de sa richesse économique – ne fourniront que le quart des commissaires. On se souvient que lesdits « grands » ont renoncé, au sommet de Nice, à leur second commissaire. Ce pour quoi ils veulent pour eux des commissariats éminents et puissants. Ils se préparent de lourdes déconvenues.

Vu les énormes chantiers qui l'attendent – la ratification de la Constitution, l'avenir de la Turquie dans l'Europe, le futur budget[1] de l'Union, pour ne retenir que les principaux –, il serait politiquement suicidaire, pour Barroso, de donner l'impression qu'il est inféodé à quelques grandes capitales. Le Portugais veut se tailler d'emblée une réputation d'homme libre, dans l'espoir de laisser un jour une légende de grand président. Sitôt confirmé par le Parlement européen[2], Barroso montre qu'il a bien lu le traité de Nice, lequel s'applique comme prévu en attendant l'entrée en vigueur de l'éventuelle Constitution. À son article I-27-3-b, celle-ci stipule que le président « décide de l'organisation interne » de sa Commission, a le droit de répartir les responsabilités confiées aux différents commissaires et, surtout, qu'il peut, le cas échéant, exiger leur départ ; le même article

1. Pour la période 2007-2013.
2. Le 22 juillet 2004.

explique : « Un membre de la Commission présente sa démission si le président le lui demande. » Or, d'après le traité de Nice qui s'applique au moins jusqu'en 2006, il peut le faire, mais « après approbation du collège ».

Barroso se perçoit en vrai chef de l'« exécutif ». Il montre d'emblée son autorité en douchant les espoirs français d'obtenir le poste de la Concurrence. Le Français Jacques Barrot, qui ne parle pas anglais et serait donc incapable de négocier avec des groupes anglo-saxons, est recalé d'office. Il ne sera « que » commissaire aux Transports, portefeuille qui n'est certes plus couplé à l'Énergie, mais qu'il faudrait être fou pour juger insignifiant. À Paris, on feint de se sentir humilié. La sinistrose française s'empare de l'affaire et François Loncle, vice-président (PS) de la commission des Affaires étrangères de l'Assemblée nationale, s'arrache des accents de tragédien grec : « C'est le signe du déclin vertigineux, de l'effacement de la France dans les instances européennes ! », tandis que Philippe de Villiers, président du Mouvement pour la France, saisit l'occasion de placer un bon mot : « À défaut d'un copilote, la France a un chef steward[1] ! »

Il n'y a que Jacques Barrot lui-même pour affirmer – à juste titre – que les Transports sont « un des axes majeurs de la construction européenne », ce que les Français n'ont apparemment pas bien compris. Et puis, toutes ces critiques un peu vaines révèlent avant tout une profonde méconnaissance du fonctionnement de la Commission. Celle-ci est un collège qui prend des décisions collectives, et le commissaire Barrot n'est pas l'émissaire de la France.

Rappelons à cet égard le très vif échange de missives entre le commissaire européen au Commerce, le Français

1. *Le Figaro*, 26 août 2004.

Pascal Lamy, et le ministre français de l'Agriculture, Hervé Gaymard, le second ayant accusé le premier de soutenir la réforme de la politique agricole commune (PAC) rejetée par la France. Gaymard reproche à Lamy d'« oublier qu'il est français », et Lamy répond vertement par lettre en joignant copie de la déclaration de serment par laquelle tous les membres de l'exécutif européen prennent, à leur entrée en fonction, l'engagement d'occuper leur poste en toute indépendance, sans faire prévaloir l'intérêt de leur pays. Pour Lamy, les propos de Gaymard « insultent » *de facto* l'ensemble des commissaires.

D'une certaine manière, en effet, tous les commissaires prennent ensemble toutes les décisions. Chacun emploie d'ailleurs à son cabinet un haut fonctionnaire chargé de suivre les dossiers des autres. Il n'en demeure pas moins que l'Allemagne et la France vont devoir se serrer la ceinture. Barroso, logique avec lui-même, est un ardent défenseur de l'égalité entre petits et grands pays de l'Union. Il a même demandé qu'elle soit érigée en principe dans la future Constitution européenne :

« Il faut éviter que se mette en place un “directoire” des grands pays qui seraient, en quelque sorte, “plus égaux que les autres”. Le principe d'égalité entre les États est l'un des fondements des institutions européennes. Bien sûr, nous savons que l'Allemagne pèse plus lourd que le Luxembourg, et cette différence est inscrite dans l'ordre naturel des choses. Mais il ne faut pas que des traités renforcent cet état de fait. Une telle décision pourrait créer un clivage – dont on a eu un aperçu à Nice – préjudiciable aux intérêts de l'Europe. La France est un grand pays par son histoire, sa dimension, sa contribution au projet européen, sa position géographique. Quel besoin aurait-elle d'affirmer sa supériorité par rapport aux puissances petites et moyennes ? Pourquoi entrerait-elle en conflit avec un pays comme le Portugal, francophone et francophile ? Il ne faut pas remettre en cause cet équilibre. On pourra ensuite, dans la pratique, trouver des aménagements pragmatiques pour répondre aux préoccupations qu'expriment parfois les plus grands pays. Mais, encore une fois, ne touchons pas au principe d'égalité entre les États[1]. »

Le dosage de la première Commission post-élargissement est un exercice à hauts risques. Pour conserver un équilibre entre les vingt-cinq pays, occuper tout le monde et surtout ne pas heurter les susceptibilités nationales des commissaires issus des dix nouveaux États membres, il faut découper les attributions des précédents commissaires. Comme cela ne suffit pas, Barroso désigne cinq vice-présidents au lieu de deux dans la précédente équipe. Parmi ces commissaires *primus inter pares*, la Suédoise Margot Wallstroem est distinguée : ce sera elle qui remplacera le président Barroso lorsqu'il sera absent de Bruxelles ; lui sont par ailleurs confiées les relations avec le Conseil des ministres et le Parlement européen, d'une part, et avec la presse d'autre part. Ni l'Allemagne ni la France ne reçoivent de « grand » dossier européen. Chacun de ces deux pays obtient néanmoins une vice-présidence pour son commissaire, assortie, pour l'Allemand Günter Verheugen, du portefeuille de l'Entreprise et de l'Industrie. Représentante des « petits » pays et des nouveaux entrants, l'Estonie, dont le commissaire, Siim Kallas, est chargé des Affaires administratives et de la Lutte contre la fraude, reçoit aussi une vice-présidence. Enfin l'Italie, en la personne du vice-président Rocco Buttiglione, est chargée de la Justice et de la Sécurité dont relève la question, brûlante en Europe, de l'immigration et de l'asile.

1. *Politique internationale,* n° 98, hiver 2002-2003.

Ces vice-présidences sont des lots de consolation, car les dossiers les plus importants sont ailleurs. La Concurrence, le Marché intérieur, le Commerce, les Affaires économiques et monétaires reviennent à des commissaires « ordinaires ». L'Espagnol Joaquín Almunia est confirmé aux Affaires économiques et monétaires, attribution qui inclut la surveillance du pacte de stabilité et de croissance, cette règle qui fixe des limites au déficit public et à la dette de tout pays membre[1]. Le Britannique Peter Mandelson – un homme qui a démissionné deux fois du gouvernement de Tony Blair – remplace Pascal Lamy au Commerce et représentera l'Union européenne dans les grandes négociations internationales et auprès de l'Organisation mondiale du commerce (OMC). Le portefeuille du Marché intérieur et des Services, particulièrement prisé car il supervise la circulation des biens, des capitaux, des services et des personnes, échoit à l'ancien ministre des Finances irlandais, Charlie McCreevy. Redouté entre tous, le poste de commissaire à la Concurrence, qui autorise ou interdit les fusions d'entreprises, revient à la Néerlandaise Neelie Kroes, qui succède à Mario Monti. À la tête du plus gros budget de l'Union européenne avec la Politique régionale, la Polonaise Danuta Huebner veillera à l'octroi des aides au développement des nouveaux pays de l'élargissement. Le secteur de l'Agriculture, c'est-à-dire le difficile dossier de la politique agricole commune, attribué à la Danoise Mariann Fischer Boel, est dissocié du secteur Pêche et Affaires maritimes, confié au Maltais Joe Borg. Ces deux secteurs économiques sont simultanément contraints de se restructurer, et deux commissaires au lieu d'un ne seront pas de trop. L'ancienne ministre des Affaires étrangères

1. En proportion du produit intérieur brut (PIB), le déficit public doit rester inférieur à 3 % et la dette publique à 60 %.

d'Autriche, Benita Ferrero-Waldner, est en charge des Relations extérieures de l'Union en attendant l'entrée en fonction, après la ratification de la future Constitution européenne, de l'Espagnol Javier Solana, actuel « Monsieur Politique étrangère », comme premier vrai ministre des Affaires étrangères de la Communauté.

La Commission Barroso se caractérise par la faible expérience européenne de la plupart de ses membres. Seuls trois membres de la Commission précédente sont encore en place[1]. Les ténors de l'équipe Prodi – un président médiocre entouré de commissaires remarquables – sont presque tous partis. Mario Monti (Concurrence) n' a pas été reconduit par Silvio Berlusconi, qui a préféré offrir le poste à un parti de sa coalition. Le socialiste Pascal Lamy (Commerce) a fait les frais de ses très mauvaises relations avec Jacques Chirac. Franz Fischler (Agriculture) songe à la présidentielle autrichienne. Le Néerlandais Frits Bolkestein (Marché unique) et le Britannique Chris Patten (Relations extérieures) se voient offrir dans leurs pays respectifs des postes prestigieux. Quant à Antonio Vitorino (Justice et Affaires intérieures), compatriote de Barroso, il doit regagner Lisbonne, puisqu'il ne peut y avoir qu'un seul Portugais à la Commission. Lui aussi avait rêvé de la présider, mais un socialiste, si éminentes soient ses qualités, n'était pas acceptable pour la majorité parlementaire issue des élections européennes du 13 juin.

Rapidement, un constat s'impose : Barroso, l'ex-maoïste, n'est pas seulement devenu un atlantiste convaincu ; c'est aussi un libéral décomplexé qui croit fermement que la réforme est indispensable. Il a nommé un trio de choc plutôt libéral aux postes essentiels : à la Concurrence, la

1. L'Allemand Günter Verheugen, le Belge Louis Michel et la Luxembourgeoise Viviane Reding.

Néerlandaise Neelie Kroes ; au Commerce, le Britannique Peter Mandelson ; au Marché intérieur, l'Irlandais Charlie McCreevy. Trois fortes personnalités de culture anglo-saxonne qui ont bien l'intention de ne pas ménager leurs coups au service de la réforme. La « soft-idéologie », celle qui fait l'apologie de l'Europe-marché au détriment de l'Europe-puissance, est à la manœuvre avec la complicité bienveillante du *Financial Times*, le quotidien de la City qui fait la pluie et le beau temps à Bruxelles.

À Paris, le socialiste Arnaud Montebourg s'alarme : « Cette Commission européenne fait dorénavant partie de nos adversaires[1]. »

En attendant, la Commission va affronter d'autres adversaires, les eurodéputés.

1. www.rfi.fr, 18 août 2004.

8

Le Parlement montre ses muscles

« Dany le Rouge » n'y a pas cru tout de suite. Même dans ses rêves les plus fous, Daniel Cohn-Bendit, président du groupe Vert au Parlement européen, n'avait pas imaginé un scénario aussi formidable : un vrai duel à mort entre le Parlement et la Commission européenne. On est habitué à la scène aux États-Unis : un ministre cuisiné par des sénateurs implacables assis en arc de cercle, le tout transmis en direct à la télévision sous les yeux de dizaines de millions de citoyens. Le pouvoir nu face aux représentants du peuple. Le symbole d'une démocratie vigoureuse qui « lave plus blanc ». Aux États-Unis, le Congrès partage directement le pouvoir avec l'Administration et peut tout simplement empêcher celle-ci d'appliquer son programme.

Dans l'Union européenne, on est encore loin du modèle américain, mais, en cette fin d'octobre 2004, le décor du duel est en place. D'un côté, l'ancien leader de Mai 68 ; de l'autre, Rocco Buttiglione, le catholique ultra-conservateur proche du Vatican, adoubé par Silvio Berlusconi et qui se répand en propos homophobes et sexistes. Le Parlement n'a pas le pouvoir de récuser individuellement les commissaires. Il ne peut que rejeter la Commission tout entière.

Cette fois, ce ne sera même pas nécessaire. Barroso recule. *Exit* Buttiglione.

Dany et ses alliés ont gagné. Le Parlement a grondé et José Manuel Barroso, le président de la Commission européenne, a retiré[1] toute sa Commission avant même son investiture plutôt que de la voir « empêchée » par un vote en bonne et due forme. Pour la démocratie européenne, le moment est historique : les élus du peuple ont fait trébucher les technocrates. L'image est certes un peu facile quand on sait que les eurodéputés ont des pouvoirs limités, mais tout de même ! Dans le grand triangle mouvant que dessinent la Commission, le Conseil et le Parlement, ce dernier vient de marquer un point.

Depuis 1999, la Commission ne peut entrer en fonction sans l'approbation du Parlement. Ensuite, elle est politiquement responsable devant lui, qui peut voter une « motion de censure » réclamant sa démission collective. Le Parlement exerce enfin son contrôle en examinant les rapports que lui adresse la Commission (rapport général, rapports sur l'exécution du budget, sur l'application du droit communautaire, etc.). En outre, les parlementaires posent fréquemment des questions écrites et orales à la Commission. Les membres de celle-ci assistent aux sessions plénières du Parlement et aux réunions des commissions parlementaires.

Barroso est sonné. Il a été sélectionné par les chefs d'État et de gouvernement de l'Union et confirmé dans son poste le 22 juillet. Il est légitime mais maladroit, et l'équipe qu'il a choisie présente de graves déficiences. Le problème est que, pour les corriger, il va lui falloir demander la permission aux États membres, donc au Conseil. Et abandonner ainsi un peu de sa future influence, lui qui voulait être un président

1. Le mercredi 27 octobre 2004.

« libre » de ne pas ployer l'échine devant les grands pays fondateurs comme l'Allemagne et la France. Berlin et Paris, qui ont nommé sans enthousiasme cet atlantiste libéral sympathisant de George W. Bush et favorable à l'invasion militaire de l'Irak, ne vont pas laisser passer pareille occasion de lui tenir la dragée haute. L'eurocrate en chef n'aura pas le choix. Les « petits pays périphériques » – dont le Portugal est le modèle – n'auront connu qu'une courte phase de gloire face aux « grands pays centraux ». Pour un coup d'essai, ce n'est pas un coup de maître.

Les eurodéputés n'ont aucunement l'intention d'aider le Portugais. Dès le mois de juillet, ils s'acharnent sans pitié sur les commissaires désignés au cours d'auditions de confirmation qui tournent parfois à l'embuscade. Ces auditions ne sont pas prévues par les traités. Elles ont été imposées par les eurodéputés en 1994. Cette année-là, ils avaient menacé de ne pas voter l'investiture de la Commission si ses membres ne se prêtaient pas au jeu. Depuis lors, les commissaires désignés viennent tous et, pour faire semblant, se répandent en propos neutres et flous sur la construction européenne.

Le Parlement, lui, est gonflé à bloc. Cohn-Bendit, dont le parti Vert ne pèse pourtant pas grand-chose, fait feu de tout bois. Il demande à José Manuel Barroso de ne plus proposer de commissaire au « passé chargé » et l'assure ironiquement du soutien du Parlement pour « refuser les personnes incompétentes ». Les parlementaires ont trop avalé de couleuvres depuis des années ; ils sentent l'odeur du sang et veulent que des têtes tombent. Au moins trois. Pourquoi trois ? Pour que chaque grand groupe politique morde la poussière et que tout le monde soit quitte.

Dans le camp conservateur, Rocco Buttiglione, ex-ministre italien des Affaires européennes, est tout désigné pour servir de victime expiatoire. Candidat pressenti au poste de commissaire à la Justice, à la Liberté et à la Sécurité, le démocrate-chrétien italien de cinquante-six ans a scandalisé de nombreux députés en qualifiant l'homosexualité de « péché », même s'il a ensuite esquissé une distinction hasardeuse entre péché et crime. Il estime aussi que la famille existe avant tout pour que la femme puisse être protégée par son mari. En somme, il livre ses pensées intimes, ce que ne font jamais les commissaires pressentis, lesquels se contentent d'ânonner des banalités. Comme, au surplus, il a été nommé par Silvio Berlusconi, honni au Parlement depuis qu'il a comparé un eurodéputé à un kapo[1] de camp de concentration, sa candidature au commissariat à la Justice, à la Liberté et à la Sécurité part en flammes. La commission des Libertés civiles du Parlement, qui juge ses positions contraires à la Charte des droits fondamentaux garantissant l'égalité et la non-discrimination, rejette sa candidature par 27 voix contre 26. La Commission juridique, elle, avalise sa nomination en saluant « ses qualités personnelles et professionnelles ». Mais Rocco Buttiglione, philosophe réactionnaire, proche de Jean-Paul II, théoricien des « fondements divins du libre marché » et de la globalisation, est politiquement irrécupérable.

Se pose alors une question inédite : que faire d'un commissaire nommé par un pays, mais refusé par le Parlement ? Dans les capitales, la nomination du commissaire européen est un acte de politique intérieure dont dépend parfois la stabilité du gouvernement. C'est le cas de Buttiglione. S'il a été nommé, c'est que Berlusconi a besoin de sa formation politique pour que sa coalition survive. Buttiglione est immédiatement reconfirmé par Rome par la voix du ministre italien des Affaires étrangères, Franco Frattini, ce qui place le président Barroso dans une situation délicate.

1. Le 2 juillet 2003.

C'est Jacques Chirac qui va trancher. Le président français ose publiquement le traiter d'« irresponsable », ce qui persuade Silvio Berlusconi de tirer l'échelle. L'Europe ne perd pas au change : c'est Franco Frattini qui sera le commissaire italien.

Le Parlement ne se contente pas d'exécuter Rocco Buttiglione. Il tique aussi sur Neelie Kroes, la Néerlandaise qui a hérité du poste ô combien stratégique de commissaire à la Concurrence, lequel a droit de vie ou de mort sur tout projet de fusion ou d'acquisition en Europe. Les eurodéputés ont identifié de nombreux risques de conflits d'intérêts en raison de ses activités professionnelles antérieures. Kroes a appartenu depuis 2000 au conseil de surveillance d'une dizaine de grandes entreprises comme Thalès, Volvo ou Lucent. Si elle était retenue comme commissaire, elle serait donc amenée à déléguer tous les dossiers ayant trait à ces entreprises. Elle a notamment travaillé pour mmO2, un groupe britannique de téléphonie mobile dont le dossier est précisément en train d'être examiné par la direction générale de la Concurrence. Elle a travaillé comme lobbyiste auprès de l'Union européenne pour le groupe de défense américain Lockheed. Il est inconcevable que le commissaire à la Concurrence puisse prêter le flanc ne serait-ce qu'à un soupçon de complaisance à l'égard d'une entreprise au détriment du bien communautaire. Évidemment, être écarté de tant de dossiers, cela ne fait pas très sérieux ; cela risque de décrédibiliser la politique anti-trust, l'un des plus puissants instruments communautaires de l'Europe. Pour Kroes, soixante-trois ans, les secteurs qui risquent de poser des problèmes de conflits d'intérêts sont nombreux : transport, communication, automobile, électronique. À José Manuel Barroso, sa connaissance du monde des affaires semblait un atout décisif, mais cette expertise tous azimuts est en train de se transformer en handicap. Elle a beau renoncer à vie à faire partie d'un conseil de surveillance ou d'un conseil d'administration, voire à occuper un quelconque poste de management au sein d'une entreprise, elle a beau vendre tout son portefeuille d'actions et confier le reste à un gestionnaire de fonds indépendant, les eurodéputés froncent les sourcils. Il y a eu trop de scandales dans l'histoire de la Commission. La commission des Affaires économiques et monétaires, présidée par la socialiste française Pervenche Bérès, ne la soutient que du bout des lèvres. Mais les Pays-Bas ne veulent rien entendre, et Barroso cède. Après tout, il y a eu un précédent : au cours des années 90, l'excellent commissaire à la Concurrence Karel Van Miert avait dû rester à l'écart d'un dossier concernant la Sabena, où son fils travaillait comme pilote. Kroes est sauvée.

La dernière victime du Parlement est l'ex-communiste hongrois Laszlo Kovacs, nommé à l'Énergie. Décidément très en verve, Cohn-Bendit estime que Kovacs « a autant de compréhension pour ce secteur qu'un lièvre pour la chasse ». L'audition de ce social-démocrate de soixante-cinq ans est d'une brutalité inouïe, et ses conclusions cruelles. La plupart des membres de la commission de l'Énergie du Parlement « ne sont convaincus ni de sa compétence professionnelle dans le domaine de l'énergie, ni de son aptitude à assumer la haute charge pour laquelle il a été proposé ». Les Verts, en particulier, expriment des doutes sur sa capacité à résister aux lobbies de l'énergie. Ils dénoncent « son manque total de vision politique » dans ce domaine. Imagine-t-on en France un ministre se faire étriller ainsi par l'Assemblée nationale ?

Au Parlement européen, la machine à secouer ne s'est pas arrêtée en si bon chemin. Ingrida Udre, commissaire désignée à la Fiscalité et à l'Union douanière, a carrément été accusée de malhonnêteté. Cette Lettone de quarante-cinq ans que l'on range dans le camp libéral est soupçonnée d'avoir organisé le financement illicite de son parti, l'Union des verts et des paysans. Les parlementaires ont exigé qu'elle démissionne « s'il devait être établi ultérieurement qu'elle s'est rendue coupable des actes illicites qui lui sont reprochés ». Plutôt que d'essuyer un scandale si tôt dans son aventure européenne, la Lettonie va la retirer.

Pour Mariann Fischer Boel, la Danoise pressentie pour le poste de commissaire à l'Agriculture, les choses commencent aussi très mal. La commission de l'Agriculture chargée de l'auditionner trouve que cette ancienne ministre de l'Agriculture « manque de fermeté dans ses réponses » ; elle met en doute sa capacité à « défendre avec vigueur et efficacité » la politique agricole commune. Sans oublier qu'elle possède au Danemark une exploitation agricole qui touche des subsides européens. Mais elle passe tout de même.

Les Verts s'en prennent avec une hargne toute particulière à Stavros Dimas, et cela n'a rien d'étonnant puisque le Grec est le commissaire désigné à l'Environnement. Ce conservateur de soixante-trois ans souffre selon eux – on s'en serait douté – d'« un manque d'engagement et de vision », et ils lui reprochent l'insuffisance de ses connaissances. Dimas survit.

Ces réjouissantes joutes verbales offrent une image dynamique de la démocratie pratiquée au Parlement européen. Ce n'était pas inutile, quelques mois après la pitoyable participation aux élections chargées de désigner ce Parlement. Cependant la seule institution européenne élue au suffrage universel, si elle s'est considérablement musclée au cours de ces dernières années, n'est qu'au tout début de la longue marche qui en fera une véritable assemblée sanctionnant les politiques européennes. Face à la Commission, le Parlement a conquis des positions de force. Face au Conseil, il lui faudra encore batailler ferme.

9

L'honneur lavé des eurodéputés

Après le retrait par José Manuel Barroso de l'ensemble de sa Commission, le 27 octobre 2004, on serait tenté de dire que le Parlement a renversé l'« exécutif » si un tel mot n'était pas trompeur dans le contexte européen. Il n'empêche que le symbole est bien réel. Et il redresse l'un des déséquilibres majeurs de la construction européenne : le dédain dans lequel la Commission a longtemps tenu le Parlement européen, aggravant année après année la crise de légitimité démocratique au sein de l'Union. Les déferlements de hargne de la presse populiste contre ces élus « grassement défrayés et absentéistes » n'ont rien fait pour améliorer cette image.

Depuis le milieu des années 90 et la fin de l'ère Delors, le collège des commissaires a lentement perdu du terrain politique face aux pays membres, mais ce recul n'a pas profité au Parlement. Après des années d'humiliation pendant lesquelles les eurodéputés mimaient le plus souvent les activités parlementaires sans disposer de beaucoup plus qu'un vague pouvoir consultatif, l'heure de la vengeance a enfin sonné. 2004, c'est mieux que 1999 : à l'époque, il avait fallu une rafale de scandales au sein du collège pour que la Commission de Jacques

Santer décide de se saborder collectivement. C'est aussi mieux que 2003, quand les eurodéputés mirent sérieusement en difficulté le président de la Commission, Romano Prodi, dont les services étaient mis en cause dans une affaire de fausses factures à l'agence communautaire de statistiques, Eurostat. Le duel avec Barroso n'était pas joué d'avance : le Portugais est un ancien Premier ministre, un homme du Conseil. Il l'a montré en demandant aux gouvernements de faire pression sur leurs eurodéputés, dans l'espoir que ceux-ci, prenant peur au dernier moment, finiraient par voter en faveur de la Commission. Il s'est totalement trompé et ces erreurs ont fait émerger, par contraste, ce qui ressemble bel et bien à un régime parlementaire européen. Le Parlement peut même examiner les pétitions de citoyens et créer à titre temporaire des commissions d'enquête s'il le juge nécessaire.

Depuis qu'il exerce un droit de regard sur la nomination du président de la Commission, le Parlement n'est plus le même, mais il aura attendu très longtemps son heure. Seule institution du « triangle[1] » à être élue au suffrage universel direct, il a vu ses pouvoirs progresser continûment au fil des ans.

Entre la création de la Communauté européenne du charbon et de l'acier (CECA) en 1951 et la première élection des parlementaires européens au suffrage universel direct en 1979, les « eurodéputés » n'existent encore qu'en filigrane, puisqu'il s'agit alors de simples députés nationaux animés d'une vocation vaguement plus européenne que les autres. L'Assemblée commune de la CECA, qui les rassemble, deviendra l'Assemblée parlementaire des commu-

1. Rappelons que ce qu'il est convenu d'appeler « triangle » institutionnel est composé de la Commission, du Conseil et du Parlement. On traite en général à part les deux autres institutions, la Banque centrale européenne (BCE) et la Cour de justice des communautés européennes.

nautés européennes dans le traité de Rome (1957). C'est par une résolution de 1962 que cette Assemblée décide de se baptiser « Parlement ». Mais ce terme prestigieux mettra encore longtemps à recouvrir une réalité, même si le principe de l'élection au suffrage universel est prévu noir sur blanc à l'article 138 du traité de Rome. Il faut en effet attendre 1974 pour entendre le président français, Valéry Giscard d'Estaing, demander au Conseil d'organiser le premier scrutin européen au suffrage universel direct. Celui-ci se déroule en juin 1979 : trente-quatre ans après la Seconde Guerre mondiale, les peuples de nations européennes autrefois ennemies se rendent aux urnes pour élire une même assemblée. C'est le plus éclatant symbole de réconciliation que les Européens pouvaient se donner.

Légitimé par le suffrage universel, le Parlement européen, élu tous les cinq ans, a obtenu au fil des traités, en partant de presque rien, des pouvoirs sans cesse accrus. Les traités successifs, notamment ceux de Maastricht (1992) et d'Amsterdam (1997), en ont fait une véritable assemblée législative exerçant des pouvoirs comparables à ceux des parlements nationaux : il adopte désormais la plupart des « lois » européennes, conjointement avec le Conseil des ministres.

Le Parlement exerce aussi une surveillance démocratique sur toutes les institutions européennes, notamment sur la Commission. Il peut approuver ou refuser la désignation des membres de la Commission, et est habilité à la censurer dans son ensemble. En outre, le Parlement contribue à l'élaboration des nouveaux actes législatifs, puisqu'il examine le programme de travail annuel de la Commission, indique quels actes lui sembleraient opportuns et demande à la Commission d'émettre des propositions.

De manière difficilement lisible pour le citoyen, chaque étape de la construction européenne est venue renforcer l'assise du Parlement face au Conseil. Dès les années 70, les eurodéputés grignotent les prérogatives du Conseil des ministres en partageant le pouvoir budgétaire. Dans les années 90, ils obtiennent des responsabilités législatives. En 1987, l'Acte unique introduit la « procédure de coopération » entre le Parlement et le Conseil pour l'élaboration des normes communautaires. Celui-ci garde la haute main, mais, pour la première fois, celui-là participe à la conception de la politique européenne. Le traité sur l'Union européenne, plus connu sous le nom de traité de Maastricht, une fois ratifié en 1993, décuple le rôle du Parlement en instaurant la « codécision » qui en fait dès lors un véritable législateur aux côtés du Conseil. Au départ, cette codécision va s'appliquer surtout en matière de marché intérieur et de protection du consommateur, mais son champ ira en s'accroissant. Le traité d'Amsterdam (1997) étendra à 23 domaines le champ de la codécision, chiffre qui sera porté à 35 par le traité de Nice (2000). Parallèlement, l'accord du Parlement devient indispensable pour toute décision concernant la répartition des fonds structurels et pour la conclusion des accords internationaux. Le projet de Constitution soumis à ratification à partir de cette année prévoit d'élargir encore le champ de la codécision : à plus de 80 domaines, cette fois ! Parmi ces pans de la politique européenne où le Parlement devra se prononcer : la propriété intellectuelle, la protection des travailleurs, la politique agricole commune et la politique judiciaire pénale. La liste complète serait fastidieuse, mais l'essentiel est qu'elle s'allonge. Cela signifie que la codécision va devenir la procédure législative ordinaire. Le Parlement va donc progressivement constituer un véritable pouvoir normatif au sein de l'Union.

De cette codécision, curieusement, les eurodéputés font un usage modéré. Depuis 1999, le Parlement a désavoué le

Conseil deux fois en tout et pour tout, en rejetant deux textes jugés trop libéraux à son goût : l'un sur les dockers, l'autre sur les offres publiques d'achat (OPA).

Une collaboration – sans codécision – existe aussi en politique étrangère et de sécurité commune, dans la coopération judiciaire, ainsi que sur certains thèmes d'intérêt commun comme la politique d'asile et d'immigration, les mesures de lutte contre la toxicomanie, la fraude et la criminalité internationale.

Dans les domaines hors codécision, le Parlement doit être consulté et son approbation est indispensable pour certaines décisions politiques ou institutionnelles importantes. Il supervise également les travaux du Conseil : les députés lui adressent des questions écrites et orales ; le président du Conseil assiste aux sessions plénières et participe aux débats importants.

Enfin, à chaque sommet européen, le Parlement apporte sa contribution. À l'ouverture du sommet, le président du Parlement est invité à exprimer le point de vue et les préoccupations de son institution. Quand il voyage, il est reçu comme un chef d'État.

Le Parlement jouit d'un pouvoir financier réel. Le budget de l'Union fait l'objet d'un débat en son sein lors de deux lectures successives, et il n'entre pas en vigueur avant d'avoir été paraphé par le président du Parlement. Sa commission du Contrôle budgétaire, la puissante COCOBU, en surveille l'exécution. Le Parlement partage l'autorité budgétaire avec le Conseil et influence donc les dépenses de l'UE. Aux termes de la procédure, il adopte le budget ou le rejette, mais toujours en totalité. Cette méthode d'approbation est connue en jargon strasbourgeois sous le nom d'« octroi de la décharge ». En 1999, le refus de la décharge par le Parlement initia la réaction en chaîne qui conduisit à la chute de la Commission Santer.

Depuis 1986, la fixation des dépenses communautaires s'inscrit dans le cadre d'une programmation financière pluriannuelle baptisée « perspectives financières ». Le Parlement n'a obtenu que récemment un droit de regard sur le processus et il en fait usage pour la première fois dans le cadre de la négociation sur les perspectives pour la période 2007-2013.

S'il existait un jour un impôt européen destiné à financer les institutions communautaires, le Parlement serait en première ligne pour le fixer et le contrôler, mais le système actuel le contourne quelque peu. Depuis 1970 et le traité du Luxembourg, chaque État verse à la Communauté une quote-part qui dépend de son produit intérieur brut (PIB), c'est-à-dire de sa richesse, de la TVA qu'il prélève et des droits de douane qu'il perçoit. Il n'y a pas là matière à intervention parlementaire. Le mécanisme de calcul est plus ou moins automatique et c'est la police anti-fraude de la Commission, l'OLAF[1], qui se charge de vérifier que les États disent bien la vérité sur leurs recettes.

Le Parlement n'a pas obtenu tout ce qu'il voulait lors de la rédaction du projet de traité constitutionnel. Au dernier moment, les gouvernements ont en effet modifié le texte élaboré par les conventionnels. En cas de litige budgétaire avec le Conseil, le Parlement n'aura pas le dernier mot. Le projet final des Vingt-cinq ne retient pas les modifications – proposées par la convention – de la procédure budgétaire définissant un cadre financier pluriannuel (qui fixe les grandes enveloppes pour sept années) et simplifiant la procédure relative au budget annuel de l'Union, aux termes de laquelle le Parlement européen devait obtenir le dernier mot sur les dépenses (en particulier sur les dépenses agricoles).

1. Office européen de lutte anti-fraude.

Néanmoins, avec la procédure retenue, le Parlement européen décidera à égalité avec le Conseil des ministres, ce qui signifie que les États ne disposeront pas non plus du dernier mot (comme c'est le cas aujourd'hui sur une fraction importante du budget communautaire). Les décisions qui seront prises dans le domaine budgétaire seront le résultat de compromis qui devront être négociés et où l'influence des États sera déterminante.

Si le Parlement est encore court-circuité en matière de recettes, il s'exprime d'abondance sur la question des dépenses. Depuis 1975, il a le droit d'amender les dépenses dites « non obligatoires » proposées par la Commission et votées par le Conseil. À l'époque, il s'agit d'une aumône, car les dépenses obligatoires – avant tout les dépenses agricoles – représentent 90 % du total. Mais il se trouve que la part des dépenses « non obligatoires » augmente rapidement, au point de constituer, en 2005, près de 50 % du budget global. Les fonds structurels[1] et de cohésion – environ 30 % du budget en 2002 – passent sous le contrôle du Parlement, qui a désormais aussi son mot à dire sur les dépenses obligatoires, en particulier sur les versements au titre de la politique agricole commune (PAC), qui continuaient de représenter en 2002 plus de 40 % du budget. En matière de pouvoir budgétaire, la responsabilité du Parlement apparaît surtout dans quelques domaines – les fonds structurels et la recherche, par exemple – où il peut augmenter certaines dépenses qui lui sont soumises. Sur ce point, il dispose de pouvoirs supérieurs à ceux de plusieurs parlements nationaux. Par exemple, l'article 40 de la Constitution de la Ve République stipule que le Parlement français ne peut

1. La Commission a créé des instruments financiers, les Fonds structurels et le Fonds de cohésion, pour corriger les disparités socio-économiques entre les régions de l'Union.

accroître le déficit budgétaire, et donc qu'il ne peut augmenter des dépenses sans trouver les recettes correspondantes.

Le budget européen que suit le Parlement sera de l'ordre de 120 milliards d'euros par an d'ici à 2013. Ce n'est certes pas énorme, comparé au budget d'un pays comme la France, mais c'est cinq fois le budget de l'Irlande. Sans compter que ce budget ne comprend presque aucune dépense « de fonctionnement » ; ce sont des dépenses « d'intervention » qui ont un impact direct, puisqu'elles financent des projets ou des productions.

10

Grandes manœuvres et petits calculs chez les eurodéputés

L'eurodéputé est un homme ou une femme libre, car le Parlement européen obéit à des mécanismes bien particuliers. Ses membres ne sont pas tenus à la discipline majoritaire comme c'est le cas dans les parlements nationaux, notamment en France. L'eurodéputé n'est pas contraint de soutenir un gouvernement ou de s'y opposer, ce qui lui offre une marge d'appréciation considérable. Les grandes idées, les projets novateurs n'ont nul besoin d'attendre une alternance politique pour se concrétiser. Un eurodéputé peut parfaitement apporter son soutien à un projet initié par le camp politique adverse. Il est autonome, ce qui fait dire à certains que, pris individuellement, le député européen a plus d'influence qu'un député français.

Les clivages partisans peuvent être surmontés au cas par cas. D'ailleurs, pendant les quatre législatures, c'est-à-dire entre 1979 et 1999, le Parti populaire européen (PPE) et le Parti socialiste européen (PSE) se sont partagé la présidence du Parlement et les postes importants au sein de l'institution. En 1999, le PPE a créé la surprise en contractant une nouvelle coalition avec les libéraux, ce qui a doté l'institution d'une structure gauche/droite plus familière.

L'assemblée de Strasbourg est traditionnellement le lieu d'un compromis entre chrétiens-démocrates et sociaux-démocrates, les deux courants politiques dominants du Vieux Continent. Ces compromis stabilisent l'assemblée, même s'ils se concluent parfois au détriment d'une certaine équité politique. En juillet 2004, par exemple, quand a eu lieu l'élection du président du Parlement issu des élections du 13 juin, l'ancien dissident et ancien ministre des Affaires étrangères polonais Bronislaw Geremek, candidat à cette présidence, a réalisé un beau score en rassemblant 208 voix sur son nom. Le monde entier connaît Geremek, presque aussi célèbre que Lech Walesa. Comment se fait-il donc que ce soit un parfait inconnu, l'obscur socialiste espagnol Josep Borrell, qui lui ait raflé la place ? Tout simplement parce que ce « Monsieur Personne » a été l'objet d'un marché passé entre les deux clans dominants du Parlement, le PPE-DE[1] et le PSE. Les plus petits partis ont crié à la supercherie ; ils auraient préféré le socialiste français Michel Rocard ou bien Geremek.

Au Parlement européen, les clivages sont rarement ceux auxquels nous sommes habitués. Ce qui compte, c'est moins les divisions internes que la stratégie d'« affirmation institutionnelle » du Parlement. Cette stratégie tient en peu de mots : pour peser dans le « triangle » face à la Commission et au Conseil, mettons de côté nos bisbilles idéologiques ! La construction de l'Europe ne doit pas rester prisonnière d'un affrontement désuet droite/gauche. C'est cette logique propre qui opacifie parfois l'image du Parlement européen aux yeux des Français.

1. Parti populaire européen-Démocrates européens.

Osons avec prudence une comparaison transatlantique. Aux États-Unis, les deux institutions que sont la Maison Blanche, chargée du pouvoir exécutif, et le Congrès, chargé du pouvoir législatif, se livrent des batailles d'influence qui dépassent la rivalité entre démocrates et républicains. Un Sénat républicain peut refuser certaines dépenses à un président républicain (c'est d'ailleurs arrivé à George W. Bush entre 2001 et 2004). En Europe, chaque sommet du « triangle institutionnel » Conseil-Commission-Parlement cherche également à tirer la couverture à lui. La régulière montée en puissance du Parlement est une bonne nouvelle pour les adeptes d'une véritable démocratie européenne, bien que, avec ses méthodes, les options politiques des uns et des autres ne soient pas toujours limpides. Ils promettent des débats transnationaux vraiment européens, mais le flou de leurs orientations les rend parfois suspects aux yeux du public. Il est temps que des regroupements s'opèrent sur la base de programmes politiques cohérents, et non plus seulement selon des perspectives tactiques.

Ce Parlement contient, rappelons-le, un nombre considérable d'eurosceptiques depuis les élections européennes du 13 juin 2004. C'est donc une assemblée plus puissante, mais moins européenne. La percée des anti-européens de l'UKIP (Parti pour l'indépendance du Royaume-Uni), des « euro-réalistes » tchèques, ou de la Liste de Juin en Suède, n'est pas un accident historique. Elle annonce un bouleversement du bel ordonnancement façonné au fil des ans par les grands partis de l'élite modérée qui ont dominé la politique européenne depuis 1979. Cette avancée des eurosceptiques cherche à ébranler le bipartisme un peu mou qui était devenu la règle au sein du Parlement européen.

Cette élite politique modérée dont les partis transnationaux ont dominé la politique européenne au cours de ces vingt-cinq dernières années, parce qu'ils croyaient en contrôler les destinées et le rythme, a, de fait, sévèrement reculé. Le Parti populaire européen (PPE) est certes resté le premier parti du Parlement, il a même vu augmenter sa représentation, mais est-ce encore vraiment un parti politique ? Il abrite en effet des Européens convaincus et des « anti » tout aussi décidés. Le PPE est devenu une coalition factice où fédéralistes et eurosceptiques s'asseyent côte à côte tout en se divisant lors des votes essentiels. Après la défection de l'UDF de François Bayrou, à l'origine d'un nouveau groupe centriste pro-européen (DF), le PPE pourrait fort bien perdre progressivement ses fédéralistes et devenir une formation eurosoupçonneuse. Voilà pourquoi tous les regards convergent maintenant vers l'« Alliance des libéraux et des démocrates pour l'Europe », qui devrait rassembler, outre l'UDF française, la Marguerite de Francesco Rutelli, appartenant à la coalition pro-européenne de l'Olivier menée par Romano Prodi, et les libéraux de l'ELDR (Parti européen des libéraux, démocrates et réformateurs). Cette coalition centriste idéologiquement assez homogène, qui compterait une centaine de membres, pourrait bouleverser durablement l'équilibre du pouvoir au sein du Parlement européen si la désintégration du PPE se confirmait.

11

La jacquerie des eurosceptiques

Pour l'heure, puisque ce sont les eurosceptiques qui ont conquis du terrain, il faut bien se poser la question : sont-ils capables de s'unir et de former une minorité de blocage ? La plupart des bons connaisseurs des affaires strasbourgeoises estiment que non. Les services du Parlement sont d'ailleurs bien en peine de ranger ces eurosceptiques dans des catégories significatives. Une soixantaine d'entre eux sont classés « autres », soit parce qu'ils siégeaient auparavant chez les non-inscrits, soit parce qu'ils ne sont encore apparentés à aucune famille politique. Une trentaine ont échoué dans l'Union pour l'Europe des nations (UEN), le groupe de Charles Pasqua quand il siégeait encore au Parlement. Enfin, une quinzaine intègrent l'Europe des démocraties et des différences (EDD), ancien groupe du Danois Jens Peter Bonde. Paul-Marie Coûteaux souhaite fonder un parti beaucoup plus radicalement souverainiste que l'EDD et envisage de le baptiser « Liberté des nations », avec une plate-forme anti-Union européenne qui rappelle à bien des égards celle de l'UKIP.

Les europhobes ne forment pas un bloc cohérent. Certains sont seulement des sceptiques méfiants qui souhaitent que l'Europe ralentisse et se consolide. D'autres veulent tout casser, comme l'UKIP britannique. Entre eux, seul le vocabulaire est commun. Sur les questions de marché intérieur, par exemple, comment imaginer que le Parti pour l'indépendance du Royaume-Uni (avec 12 sièges sur les 78 que ce pays détient), qui soutient une ligne nationaliste et anti-européenne, épouse durablement les vues des Tchèques du Parti civique démocratique (ODS), lesquels se désignent comme des « euro-réalistes » et luttent avant tout contre l'érosion du nombre de votes dévolus à leur pays par la Constitution ? L'UKIP se veut « dehors », l'ODS se sent bien « dedans ». De la même manière, l'UKIP ne s'alliera sûrement pas aux élus suédois de la Liste de Juin, qui souhaitent brider l'euro-centralisme mais ne s'opposent pas au projet européen en tant que tel. N'oublions pas non plus les sept députés polonais d'Autodéfense, qui se battent au nom des agriculteurs lésés pour leur obtenir de plus grosses subventions de la PAC (politique agricole commune) accordées par l'UE à la Pologne. Ceux-là n'ont pas du tout envie que l'Union éclate, bien au contraire ! N'oublions pas, enfin, Paul Van Buitenen et Hans-Peter Martin, justiciers solitaires d'un ticket anti-corruption et pro-transparence… Le tableau est là encore on ne peut plus confus. Le populisme ambiant n'est pas forcément anti-européen. Beaucoup d'eurosceptiques ne le sont pas par stratégie, mais par calcul ou désabusement…

Le plus grand problème de la construction européenne, c'est que ses adversaires sont désormais beaucoup plus résolus et bien mieux organisés que ses partisans. Pour l'immense majorité silencieuse des Européens, l'Europe est un fait acquis qui ne mérite donc pas qu'on y consacre du temps et de l'énergie. Si l'on n'est ni juriste, ni économiste, ni statisticien, peut-on s'y retrouver ? Comment s'étonner si les électeurs, effrayés par les équations, tombent dans les bras des fabricants de slogans ? Les mobiliser sur les sujets européens relève de la gageure. Les élections de juin 2004 l'ont prouvé : un raz de marée d'indifférence succéda aux pâles manifestations organisées quelques semaines plus tôt, le 1er mai 2004, pour fêter l'élargissement de l'Union. Ces élections n'ont pas seulement marqué un sommet de l'abstention. Elles ont révélé la puissance et l'influence d'une immense nébuleuse mêlant déçus et adversaires de l'Europe, une population décrite sommairement par le qualificatif d'« eurosceptique » et embrassant dans un même bouillonnement rageurs intellectuels raffinés, orateurs populistes et souverainistes nostalgiques. Venus d'horizons différents, ils se retrouvent dans une même aversion pour l'intégration européenne, et tout particulièrement pour sa principale incarnation, la Commission de Bruxelles, cerveau du « super-État » honni. Les eurosceptiques ont peu de rêves, mais ils font tous le même cauchemar.

Les élections du 13 juin 2004, les premières à voir participer électeurs et candidats de l'Union à vingt-cinq, leur ont offert un triomphe aussi bien dans les anciens pays membres de l'UE que dans les dix nouveaux. En Suède et au Royaume-Uni, ils exultent, mais c'est aussi le cas dans des pays qui, un an plus tôt, ont voté l'adhésion lors de référendums enthousiastes. Il se trouve qu'une fois l'adhésion acquise, nombre d'électeurs estiment que les partis eurosceptiques les défendront mieux au sein de l'Union élargie. En Suède, un nouveau parti eurosceptique, la Liste de Juin, a obtenu à lui seul 14,4 % des suffrages, soit le triple de ses propres pronostics. Ce parti avait été fondé dans la foulée du référendum de 2003 au cours duquel les Suédois avaient refusé l'euro.

Outre-Manche, la surprise est également au rendez-vous. Le Parti de l'indépendance du Royaume-Uni (UKIP), qui veut tout simplement que la Grande-Bretagne se retire à jamais de l'Union européenne, engrange 16,6 %

des voix. L'UKIP a attiré à lui la plupart des électeurs qui ont abandonné le Parti conservateur, principale formation de l'opposition au gouvernement travailliste de Tony Blair. Les partisans de l'UKIP ne font pas dans la dentelle. Robert Kilroy-Silk, président du parti, a un projet assez radical pour le Parlement européen de Strasbourg : « Nous voulons le mettre à genoux ! Nous allons prouver que ce sont des corrompus qui gaspillent notre argent en se gavant dans des restaurants. » Gerard Batten, un quinquagénaire employé par British Telecom, ne mâche pas sa profession de foi en apprenant qu'il vient d'être élu au nom de l'UKIP : « Le Parlement européen, bien sûr que nous n'y croyons pas. Nous voterons contre le maximum de propositions pour protester, et nous perturberons le système dans toute la mesure du possible[1]. »

Le message est limpide. L'Union européenne est une construction politique non démocratique qui ponctionne les ressources des pays membres sans être comptable devant les citoyens. Owen Paterson, député européen tory, le dit en d'autres mots quand il explique que la Constitution va briser définitivement le lien démocratique en Europe : « Nous ne serons plus capables de virer nos véritables dirigeants par les urnes ! » Les véritables dirigeants, pour lui, ce sont les membres de la Commission européenne. Les faux dirigeants, dans cette logique, ce sont Tony Blair et ses ministres, qui contrôlent tout juste 30 % des lois appliquées au Royaume-Uni.

Pour tous ces Britanniques, Bruxelles, c'est le *Big Brother* d'Orwell, le mal absolu, le retour aux heures les plus noires de l'Histoire, la fin de la civilisation. La presse jette en

1. Richard Bernstein, *New York Times*, reproduit par l'*International Herald Tribune* le 9 juillet 2004.

permanence de l'huile sur le feu. Quand Giscard a publié son projet de Constitution, le *Sun*, le tabloïd le plus vendu de Grande-Bretagne, a fait paraître un dessin éloquent où l'on voit Napoléon et Hitler se disputer le document en criant : « C'est mon idée ! »

C'est en Pologne, le plus grand des dix pays entrés dans le giron de l'Union européenne le 1er mai, que la vague eurosceptique est la plus dévastatrice. En juin, quatre électeurs sur cinq ne se déplacent même pas, et le cinquième est enragé. Il entend venger les Polonais de tous les sacrifices qu'ils ont dû consentir pendant une décennie avant d'être admis dans le club européen. Pour eux, l'ennemi, c'est l'Europe et ses collaborateurs infiltrés parmi les élites polonaises, ces mêmes élites qui sont accusées de s'être rempli les poches lors des privatisations de la décennie précédente. En Pologne, le plus connu des partis « anti » s'appelle *Samoobrona*, c'est-à-dire Autodéfense. Son chef est un ancien éleveur de porcs au visage rubicond, Andrez Lepper, qui s'était rendu célèbre, il y a quelques années, en conduisant un raid de paysans contre un producteur de volailles, pillant les chambres froides et distribuant des saucisses aux nécessiteux. Les paysans polonais n'ont pas peur des contradictions. Ils sont à la fois les plus eurosceptiques et les plus gros bénéficiaires de l'aide financière qui pleut sur eux de par l'entrée de leur pays dans l'UE. Le grand vainqueur polonais des élections européennes, c'est Roman Giertych, le chef de la « Ligue des familles polonaises », une formation résolument nationaliste. Les urnes lui offrent 16,4 % des voix polonaises, score qu'il n'aurait jamais obtenu sans l'indéfectible soutien de l'émetteur ultra-catholique Radio Mariya.

Dans la République tchèque voisine, le raz de marée est tout aussi impressionnant. Le Parti démocratique civique (ODS), une formation eurosceptique de droite, est arrivé largement en tête avec 30 % des voix, suivi par les communistes nostalgiques de l'URSS, eux aussi hostiles à une plus grande intégration dans l'Union, qui obtiennent 20 % des suffrages. Contrairement à ce qui s'est passé en Pologne, l'ODS n'est pas dirigé par un populiste ordinaire. Le fondateur de ce mouvement qui a environ dix ans d'âge n'est autre que l'actuel président tchèque, Vaclav Klaus, qui croit dur comme fer que les Tchèques vont perdre leur souveraineté dans la Grande Europe. En République tchèque, le pouvoir est humilié par les urnes. Le parti social-démocrate du Premier ministre europhile, Vladimir Spidla, ne se classe qu'en cinquième position, avec moins de 9 % des voix. La réforme des dépenses publiques imposée par les critères budgétaires de Bruxelles explique sa déroute.

2004 est une année d'allégresse pour les eurosceptiques. Ils savent que le fiasco des gouvernements aux élections européennes de juin, et l'exacerbation du débat sur l'entrée de la Turquie dans l'Union, entre octobre et décembre 2004, préparent merveilleusement l'opinion à voter non à la future Constitution. Zygmunt Wrzodak, numéro deux de la Ligue des familles polonaises, ne fait pas mystère de ses intentions : « Nous ne permettrons pas qu'une Constitution proposée par la France et l'Allemagne soit adoptée pour l'UE. Nous voulons que les nations et les États restent souverains. Nous voulons renégocier dès que possible le traité d'adhésion, qui est particulièrement désavantageux pour la Pologne. Et si nous n'y parvenons pas, nous tenterons de faire sortir la Pologne de l'Union. »

Le 13 juin 2004 ne s'explique pas de la même façon dans tous les pays, mais la tonalité générale est la même. Les Européens ont dit non à l'élite politique modérée, aux « constructionnistes », pour se jeter dans les bras des eurosceptiques et des populistes, quitte même à appuyer des dirigeants ouvertement xénophobes. Quoi qu'il en soit, le peuple s'est exprimé et le Parlement européen abrite désormais, et pour quatre ans, le plus fort contingent d'eurosceptiques de son histoire. Est-ce la marque d'un rejet de l'Europe par les électeurs, ou bien un signal de détresse ? Sans doute l'un et l'autre. Du moins ce nouveau paysage parlementaire présente-t-il un avantage : il reflète l'Europe telle qu'elle est, et non plus l'Europe déguisée du passé.

12

La France dans la spirale du « déficit d'influence »

L'influence de la France décline en Europe et la principale responsable de ce recul, c'est elle. Le fonctionnement de la classe politique, de l'administration et de la diplomatie françaises n'est pas aisément compatible avec les procédures de collaboration communautaire. Les Français de Paris se moquent trop souvent de l'Europe. Quand ils concoctent leur plan de carrière, ils ne pensent guère à Bruxelles, mais plutôt à Washington ou à Pékin. Les Français de Bruxelles, quant à eux, par un étrange snobisme inversé, trouvent du dernier chic de ne rien faire pour favoriser les intérêts de la France, comme s'ils prouvaient ainsi qu'ils ont pris leur indépendance. Dans un environnement professionnel où le gouvernement français est souvent perçu et dénoncé comme impérieux et arrogant, il est évidemment tentant, pour les « Franxellois », de se démarquer de la maison mère, au point parfois de s'excuser d'être français. Bref, entre Français de Paris et Français de Bruxelles, on parle encore la même langue, mais plus du tout le même langage. Pendant ce temps, Allemands, Britanniques et Espagnols jouent « collectif » et marquent des points. Certes, les nationaux travaillant à la Commission sont de moins en moins nommés par leurs capitales et de plus en plus recrutés par concours, mais cela n'abolit en rien, dans la plupart des cas, la fibre patriotique.

Ce phénomène n'est pas limité aux institutions européennes. On le retrouve dans d'autres organisations internationales. À la Banque mondiale, par exemple, le « pack » français n'existe pas, alors que les Libanais ou les Indiens s'entraident systématiquement et parviennent à créer des groupes de pression d'une puissance considérable. Les petits pays, ou ceux qui se croient sous-estimés, ont tendance à vouloir noyauter au maximum l'institution à laquelle ils adhèrent. À la Commission, cette même tendance est à l'œuvre. La France, croyant encore dominer, néglige de « noyauter ».

Là où le jeu français est indéniablement le plus faible, c'est au Parlement. Les Français, sans doute parce qu'ils ne considèrent pas beaucoup le leur, n'ont jamais prêté grande attention au Parlement européen. Dans le régime de la Ve République, l'Assemblée nationale et le Sénat jouent des rôles bien moindres que la plupart des parlements nationaux des autres pays de l'Union. En France comptent par-dessus tout le président de la République, son élection et les prérogatives étendues que lui octroie la Constitution. Vient ensuite le gouvernement, qui dispose de toutes les ressources du « parlementarisme rationalisé[1] » et de la discipline majoritaire. Sauf en période de cohabitation, tout se passe presque, à Paris, comme si le Parlement n'existait pas. Les Communes, le Bundestag, les Cortes sont des acteurs bien plus présents dans la formation de leurs politiques nationales respectives. Voilà pourquoi Britan-

1. Yves Bertoncini et Thierry Chopin, « Le Parlement européen : un défi pour l'influence française », *Notes de la Fondation Robert Schuman*, n° 21, avril 2004.

niques, Allemands et Espagnols prennent instinctivement le Parlement européen plus au sérieux que les Français.

Après la naissance de cette assemblée en 1979, les Français y ont surtout envoyé des recalés du suffrage universel, des ténors politiques en fin de parcours, ou d'autres, trop encombrants, auxquels il fallait trouver une voie de garage loin des médias parisiens. Dégoûtés par ces pantomimes, les électeurs se déplaçaient peu, convaincus que ne se jouait à Strasbourg qu'une réplique affadie et truquée des joutes parisiennes. Quant aux hommes ou aux femmes politiques qui décidaient de jouer le jeu et de se lancer vraiment dans la politique européenne, ils disparaissaient totalement des radars des médias hexagonaux. Les grandes chaînes de télévision françaises ne parlent jamais des députés européens, quitte à s'étonner ensuite avec gravité que ces élus soient d'obscurs anonymes. Un vague intérêt purement anecdotique se manifeste une fois l'an, quand rebondissent les deux seuls débats vraiment « vendeurs » : les frais professionnels des députés et les risques de voir l'institution quitter Strasbourg.

Depuis une dizaine d'années, environ depuis la chute du mur de Berlin, le dédain pour les institutions européennes s'est estompé au profit d'une crainte de plus en plus vive à l'égard du « super-État » de Bruxelles. Du mépris, la France est passée sans transition à la paranoïa. Comme si les Français avaient le sentiment de ne pas avoir prise sur ce qui se passe à Bruxelles, sentiment absurde s'il en est pour un pays aussi puissant en Europe – mais c'est une spécialité française que d'interposer entre les citoyens et la réalité une fine pellicule de mensonge, d'ignorance et de ressentiment. Parallèlement à sa crainte de la Commission, le citoyen français sous-estime en effet de manière chronique le Parlement européen. Erreur fatale !

Si les Français savaient – il suffirait pour cela qu'on le leur explique – que le Parlement de Strasbourg peut se muer dans leurs mains en un instrument puissant pour faire progresser leurs intérêts dans l'Union, le débat changerait de nature. Puisque l'élargissement de l'Union dilue mécaniquement le poids de la France au sein de la Commission et au Conseil, c'est au Parlement qu'elle est susceptible de connaître un sursaut. La stratégie parlementaire des élus français peut – c'est un euphémisme – être améliorée. Au lieu de la dispersion bavarde, ils pourraient essayer la concentration ciblée. Ils chasseraient en meute, comme les Britanniques, les Allemands ou les Espagnols. Les historiens feront un jour le compte de tout ce que la méconnaissance des règles du jeu a coûté à la République en influence perdue. Avec un peu de chance, ces mêmes historiens pourront constater que l'année 2004 a été celle du grand réveil.

Il est encore trop tôt pour en juger, mais le nouveau mode de scrutin instauré pour la première fois lors des élections européennes de juin 2004 pourrait avoir eu des effets positifs. Jusque-là, chaque parti présentait une liste nationale on ne peut plus anonyme. Depuis 2004, chaque parti qui remplit les conditions d'éligibilité présente des listes dans huit circonscriptions interrégionales. Les candidats auront donc besoin d'un enracinement local, ce qui devrait logiquement rapprocher le Parlement européen des électeurs. En outre, les petites listes folkloriques, qui pouvaient grignoter quelques sièges en additionnant leurs voix à travers la France – et qui ne renaissaient parfois tous les cinq ans que pour les élections européennes –, auront beaucoup plus de mal à décrocher des sièges à Strasbourg. L'évolution incitera donc les candidats motivés à se regrouper au sein de partis « sérieux ». Comme la France souffre précisément de l'éparpillement de ses eurodéputés dans des partis insignifiants, le nouveau scrutin a de bonnes chances de les remettre dans le droit chemin – celui de l'efficacité.

La France risque de perdre la bataille des idées et celle des modèles tout simplement parce qu'elle ne livre pas bataille. L'esprit français a conduit les dirigeants de ce pays à commettre un certain nombre d'erreurs dans la sélection des objectifs stratégiques à atteindre. Nous avons vu plus haut comment Paris avait insisté, lors du sommet de Nice[1], pour ne surtout pas « décrocher » de l'Allemagne en ce qui concerne le nombre de voix au Conseil. Ce n'était pas le début, mais plutôt la poursuite d'un phénomène amorcé bien des années auparavant. La France a tendance à rater l'Europe.

Au sommet d'Amsterdam, en 1997, Jacques Chirac tente de recruter Helmut Kohl pour une manœuvre destinée à se prémunir contre le futur élargissement, en imposant une Commission restreinte, une sorte de « club des gros » marquant un retour aux heures héroïques de la CEE où, sur les neuf commissaires, l'Allemagne, la France et l'Italie en fournissaient six, et le Benelux trois. Les petits pays se rebiffent, le Chancelier recule. Mais, pour calmer la fureur des « petits », les cinq « grands » que sont l'Allemagne, l'Espagne, la France, l'Italie et le Royaume-Uni s'engagent, on l'a vu, à renoncer à leur second commissaire. C'est donc en 1997 que les petits pays d'Europe ont compris le pouvoir qu'ils détenaient collectivement sur les grands. Ceux-ci tiendront à Nice la promesse faite en Hollande : un seul commissaire par pays[2]. Tous les autres grands pays subissent la pareille.

Mais cette symétrie est trompeuse. L'Allemagne, par exemple, s'est arrangée pour conserver plusieurs fers au feu européen. Elle travaille à faire du Parlement européen un contre-pouvoir plus efficace face à la Commission. Extrê-

1. Du 7 au 10 décembre 2000.
2. Dans le projet constitutionnel, la règle est devenue : un commissaire *au plus* par pays.

mement discipliné, le contingent allemand au Parlement sert ce dessein. L'essai est transformé à Nice, quand le nombre de députés allemands est porté à 99 alors que la France, l'Italie et le Royaume-Uni voient leurs délégations passer de 87 à 72 députés. Il ne faut toutefois pas croire que l'influence est fonction du nombre total des députés d'un pays. Les Allemands ne sont pas efficaces du fait de leur nombre de députés ; ils pèsent parce qu'ils sont concentrés au sein des deux grands partis qui comptent au Parlement européen, le Parti populaire européen (PPE) et le Parti socialiste européen (PSE). Les Français, à l'inverse, y existent dans un tel état de dispersion qu'on jurerait qu'ils cherchent à être le moins influents possible. Avec honnêteté, beaucoup d'entre eux reconnaissent d'ailleurs qu'ils se moquent éperdument de « faire gagner la France », car pareil objectif serait anti-européen. Les Français ont tendance à mesurer l'influence de leur pays en termes purement symboliques et s'enorgueillissent, par exemple, d'avoir déjà donné au Parlement européen trois présidents[1]. Or l'important est ailleurs.

À Strasbourg, la force de frappe politique se mesure. À chaque élargissement, par exemple, comme il a été décidé de ne pas augmenter indéfiniment l'effectif total du Parlement, presque chaque contingent national se réduit. Au nombre de 81 entre 1979 et 1994, les eurodéputés français ont été 87 entre 1994 et 2004. Au cours de l'actuelle législature (2004-2009), ils seront 78, avant de tomber à 72[2] quand l'Europe comptera vingt-sept membres, c'est-à-dire pendant la législature 2009-2014. Face à cette érosion numérique, les élus français devraient se regrouper pour

1. Simone Veil (1979-1982), Pierre Pflimlin (1984-1987) et Nicole Fontaine (1999-2002).

2. Conformément à la déclaration n° 20 annexée au traité de Nice.

peser davantage, mais ce n'est pas dans leurs habitudes. Et pourtant, le temps presse ! L'Allemagne, elle, a obtenu au sommet de Nice de conserver 99 eurodéputés qui, vu leur discipline d'alignement sur les priorités nationales, vont représenter une force parlementaire de plus en plus décisive.

C'est parce que le fonctionnement du Parlement européen combine logique majoritaire et logique proportionnelle que les groupes politiques y jouissent d'un rôle majeur, sans commune mesure avec celui qu'ils tiennent à l'Assemblée nationale française. Ce point est si essentiel qu'il faut s'y arrêter à nouveau. En vif contraste avec ce qui se passe dans la plupart des parlements nationaux de l'Union, la stabilité parlementaire européenne a longtemps reposé (de 1979 à 1999) sur une alliance gauche/droite entre le PPE et le PSE.

Loin de l'affrontement gauche/droite dont la France est si friande, seul compte à Strasbourg le poids des groupes. Une fois élus, les députés se regroupent au sein de formations politiques composées de plusieurs nationalités. Avant chaque vote en séance plénière (une fois par mois à Strasbourg), ces groupes examinent les rapports issus des commissions parlementaires et déposent des amendements. Ils jouent un rôle majeur dans la fixation de l'ordre du jour des sessions plénières, ainsi que dans le choix des débats d'actualité. Plus un groupe politique est numériquement important, plus il a de poids et peut faire entendre sa voix. Le Parlement fonctionne sur la base d'une proportionnalité stricte qui en fait un modèle démocratique irréprochable. La capacité d'expression d'un groupe est déterminée par son importance numérique, laquelle se traduit par une quantité de « points » qu'il devra « dépenser » pour acquérir toutes les ressources nécessaires à ses activités. Des avantages sont attribués aux plus grands groupes en fonction de leur moisson de points, notamment le droit de parole et d'initiative politique. Cette règle leur permet de bénéficier de moyens techniques (collaborateurs, salles de réunion, budget pour publications, traductions, etc.) et d'accéder aux postes de responsabilité (vice-présidences du Parlement, collège des questeurs, présidences et vice-présidences des commissions et délégations, et, bien sûr, rapporteurs).

Conséquence : plus les groupes sont importants, plus leurs députés sont influents. Pour le dire autrement, un grand parti d'opposition a plus de poids qu'un petit parti appartenant à la coalition majoritaire. Exemple : pendant la législature 1999-2004, le PSE avait beau ne pas appartenir à la coalition majoritaire (PPE-libéraux), il pesait plus lourd que les libéraux du fait de son importance numérique. Bref, on l'aura compris, les grands groupes raflent tout : ils déterminent quels eurodéputés exerceront les postes clés dans les organes centraux du Parlement ainsi qu'au sein des commissions parlementaires ; ils s'entendent aussi pour sélectionner les présidents des commissions. Ce sont également ces formations qui cumulent le plus long temps de parole lors des séances plénières. Ces grand-messes parlementaires permettent de se faire une bonne idée de la puissance des groupes. Pour la moindre décision, la position du groupe est arrêtée à l'avance, et pour chaque vote le responsable nommé par le groupe indique du pouce s'il faut voter pour ou contre. C'est dire s'il est facile de mesurer « au gramme près » le poids d'un pays au sein du Parlement européen.

Mais tout cela, les eurodéputés français ont longtemps paru s'en moquer. Entre 1999 et 2004, la France a détenu un record : ses 87 députés étaient répartis entre les huit formations du Parlement[1] ! Sur ces 87 élus, seuls 40 appar-

1. Pour la législature 2004-2009, les 78 eurodéputés français sont toujours éparpillés dans sept des huit partis du Parlement…

tenaient à l'un des trois grands groupes (PPE, PSE et libéraux). Donc, plus d'un député français sur deux était membre de l'un des quatre groupes les moins influents. À titre de comparaison, les députés allemands appartiennent exclusivement à quatre formations.

Pour se faire une idée du déficit d'influence de la France, considérons le PPE, le grand parti de la droite classique. Au cours de la sixième législature (2004-2009), avec 17 députés, la France est le cinquième contingent national du PPE, loin derrière l'Allemagne (49 élus), le Royaume-Uni (28), l'Italie (24) et l'Espagne (24). Pour le deuxième pays le plus peuplé de l'Union, ce n'est pas brillant ! La situation est évidemment différente au PSE, où la France possède le plus gros groupe, fort de 31 députés depuis la percée anti-Raffarin aux élections européennes de 2004.

Les Allemands jouent à fond la concentration efficace : entre 1999 et 2004, sur leurs 99 eurodéputés, 88 (89 %) appartenaient aux deux principales formations, le PPE et le PSE. Sur les 86 députés français, 39 (40 %) seulement faisaient partie de ces deux mêmes formations[1]. Autre comparaison instructive : jusqu'à 2009, l'Espagne, dont le contingent total de députés (54) est nettement moindre que celui de la France (78), possède la même force de frappe parlementaire dans l'ensemble PPE-PSE.

Le plus grave, c'est que plus d'un député français sur deux appartient à des groupes qui figurent dans le quart minoritaire du Parlement. Pour ajouter une dernière touche à ce tableau peu édifiant, rappelons que la France est celui des grands pays qui compte la plus forte proportion de ses députés dans le groupe des… non-inscrits : 7 sur 78, alors

1. La situation s'est redressée dans la législature entamée en 2004, avec des pourcentages respectifs de 72 % pour l'Allemagne (72 députés sur 99) et 61 % pour la France (48 députés sur 78).

qu'il n'y a pas un seul des 99 députés allemands qui en fasse partie et qu'on y trouve seulement 4 élus italiens sur 78 et 2 anglais sur 78.

Suite logique de cette répartition burlesque : la présidence des grands groupes échappe aux Français. Entre 1999 et 2004, les groupes PPE, PSE et « libéral » étaient présidés respectivement par un Allemand, un Espagnol et un Britannique. Les Français présidaient les groupes « Gauche unitaire européenne » (Francis Würtz) et « Union pour l'Europe des nations » (Charles Pasqua). Le degré zéro de l'influence !

La participation aux commissions est une autre illustration de la touchante naïveté française. La situation s'améliore, mais longtemps il fut du dernier vulgaire, pour un député européen français, d'appartenir à une commission autre que « de réflexion » : Affaires constitutionnelles, Questions internationales, Coopération, Droits de l'homme. On voyait peu de Français dans les commissions dites « législatives » – les seules importantes, car c'est dans ces domaines que le Parlement a acquis progressivement un pouvoir de codécision avec le Conseil des ministres (Commission budgétaire, Commission juridique, Affaires économiques et monétaires, Environnement). Durant la cinquième législature (1999-2004), la présence française fut la plus forte à la commission de la Culture et de l'Éducation ; elle était la plus faible à la commission des Budgets.

Dans l'une des plus importantes, la commission des Affaires économiques et monétaires, on compte moins de 5 Français sur 49 membres, mais notons que c'est une Française qui la préside depuis juin 2004. Pervenche Berès est une socialiste, mais elle est indéniablement l'un des plus efficaces et assidus élus du contingent français. Elle est un des fameux contre-exemples qui confirment la règle. Car briguer et obtenir la présidence de la Commission économique et monétaire n'est pas un mince succès : c'est l'une des plus fortes du Parlement. Pervenche Berès n'est pas la seule Française à s'activer à Strasbourg. Françoise Grossetête, membre de l'UMP, a réussi à devenir vice-présidente du PPE, ce qui est également une position considérable ; elle est donc l'eurodéputé français le plus gradé au sein du PPE. Relevons d'ailleurs qu'entre 1999 et 2004, selon un classement officiel, les quatre députés les plus actifs du Parlement européen étaient des Français, ce qui adoucit quelque peu la triste réalité que voici : la France était quatorzième sur quinze pour l'assiduité aux séances plénières à Strasbourg…

L'assiduité n'est pas une qualité nationale, puisque les ministres de la République française sont également épinglés pour leurs absences à répétition aux réunions du Conseil. Quand on est absent, difficile d'être influent ! Quand on arrive en retard, qu'on repart en avance et qu'entre-temps on signe des parapheurs apportés par un directeur-adjoint de cabinet, comme c'était devenu une habitude pour Jean Glavany, ministre de l'Agriculture de Lionel Jospin, on ne passe pas pour représenter un pays sérieux. Si l'on veut compter en Europe, si l'on veut être à chaque instant au cœur de la décision, il faut jouer le jeu. La République impériale, dans l'Europe à vingt-cinq, ça ne marche plus ! Hervé Gaymard, successeur de Jean Glavany avant de remplacer Nicolas Sarkozy à Bercy à la fin de novembre 2004, s'est efforcé d'adopter la méthode inverse. Représentant du plus grand pays agricole de l'Union, il s'est pourtant personnellement déplacé dans les différentes capitales pour vendre son projet de réforme de la PAC et bloquer celui de la Commission. La France est un grand pays d'Europe ; quand elle se fait modeste, elle peut obtenir beaucoup.

Autre effet de levier politique majeur : c'est en fonction de leurs « points » que les groupes obtiennent les emplois de

« rapporteurs », ces élus chargés d'étudier les propositions budgétaires et législatives soumises par la Commission européenne. Ces rapporteurs sont parfois obscurs, mais leurs conclusions pèsent d'un poids crucial sur la décision ultime du Parlement. Or l'immense majorité de ces rapporteurs sont issus de trois formations : le PPE, le PSE et les libéraux.

Être nommé rapporteur sur un projet de législation, c'est rédiger les versions successives du projet du début jusqu'à la fin, et donc, si tout va bien, peser lourd sur la version finale. Les rapporteurs sont rarement des stars, mais ils le deviennent parfois en cours de route. Les batailles sont donc féroces au sein des groupes politiques et des commissions pour les sélectionner. Partant, le nombre de rapports produits par un groupe politique ou un contingent national est un bon indicateur de sa puissance. Une étude[1] réalisée par le Medef[2], c'est-à-dire le patronat français, établit que, de 1999 à la fin de 2003, les eurodéputés allemands ont rédigé 299 rapports, les Britanniques 238, les Espagnols 192, les Italiens 150 et les Français 119. Si l'on appelle taux d'activité le nombre d'eurodéputés d'un pays divisé par le nombre de rapports produits, on obtient les taux suivants : 3,45 pour les Pays-Bas (107 rapports pour 31 députés) ; 3,04 pour l'Espagne (192 rapports pour 63 députés) ; 3,02 pour l'Allemagne (299 rapports pour 99 députés) ; 2,73 pour le Royaume-Uni (238 rapports pour 87 députés), et 1,36 pour la France (119 rapports pour 87 députés). L'étude nous apprend également que, sur la même période, 38 de nos 87 représentants[3] au

1. Mémorandum Medef Europe 2004, mars 2004.
2. Mouvement des entreprises de France.
3. Pour la liste complète de ces cancres, se référer à la *Lettre de l'Expansion*, n° 1707, du 3 mai 2004.

Parlement européen n'ont jamais été rapporteurs au fond d'un seul des quelque 1 300 rapports examinés.

La contre-performance est d'autant plus dommageable que les lois françaises, comme nous venons de le voir, sont de plus en plus influencées par le Parlement européen. Les normes législatives produites au niveau communautaire occupent une place croissante dans les corpus juridiques des États membres de l'Union. Elles sont désormais plus nombreuses chez nous que les normes d'inspiration française. Selon le Conseil d'État, pour cinquante textes français, on compte trois fois plus de textes communautaires[1].

La France est-elle perdue ? Bien sûr que non ! Mais son influence ne peut se résumer à l'obtention de postes de premier plan au sein de la Commission. Cette logique est anachronique, car il est inévitable qu'au fur et à mesure de l'élargissement de l'Union, les grands pays fondateurs que sont l'Allemagne et la France s'effacent au profit des nouveaux arrivants. Cet effacement – ce recul que dénonce le Paris chagrin – est la condition même de la construction européenne tant voulue par les pères fondateurs. Pour la première Commission à entrer en exercice dans l'Union à vingt-cinq, il était vital de montrer aux nouveaux venus qu'ils n'étaient pas des membres de seconde catégorie. Octroyer des postes de « super-commissaires » à Berlin ou à Paris aurait envoyé un mauvais signal de départ aux « petits » de la Grande Europe. De même que la nomination de l'Allemand Joschka Fischer à la tête de la Commission aurait pu heurter les sensibilités en Europe de l'Est, eu égard à l'histoire tourmentée de la première moitié du

1. *La Norme internationale en droit français*, rapport du Conseil d'État, 2002.

XXe siècle. Pour le bien de tous, il fallait que l'Allemagne et la France adoptent un profils bas.

Pour la France, ce geste implique un énorme effort. Elle devrait pourtant comprendre qu'elle est aujourd'hui plutôt surreprésentée à Bruxelles. Chaque pays membre ne dispose pas à proprement parler d'un quota national de fonctionnaires européens, mais il est traditionnellement entendu qu'un équilibre raisonnable doit être maintenu. Or les fonctionnaires français sont très nombreux, avec tout ce que cela implique de réseaux d'influence au sein des différentes institutions de Bruxelles. En avril 2002 (derniers chiffres connus), les institutions européennes employaient plus de 29 000 fonctionnaires européens. Sur les 7 482 fonctionnaires de catégorie A (les hauts fonctionnaires), la France pouvait en revendiquer 1 134, soit beaucoup plus que l'Allemagne (914), l'Italie (943) ou le Royaume-Uni (795). Si l'on s'intéresse aux 265 fonctionnaires de l'encadrement supérieur, 47 étaient français, pour 39 Britanniques, 36 Allemands et 29 Italiens. La France occupe donc là une place disproportionnée, compte tenu de son poids démographique.

Quand on part d'une telle position de force, que peut-on faire, sinon décliner ? Surtout que cette position de force a tendance à susciter une certaine somnolence dans le recrutement. La France ne développe pas de stratégie globale pour placer ses ressortissants aux postes clefs des grandes institutions. Contrairement à certains pays de l'Union – le Royaume-Uni notamment –, elle ne gère pas une « filière d'alimentation » nationale. Alors que les Britanniques forment leurs personnels pour en faire un véritable outil d'influence, encouragent leurs fonctionnaires à partir s'installer à Bruxelles en leur promettant des promotions flatteuses à leur retour à Londres, en France les carrières européennes ne sont pas mises en valeur, que ce soit par indifférence ou par désorganisation. La réforme de l'École nationale d'administration tâchera de remédier à cette faiblesse qui aura tôt fait, si elle n'est pas corrigée, de se transformer en handicap politique.

Enfin, dans le système éducatif et universitaire français, la préparation aux concours européens n'est ni assez encouragée, ni assez centralisée. Depuis 2000, à la suite de fraudes découvertes en 1998 durant le mandat de la Commission Santer, il a été décidé d'organiser des concours spécialisés au lieu de continuer à faire passer aux candidats des concours généraux. Au grand dam des Français, formés le plus souvent à Sciences Po ou à l'ENA, qui préféraient l'ancienne formule. En effet, autant les Français réussissent relativement bien aux concours de droit et d'administration publique, autant les résultats de ces littéraires sont médiocres en économie et en statistique. L'Allemagne, le Royaume-Uni, les Pays-Bas se sont adaptés à la nouvelle donne en montant à marches forcées des formations exclusivement destinées à la préparation des concours européens. En France, la première tentative faite en Sorbonne s'est soldée par un échec : les étudiants français n'étaient pas intéressés.

Pour profiter de l'Europe, il faut adapter son propre fonctionnement à celui des institutions européennes. La France fait souvent l'inverse, en plaçant par exemple le ministre des Affaires européennes sous la coupe du ministre des Affaires étrangères. Quel contresens ! Aux Pays-Bas, par exemple, les administrations tentent d'abolir leur cloisonnement traditionnel pour travailler ensemble à la définition d'objectifs stratégiques dans le cadre de l'Union. Une commission de coordination composée de hauts fonctionnaires et placée sous la houlette du secrétaire d'État aux Affaires européennes réunit les directeurs des ministères intéressés pour penser la politique européenne. Ce groupe, véritable vivier, pourrait servir d'exemple à la France, où certaines administrations communautaires restent on ne peut plus méconnues.

Pour un pays membre, l'Union est une opportunité, mais également un défi en raison de sa complexité. Chaque pays doit regrouper ses forces pour le relever. Les parlements nationaux ont ici un rôle à jouer. L'Assemblée nationale et le Sénat ont pris tardivement conscience du rôle qu'ils pouvaient assumer dans le domaine communautaire. Ils se sont le plus souvent contentés d'entériner et de traduire les directives européennes en droit interne. Le Parlement français s'est laissé marginaliser, à la différence de ceux d'autres États membres. Ainsi, depuis la fin des années 70, le Royaume-Uni montre l'exemple d'un contrôle parlementaire attentif sur tout ce qui a trait à la construction européenne. (Nous nous pencherons en détail sur le cas britannique au chapitre suivant.)

Édouard Balladur a senti le danger. Le président de la commission des affaires étrangères de l'Assemblée a tenté de faire adopter le 11 janvier 2005 au sein de sa commission (qui est saisie pour avis du projet de révision constitutionnelle) un amendement prévoyant qu'« à la demande du président de l'Assemblée nationale ou du Sénat, ou de soixante députés ou sénateurs, le gouvernement est tenu de soumettre au Parlement tout document européen, sans exclusive ». En vain. Son projet risquait d'empiéter sur les prérogatives du président de la République. Le parlement français devra se contenter d'un amendement plus modéré.

La France a également beaucoup à apprendre dans ce mode d'influence qui se pratique énormément à Bruxelles : le lobbying. En dépit de la mauvaise réputation que ce mot possède en France, l'exercice fait depuis longtemps partie du processus d'élaboration des lois en Europe, mais seuls deux pays membres de l'UE se sont souciés de l'encadrer : l'Allemagne et le Danemark. Selon les évaluations de la Commission européenne, plus de 10 000 lobbyistes travaillent à Bruxelles pour 3 000 groupes d'intérêts enregistrés. En 1973, le premier élargissement de la CEE (Royaume-Uni) avait marqué l'entrée en scène du lobbying à Bruxelles, cette pratique étant nettement plus développée dans les pays anglo-saxons. Puis les groupes de pression américains et japonais leur ont emboîté le pas. L'objectif de ces groupes de pression est d'influencer la décision à différents niveaux : au stade de l'élaboration de la proposition, les cibles sont les groupes d'experts et les fonctionnaires de la Commission, les comités consultatifs, de gestion et de réglementation ; au stade des votes et des amendements, les lobbyistes visent le Parlement, avec ses commissions et ses groupes politiques. En raison de l'importance des COREPER, les représentations permanentes jouent aussi un rôle central dans la décision et sont donc également démarchées. Le travail des lobbyistes consiste à apporter des amendements à la législation en cours d'élaboration dans le sens le plus favorable possible à leurs clients, à obtenir une autorisation pour un produit ou pour une fusion d'entreprises, à remporter un appel d'offres pour une entreprise ou à décrocher un financement pour une association. À Bruxelles, les pays déjà dotés d'une tradition bien établie de lobbying se sentent à l'évidence plus à l'aise que les autres. Les États-Unis par exemple, dont les lobbyistes figurent parmi les meilleurs experts de la vie communautaire. Les Britanniques sont également d'une efficacité redoutable.

13

La maestria du Royaume unique

Vis-à-vis de l'Europe, le Royaume-Uni a choisi : il n'est ni dehors, ni dedans. Il serait plutôt de biais. Depuis que les Britanniques, rejetés plusieurs fois par les veto de la France gaullienne au cours des années 60, ont fini par entrer à reculons au sein de la Communauté, l'ambiguïté n'a jamais été levée. La question revêt une importance nouvelle depuis que Tony Blair a pris la décision, comme nous l'avons vu, d'organiser un référendum pour ratifier la Constitution européenne. Si jamais il le perd, cette défaite pourra-t-elle signer le début d'un retrait du Royaume-Uni de l'Union européenne ? Cela dépend : si d'autres grands pays disent également non, il faudra repartir collectivement de zéro ; si, en revanche, la Grande-Bretagne est seule dans son rejet, alors les autres seront tentés de continuer sans elle, quitte à laisser la porte ouverte à un retour ultérieur des Britanniques.

Dans tous les domaines où Londres estime avoir des intérêts majeurs à défendre, elle bloque ce qu'elle appelle l'uniformisation des politiques – ce que la France et l'Allemagne appellent, pour leur part, l'harmonisation. L'Europe continentale a toujours su qu'il lui faudrait payer un prix pour conserver le Royaume-Uni dans le giron de l'Union. Ce prix, c'est évidemment le renoncement à une intégration poussée de l'Europe. Les Britanniques sont des compagnons très indépendants. Ils ne choisissent dans l'Europe que ce qui les arrange, et refusent obstinément tout le reste ! Ils font leur shopping, consomment de l'Europe, mais n'en fabriquent pas. À tout le moins, ils ne fabriquent pas de cette Europe qui enflamme les esprits bien faits des diplomates français.

Rien de tout cela n'est nouveau. Nul besoin d'être grand historien pour savoir que les Britanniques se défient de l'Europe continentale. La méfiance, disent-ils, est un carburant comme un autre, et il n'est pas sans efficacité, comme nous le verrons plus loin. L'Histoire explique beaucoup de cette réserve. Au cours des siècles, chaque fois que les pays du continent s'associaient entre eux, l'Angleterre avait en général de bonnes raisons de s'inquiéter. Elle tentait parfois de prendre les alliances à revers. On citera pour mémoire, parmi tant d'autres, la guerre de Sept Ans (1756-1763), un conflit commercial et militaire qui vit s'affronter, d'un côté, la France, l'Autriche-Hongrie, la Russie, la Pologne et la Suède, et, de l'autre, la Prusse, la Grande-Bretagne et le Hanovre. Les guerres européennes semblent terminées pour de bon, mais le réflexe attentiste est resté inscrit dans le code génétique des Britanniques.

Il existe une autre raison, plus récente. Il y a soixante ans, juste après la Seconde Guerre mondiale, l'état d'esprit du Royaume-Uni est très différent de celui du continent. Contrairement aux six membres fondateurs de la Communauté économique européenne, les Britanniques ont gardé du conflit l'image d'un moment de gloire pour leur pays, celui de la lutte de leur peuple contre la tyrannie nazie, symbolisée par des épisodes comme la bataille d'Angleterre. Le pays n'a pas été occupé. Il n'a pas collaboré. Dans la conscience collective, ces événements ont entretenu un sentiment de supériorité déjà présent dans la période d'expansion coloniale. Puisque leur pays avait vaincu l'Allemagne hitlérienne, « l'opinion publique comme les élites politiques ne pouvaient imaginer de se comparer aux nations vaincues en 1940 ou en 1945, qui se regroupaient pour surmonter leurs faiblesses[1] ».

À partir de 1945, la lente maturation de la Communauté, puis celle de l'Union européenne, a provoqué à nouveau l'émergence d'un sentiment mitigé. Pourquoi les continentaux s'associent-ils entre eux ? Cela risque-t-il de nous nuire ou de nous profiter ? Conséquence logique de cette méfiance : les Britanniques ont toujours scruté avec une attention passionnée ce que font les Européens. Ils ne viennent participer pleinement que quand ils se sont assuré que leurs intérêts seront sauvegardés. La phase d'observation dure parfois fort longtemps et il n'est jamais certain qu'elle prendra fin. Il faut tenir compte de l'« indifférence hostile » qui caractérise un vaste pan de l'opinion britannique dans son rapport à l'Europe, et qu'exploite avec véhémence la presse populaire.

Cette approche a des conséquences paradoxales : à force d'observer, les Britanniques figurent parmi les meilleurs spécialistes, voire les meilleurs analystes de la construction européenne. Les exemples abondent. Ils ne font pas partie de l'euro, ne participent donc pas aux travaux de la BCE, mais c'est la Banque d'Angleterre qui publie chaque année le rapport le plus complet sur la politique monétaire et les finances de l'Europe. Le Royaume-Uni ne participe pas à toutes les politiques communautaires, mais Londres suit avec une précision méticuleuse le parcours des fonctionnaires britanniques qui travaillent à la Commission. Plusieurs

1. Pauline Schnapper, *La Grande-Bretagne et l'Europe. Le grand malentendu*, Presses de Sciences Po, 2000.

diplomates de la représentation britannique auprès de l'Union européenne se consacrent à plein temps au suivi de ce réseau, qui est perçu à Londres comme un formidable instrument d'influence. Les carrières y sont discutées régulièrement en détail ; les informations sont transmises à Londres. Tout diplomate britannique a l'obligation de faire un séjour à Bruxelles au cours de sa carrière. La culture du renseignement et de l'influence est au cœur des relations de la Grande-Bretagne avec le monde extérieur. C'est aussi vrai à l'égard de l'Union. Sans aucun complexe : les Britanniques sont à Bruxelles pour y promouvoir les intérêts de leur pays, sans cynisme mais avec une opiniâtre aptitude à calculer.

C'est que, à Londres, les affaires européennes sont prises très au sérieux. Elles sont coordonnées d'une manière très particulière qui repose, en ce domaine comme en d'autres, sur le consensus plus que sur l'arbitrage à la française. L'European Secretariat[1] du Cabinet Office – équivalent du secrétariat général du gouvernement – est chargé de coordonner tous les avis et conseils en matière européenne à destination du Premier ministre et des différents ministres. Il a pour mission de se concentrer sur l'examen des questions de fond du débat européen, en cours ou à venir, alors qu'en France le secrétariat général du Comité interministériel consacre la majeure partie de son énergie à l'établissement, par voie d'arbitrage, d'une position française sur tel ou tel sujet européen. L'étude des dossiers communautaires se fait pour l'essentiel à Bruxelles, où la représentation britannique (UKREP) est forte de 63 cadres – à peu près comme la représentation française. La différence est que les diplomates britanniques agissent dans un esprit de démarchage commercial, en relation permanente et systé-

1. Présidé depuis novembre 2004 par Sir Stephen Wall, l'ancien représentant permanent du Royaume-Uni auprès de l'Union européenne.

matique avec leur administration centrale. Une méthode de travail que les diplomates français trouvent un peu… vulgaire !

L'ambassadeur qui représente le Royaume-Uni à Bruxelles participe tous les vendredis matin à Londres à une réunion générale sur le programme de la semaine à venir. Son homologue français ne se rend en général à Paris qu'une fois par mois pour participer à la préparation du Conseil des Affaires générales, et une fois par semestre pour la préparation rapprochée du Conseil européen. Il est rare qu'un ambassadeur représentant permanent de la France à Bruxelles, ou son adjoint, participe à une réunion du SGCI. Question de territoire… Dans une culture de l'arbitrage, il est crucial de délimiter son périmètre de pouvoir, quitte à en négocier une partie le jour venu. Dans une culture du consensus, en revanche, il n'y a que le résultat collectif qui compte.

À travers l'articulation entre le « secrétariat européen » du gouvernement britannique et sa représentation permanente à Bruxelles (UKREP), les dissensions interministérielles autour des positions à adopter sur les projets de loi de la Commission sont aplanies. Les représentants britanniques sont fameux pour la présentation, au sein du Conseil des ministres de l'Union, de positions politiques cohérentes et soigneusement coordonnées.

En France, l'obsession du fief nuit également dans un domaine capital pour les affaires européennes : l'information. Celle-ci circule à Bruxelles en quantité phénoménale. Son tri et son utilisation conditionnent la qualité du travail diplomatique. La méthode britannique est la suivante : sur chaque dossier, le ministre chef de file est responsable de la diffusion de l'information. Dans ce système, le fonctionnaire ne tire pas son pouvoir de la rétention d'information, mais, au contraire, de la qualité de l'outil de diffusion qu'il va savoir mettre au point. Toute réunion à Bruxelles, officielle ou officieuse, donne lieu le jour même à un compte rendu qui est largement distribué à Londres. Les positions de la Commission et des autres États membres sont donc connues de tous les négociateurs, quel que soit leur rang. Si Londres rassemble aussi soigneusement les informations relatives à la Commission européenne, c'est naturellement afin de pouvoir faire pression sur elle. L'UKREP se trouve, à Bruxelles, au centre d'un réseau de collecte de données qui fournit des informations nombreuses et opportunes sur les négociations en cours et les projets de loi de la Commission. En résumé, la gestion de l'information et la pratique du consensus démultiplient la force de frappe diplomatique du Royaume-Uni. Du coup, en dépit de sa position équivoque à l'égard de l'Union, et grâce à son efficacité, Londres a un impact majeur sur la fabrication d'une Europe de plus en plus anglo-saxonne. La Grande-Bretagne y évolue comme un poisson dans l'eau, au point de façonner largement l'Union dans les domaines qui lui tiennent à cœur, comme la finance, la banque et le droit des affaires.

L'Union inquiète les Britanniques. Leur cauchemar est une Europe politique de plus en plus intégrée qui se refermerait lentement sur eux comme les murs d'une prison. Cette phobie les motive énormément. Ils feront tout pour que l'Union européenne soit la plus étendue possible, la plus souple possible, la plus lâche possible. Vue de Londres, l'Europe doit être une zone où règne la liberté d'échanger et de circuler – pas beaucoup plus. Leur soutien enthousiaste à l'adhésion de la Turquie s'explique ainsi. Ils veulent l'Europe-espace et rejettent l'Europe-carcan, celle des pères fondateurs, petit club trop fermé à leurs yeux, trop dominé par l'Allemagne et la France. On l'a vu plus haut avec le projet de Constitution européenne : les Britanniques ont un sens aigu de leurs intérêts et, pour les défendre, ils n'entendent prendre aucun risque.

Afin d'illustrer cette attitude, considérons ce qu'on appelle l'« espace Schengen ». Il s'agit de la zone de libre circulation des personnes entre les États signataires de l'accord de Schengen, nom de la bourgade luxembourgeoise où il fut paraphé le 14 juin 1985[1]. L'espace Schengen comprend aujourd'hui tous les États de l'Union européenne (UE), sauf l'Irlande et la Grande-Bretagne, ces deux pays pouvant toutefois piocher ce qui les intéresse dans l'acquis Schengen. La Norvège et l'Islande, extérieures à l'UE, ont un statut de pays associé qui leur donne tous les droits, sauf celui de participer aux décisions. Le principe de la liberté de circulation des personnes offre à tout individu (ressortissant de l'UE ou non), une fois qu'il est entré sur le territoire d'un des pays membres, le droit de franchir les frontières des autres pays sans subir de contrôles. Pour se déplacer, il n'a plus besoin de passeport et, par exemple, les vols entre destinations de l'espace Schengen sont considérés comme des vols intérieurs. Un État ne peut rétablir les contrôles qu'en cas d'atteinte à l'ordre public ou à la sécurité nationale, et après consultation des autres États du groupe Schengen.

Pour compenser cette liberté d'aller et venir, les contrôles aux frontières extérieures de l'espace Schengen sont renforcés. La coopération judiciaire et policière se développe avec la création du SIS (Système d'information Schengen), un fichier informatisé commun fournissant le signalement des personnes recherchées pour arrestation ainsi que des véhicules ou objets volés, la mise en place de règles communes en matière de conditions d'entrée et de visa pour de courts séjour, et de traitement des demandes d'asile. Les accords prévoient aussi le maintien des contrôles volants effectués par les auto-

1. La convention d'application fut signée le 19 juin 1990, et l'accord entra en vigueur le 26 mars 1995. Figurent dans l'espace Schengen tous les pays de l'Europe à quinze, sauf la Grande-Bretagne et l'Irlande.

rités de police ou les douanes pour lutter contre le terrorisme et le développement de la criminalité organisée.

Ce dispositif, qui semble de bon sens, les Britanniques n'en veulent pas. Le gouvernement de Sa Majesté tient à conserver la maîtrise de ses frontières et tente de se justifier en mettant en avant la position géographique de la Grande-Bretagne. Compte tenu de sa situation insulaire, le pays estime avoir les moyens de surveiller efficacement les accès à son sol et n'a donc nul besoin de coopérer. Le Royaume n'entend pas renoncer à ses prérogatives en ce domaine. Au-delà des arguments officiellement avancés, comme la répression du terrorisme et la lutte contre le trafic de drogue, il s'agit d'abord d'une revendication de souveraineté. Les Britanniques ne font pas confiance à leurs partenaires européens.

Outre l'euro et l'espace Schengen – deux politiques européennes auxquelles ils ont décidé de ne pas participer –, les Britanniques tiennent également à rester à l'écart dans plusieurs domaines de la coopération judiciaire et de la coopération policière en matière civile. Londres tient à être exemptée de toutes les obligations visant les échanges d'informations confidentielles. C'est, une fois de plus, l'obsession de l'indépendance fiscale qui explique cette réticence. Le Royaume a exclu de renoncer un jour à son droit de veto en matière de fiscalité en Europe, et il ne veut surtout pas que ses partenaires introduisent subrepticement « de la majorité qualifiée » pour le pousser à des concessions.

Le nationalisme britannique reste extrêmement vivace, beaucoup plus que sur le continent, comme le prouve la santé du courant eurosceptique qui, outre-Manche, n'est pas seulement composé de marginaux et d'illuminés issus des bords de l'échiquier politique. Le sens de la souveraineté est à l'avenant. L'idée de nation est apparue plus tôt en Angleterre que partout ailleurs en Europe, excepté peut-être en

Hollande. La démocratie anglaise se réfère en permanence à son événement fondateur, le transfert d'allégeance de la royauté au Parlement aux XVIe et XVIIe siècles. Alors que le reste de l'Europe vivait encore sous la monarchie absolue, cette vénération pour le Parlement de Westminster s'est transmise de génération en génération, forgeant l'identité britannique. La loi est l'expression de la volonté du Parlement, elle est donc la norme suprême. L'idée d'accepter une autre norme révulse les Britanniques. Les transferts de souveraineté des Chambres britanniques à Bruxelles ne passent donc pas comme une lettre à la poste.

La politique européenne de Londres traduit bien cette histoire faite de défiance. Le Royaume-Uni pratique le « soutien sans participation » aux projets européens, toujours restés secondaires depuis 1945 par rapport à la « relation spéciale » nouée avec les États-Unis, mais le pragmatisme de la diplomatie britannique a souvent réussi à maintenir l'équilibre.

La solidarité transatlantique ne se dément presque jamais. Le Royaume n'aime pas choisir, mais, quand il le faut, il choisit les États-Unis. Quand il s'agit d'attaquer la Libye en 1986, ou de s'en prendre à l'Irak en 1991 ou en 2003, Londres s'aligne sur Washington. Ce qui ne signifie nullement que la Grande-Bretagne renonce à sa capacité de jugement et d'autonomie. En 1995, elle a – seule parmi tous les pays de l'Union européenne – soutenu la France aux Nations unies quand Jacques Chirac a décidé de reprendre les essais nucléaires dans le Pacifique.

Les Britanniques évoluent. Ils ont toujours été très réticents à l'idée de créer une entité de défense européenne distincte de l'OTAN, mais ils ont quand même fait, en ce domaine, des pas significatifs vers la France. Il ne faudrait pas non plus tirer trop de conclusions radicales de l'insularité de la Grande-Bretagne.

L'Irlande a beau être une île, même si elle n'appartient pas à l'espace Schengen, elle a parfaitement joué le jeu de la construction européenne, au point d'en devenir une sorte de modèle de développement. La singularité britannique puise encore à d'autres sources. Pour Londres, il faut protéger le modèle économique britannique, fait de flexibilité du travail et du capital, et donc s'opposer à toute harmonisation, qu'elle soit fiscale ou sociale. Sur ce dernier front, la guérilla britannique est d'une inventivité et d'une vigilance sans limites. Pour combattre autant que faire se peut les réglementations adoptées à Bruxelles, Londres cumule les dérogations qui vident peu à peu les règles communautaires de leur substance. Depuis l'élargissement de mai 2004, les Britanniques ont reçu un appréciable renfort : celui de presque tous les anciens pays communistes, en particulier la Pologne et la Slovaquie, devenus parfois encore plus « libéraux » que le Royaume-Uni. En face, les Français, les Belges et les Suédois, notamment, défendent les droits sociaux et s'efforcent d'enrayer cette spirale des dérogations.

En matière de travail, par exemple, la France plaide pour que les travailleurs temporaires soient à égalité de traitement avec les permanents. La Suède, la Belgique et l'Italie ont défendu des positions proches. La Grande-Bretagne, qui a reçu le soutien de l'Allemagne, de l'Irlande et de plusieurs pays de l'Est, demande que, pendant une période transitoire à préciser, l'obligation d'égalité en matière de rémunération, de protection sociale, de durée du travail, ne s'applique pas aux contrats inférieurs à six mois, c'est-à-dire à l'immense majorité d'entre eux.

Pour les Britanniques, le retour de la croissance constitue la priorité absolue. Toute entrave à la flexibilité du travail est donc à rejeter. Le camp adverse rétorque que la construction européenne n'est vendable aux citoyens que si elle apporte une « plus-value sociale ». Il se trouve que le Royaume-Uni se moque bien de vendre la construction européenne à qui que ce soit. L'harmonisation sociale, il n'en veut pas et le dit à haute voix. D'autres pays se font plus discrets. On sait moins que, pendant la convention, les principaux adversaires de l'instauration de la majorité qualifiée pour voter au Conseil en matière sociale n'étaient pas les Britanniques, mais les Allemands sous la pression des *Länder*.

En matière financière, le Royaume-Uni applique sa philosophie diplomatique avec une ardeur décuplée. Pour défendre la place de Londres et la livre sterling, tous les moyens lui sont bons. Les Britanniques ne sont pas pour autant des naïfs et, tout en restant à l'écart de l'euro, ils y sont déjà sur bien des plans. Aucune place financière ne négocie autant d'obligations libellées en euros que la City de Londres. Les patrons britanniques sont divisés sur la monnaie unique européenne, mais ils comprennent tous que, pour exporter vers le continent, fonctionner avec la livre sterling risque de devenir un handicap. C'est l'argument-choc que brandira Tony Blair, le moment venu, pour pousser les Britanniques à adopter l'euro : rester trop longtemps au-dehors risque de nuire aux intérêts économiques à long terme du Royaume.

Mais, au fond, ce qui résume le mieux la position unique du Royaume en Europe, c'est bien sûr le « chèque britannique », un privilège qui subit des assauts de plus en plus violents de la part des autres membres de l'Union. De quoi s'agit-il ? Au sommet européen de Fontainebleau, en juin 1984, les participants adoptèrent le principe suivant : « Tout État membre supportant une charge budgétaire excessive au regard de sa prospérité relative est susceptible de bénéficier, le moment venu, d'une correction. » Or, à cette époque, Margaret Thatcher parvient à convaincre ses partenaires

– c'est son célèbre « *I want my money back*[1] ! » – que son pays mérite cette correction, ce rabais. La Grande-Bretagne traverse alors une sévère crise économique et le fait qu'elle paie un solde contributeur net au budget de la Communauté met en fureur les Anglais, qui avancent avec raison que leur revenu par tête est nettement inférieur à la moyenne communautaire. Ce n'est évidemment plus le cas : en 2005, la Grande-Bretagne a rattrapé la France dans certains classements. Par ailleurs, la contribution britannique élevée au budget des Dix résultait, notamment en 1984, d'une assiette de la TVA supérieure, en pourcentage du PIB, à ce qu'elle était dans les autres pays – un indéniable désavantage puisque, à cette époque, la TVA perçue des États membres représente la première source de financement communautaire. Avec l'introduction de la « ressource PNB » en 1988 – c'est-à-dire les versements directs des États membres en fonction de leur richesse nationale –, l'« injustice » faite au Royaume-Uni s'est estompée.

Rappelons enfin que, il y a vingt ans, l'essentiel du solde net négatif du Royaume-Uni avait pour origine la politique agricole commune, qui engloutissait 70 % des dépenses de la Communauté. Londres, qui bénéficiait très peu de la PAC, contestait jusqu'à son existence même. Aujourd'hui, la PAC ne représente plus que la moitié des dépenses de l'Union.

Soyons juste : il y a au moins dix ans que la Grande-Bretagne est revenue à la prospérité. Sans son incomparable maestria diplomatique, son « chèque » aurait disparu depuis longtemps ! Car ce chèque, il faut bien que quelqu'un le paie ! C'est aujourd'hui le cas de nombreux pays de l'Union, dont deux nouveaux membres très pauvres, la Lituanie et la Slova-

1. « Je veux récupérer mon argent ! »

quie. Quant à la Hollande, premier contributeur par tête de l'Union, elle ne veut plus en entendre parler.

À la France, dont les Britanniques affirment qu'elle touche elle aussi un pactole indu aux termes de la politique agricole commune, la « correction » britannique a coûté en moyenne 800 millions d'euros par an sur la période 1995-2001. En 2001, compte tenu d'importantes régularisations au titre des années précédentes, elle a même versé 1,7 milliard d'euros. Le chiffre a été sensiblement le même pour 2003, les Britanniques touchant cette année-là un chèque de 4,3 milliards d'euros[1].

L'« affaire du chèque » est devenue particulièrement épique au moment de l'élargissement de l'Union, en mai 2004. L'essentiel des dépenses d'élargissement étant soumis au principe de la « correction » britannique, le Royaume-Uni devrait se voir rembourser les deux tiers de ce qu'il aura versé à ce titre, et ne supportera donc qu'un tiers de sa part normale du coût de l'élargissement ! Pour un pays comme la France, le coût du même élargissement s'en trouvera augmenté, comme pour tous les États membres qui ne bénéficient pas d'une réduction de leur participation au financement de la « correction » britannique (cas de l'Italie, notamment).

Mais le bon sens, qui s'immisce parfois dans la politique internationale, aura sans doute raison du « chèque » britannique. Le 14 juillet 2004, Bruxelles a lancé l'offensive. Dans ses propositions de budget pour 2007-2013, l'exécutif bruxellois a tout simplement suggéré de mettre fin à la ristourne, à la grande fureur du gouvernement Blair. Aucun Premier ministre britannique n'a envie d'entrer dans l'Histoire comme celui qui aura cédé sur le « rabais » de Maggy Thatcher. Accepter reviendrait à

1. Moyenne 1997-2003 établie par la Commission.

donner un formidable coup de pouce au mouvement eurosceptique, particulièrement puissant en Grande-Bretagne et dont le fer de lance, le Parti de l'indépendance du Royaume-Uni (UKIP), se fixe pour objectif officiel d'inciter le Royaume à quitter l'Union. Voilà indéniablement un casse-tête. Vu le niveau de revenu par tête que le pays a atteint, sans son « chèque », la Grande-Bretagne redeviendrait assurément le premier contributeur net au budget de l'Union, comme avant 1984. En revanche, si le « chèque » est maintenu en l'état, elle deviendrait rapidement le plus petit contributeur net de l'Union, ce qui serait parfaitement absurde. Pour naviguer entre ces deux écueils, la Commission propose que le mécanisme du rabais soit généralisé aux contributeurs les plus importants au budget communautaire, ceux qui donnent plus qu'ils ne reçoivent et dont la contribution nette dépasse 0,35 % de leur PIB[1]. La France devrait exulter, elle qui râle depuis des lustres contre le « chèque » britannique, mais elle n'approuve pas pour autant la réforme de Bruxelles. Tout simplement parce que, sous sa forme initiale, elle ne concernerait pas la France. Bénéficiant beaucoup de la politique agricole commune – un « chèque » comme un autre ! –, notre pays se trouve juste au-dessous du seuil des 0,35 %...

Si son « chèque » est en danger, Tony Blair garde plus d'un tour dans son sac. Il aura sans doute recours à sa menace habituelle : si vous vous acharnez contre le « chèque », je risque de perdre mon référendum sur la Constitution, et c'est toute l'Union qui en pâtira. Cette méthode fonctionnant en général assez bien, le Premier ministre aurait tort de s'en priver.

1. Tout pays dont la contribution nette dépasserait 0,35 % du PIB bénéficierait d'une remise de 66 % sur la partie dépassant ce seuil, avec un plafonnement à 7,5 milliards d'euros pour l'ensemble de l'Union.

TROISIÈME PARTIE

L'ARGENT DE L'EUROPE

« *L'Europe ne peut pas avoir de grosses ambitions avec de petits moyens.* »

José Manuel BARROSO,
président de la Commission européenne, 2004.

1

La machine à stagner

Pourquoi les Européens sont-ils si essoufflés par rapport aux Américains, et pourquoi leur retard qui s'aggrave ne les préoccupe-t-il pas davantage ? Une des plus surprenantes qualités de leurs dirigeants est la placide indifférence qu'ils témoignent devant tous ces trains de la modernité qui passent et qu'ils ne prennent pas. Dans les grands, lourds et vieux pays continentaux comme l'Allemagne et la France, le train de vie national et la générosité sociale coûtent si cher qu'il ne reste plus assez pour investir dans l'avenir. Il est vrai que les sacrifices consentis au nom du très long terme ne sont pas politiquement rentables, alors que les gaspillages de court terme rapportent des voix. Les gouvernements sont si occupés à redistribuer le revenu national qu'ils semblent ne pas se rendre compte que, sauf à créer les conditions d'un sursaut, ce revenu est condamné à baisser. Aux yeux de ceux qui se laisseraient gagner par le pessimisme, la situation a tout d'un entonnoir, car le vieillissement démographique charrie avec lui des coûts de santé et d'assistance qui seront de plus en plus élevés, rognant encore sur la flexibilité budgétaire. Pourtant, si l'économie ne dégage pas de vastes marges de croissance par l'innovation et la compétitivité, l'appauvrissement de l'Europe ne fait aucun doute. En économie, il n'y a pas de miracle ; il n'y a que du travail et de l'inventivité. Mais en Europe, en tout cas à l'ouest du continent, les responsables politiques – dirigeants, mais aussi parlementaires et syndicalistes – paraissent évoluer en marge de la réalité. Ils se résignent à des taux de croissance très inférieurs à ceux dont jouissent les Américains, mais continent d'attendre ou d'exiger le même niveau de vie qu'eux.

Pourtant, ce sont ces mêmes dirigeants européens qui avaient souscrit, en 2000[1], à ce qu'il est maintenant convenu d'appeler le « processus de Lisbonne ». Pour le citoyen européen ordinaire, peu au fait des codes et du jargon en vogue dans les hautes sphères de l'Union, il peut être déroutant d'entendre systématiquement évoquer la capitale du Portugal à propos de l'avenir économique de la Communauté. Pardonnons-lui d'ignorer que la « stratégie de Lisbonne », ce plan de relance de l'Europe par la réforme, est l'arme à longue portée grâce à laquelle nous comptions devenir, avant 2010, « l'économie de la connaissance la plus compétitive du monde », devant les États-Unis. En dépit des apparences, il ne s'agit pas là d'une galéjade. À chaque Conseil européen depuis celui de Lisbonne en 2000, chefs d'État et de gouvernement hochent doctement la tête en évaluant les progrès réalisés par rapport à ladite stratégie. Or les années passent et le bilan est de plus en plus inquiétant. En novembre 2004, l'ancien Premier ministre néerlandais, Wim Kok, remettait un rapport cinglant sur les réformes économiques entamées en Europe, critiquant le manque d'engagement et de volonté politique. Sa conclusion : au lieu de résorber son retard sur les États-Unis, l'Europe perd encore davantage de terrain

1. Conseil européen des 23 et 24 mars 2000.

depuis le lancement de son agenda sur la compétitivité ! Quelques semaines avant de quitter son poste, Romano Prodi, le président de la Commission européenne, renchérissait en peu de mots : « La stratégie de Lisbonne est un échec cuisant. »

Cet échec ne constitue pas une surprise, et les fédéralistes tiennent là un argument en or. Un trop large recours au veto national a permis aux États membres de faire systématiquement obstacle au progrès, en dépit des efforts de la Commission. Impossible de recueillir l'unanimité sur tous les dossiers, ce qui signe l'échec de Lisbonne. Dans certains cas, malgré le besoin impérieux d'un regroupement des efforts, le réflexe national condamne la collectivité au surplace. Il suffit, pour s'en convaincre, de prendre l'exemple du brevet, cette arme mi-juridique, mi-scientifique, dont Américains et Japonais font un si large usage : après presque quinze années de débats, les pays membres de l'UE sont toujours incapables de convenir d'un brevet communautaire viable. Le rapport Kok a le mérite d'attaquer le problème de front ; il suggère tout simplement d'adopter le brevet européen « ou de l'abandonner » – et, dans la première hypothèse, de prendre la décision courageuse, quitte à froisser l'Allemagne et la France, de choisir l'anglais comme seule langue pour déposer les brevets communautaires.

Wim Kok ose aussi rappeler que l'objectif de Lisbonne était de consacrer à la recherche 3 % du PIB (c'est-à-dire de la richesse produite par un pays donné en un an). C'est peu dire qu'on en est très loin. Sans doute parce que les décideurs politiques ont du mal à saisir le lien entre ces dépenses et la hausse future de la productivité. C'est particulièrement vrai dans les pays où il existe une recherche pléthorique et onéreuse qui n'a pas toujours produit beaucoup d'innovations rentables. En espérant qu'il n'est pas trop tard, Kok recommande de lancer au printemps 2006 un plan d'action pour retenir dans l'Union ou attirer vers elle les chercheurs de classe mondiale, avec la création d'un Conseil de la recherche européenne.

Wim Kok n'hésite pas à lâcher ses coups. Il qualifie d'« erreur politique fatale » le fait d'avoir renoncé à parachever le marché intérieur. Il demande que toutes les directives applicables soient effectivement transposées par les États membres avant le printemps 2005, et qu'un état de la transposition soit établi publiquement pour chaque pays, « en commençant par le plus mauvais élève ». C'est que certains grands pays fondateurs sont particulièrement indisciplinés dans la mise en œuvre des directives ayant trait au marché intérieur. La France traîne les pieds encore plus que les autres. En fait, l'immense chantier de la compétitivité n'a jamais été ouvert sur l'ensemble de l'Union, seule dimension qui permette des économies d'échelle. Si, avec un certain nombre de pays voisins, nous décidions de créer une défense commune (seul moyen d'être efficace) et une recherche intégrée (le sida et le cancer sont les mêmes dans tous nos pays), défense et recherche communes financées par un impôt européen, nos budgets nationaux recouvreraient d'emblée par les économies d'échelle ainsi réalisées de nouvelles marges de manœuvre pour financer l'hôpital, le logement, la justice, l'éducation…

Créer une entreprise, l'acte fondateur de toute économie dynamique, n'est pas assez encouragé. Voici l'état des promesses faites : le fardeau administratif devait être l'objet d'une définition commune d'ici au printemps 2005 ; la Commission et les États doivent annoncer avant juillet 2005 comment le réduire ; l'objectif est d'aboutir à la fin de 2005 à une réduction drastique « du temps, de l'effort et du coût de la création d'entreprise ». C'est que le mode de pensée et la jungle des acquis sociaux ne créent pas un environnement favorable. Dans les pays du continent, la flexibilité du travail est souvent perçue comme un délit social, comme un affaiblissement des droits et protections des travailleurs, alors qu'il ne s'agit souvent que de souplesse, de faculté d'adaptation ainsi que d'aptitudes, la clef résidant dans la capacité des travailleurs à acquérir et renouveler constamment leurs compétences.

Le rapport Kok demande pour 2005 l'adoption de stratégies d'éducation tout au long de la vie, afin d'« augmenter le taux d'activité, réduire le chômage et permettre à la population de travailler plus longtemps ». Les États membres ont à charge de définir d'ici à 2006 « une stratégie globale active face au vieillissement ». Tous les acteurs de l'Union doivent encourager la diffusion des innovations écologiques en mettant en place, d'ici à la fin de 2006, des plans d'action pour « verdir » les marchés publics au profit des énergies renouvelables et des véhicules propres.

Il ne serait pas inutile que les gouvernements comptent un ministre chargé explicitement de coordonner l'action en faveur des gains de compétitivité. Dans un pays comme la France, certes peu d'hommes politiques se battraient pour ce portefeuille périlleux de « ministre de la Compétitivité ». Et pourtant, le temps presse ! Les cinq niveaux de référence européens adoptés par le Conseil Éducation en mai 2003 seront difficiles à atteindre d'ici à 2010 à travers toute l'Union. En particulier, le niveau d'instruction des Européens reste insuffisant : seulement 75 % des jeunes âgés de vingt-deux ans ont terminé un cycle d'enseignement secondaire ou supérieur (l'objectif est de parvenir à un taux de 85 % d'ici à 2010). La participation à l'éducation et à la formation tout au long de la vie demeure faible : moins de 10 % des adultes bénéficient d'un apprentissage permanent (l'objectif est d'atteindre 12,5 % d'ici à 2010). L'échec scolaire reste un fléau : un élève sur cinq quitte prématurément le système scolaire (l'objectif est de réduire ce taux de moitié). Enfin, la pénurie d'enseignants devient préoccupante : d'ici à 2015, du fait des départs en retraite, plus d'un million d'enseignants devront être recrutés.

Il n'y a en outre aucun signe d'une augmentation substantielle des investissements totaux (publics et privés) dans les ressources humaines. Au cours de la période 1995-2000, l'effort public a diminué dans la plupart des États membres, se situant aujourd'hui à 4,9 % du PIB de l'Union. Celle-ci souffre en particulier d'un investissement trop faible du secteur privé dans l'enseignement supérieur et la formation continue. Par rapport à l'Union, l'effort privé est cinq fois plus important aux États-Unis (2,2 % du PIB, contre 0,4 % de celui de l'UE) et trois fois plus au Japon (1,2 %). De surcroît, la dépense par étudiant est, aux États-Unis, supérieure à celle de la quasi-totalité des pays de l'Union pour tous les niveaux du système d'enseignement. C'est dans le supérieur que la différence est la plus grande : les États-Unis y dépensent entre deux et cinq fois plus par étudiant que les pays de l'Union. La persistance de ces faiblesses est d'autant plus inquiétante que les effets des investissements et des réformes sur les systèmes ne se font sentir qu'à moyen, voire long terme, alors que l'échéance de 2010, elle, se rapproche à grands pas.

L'introduction de l'euro en 1999 n'a pas eu l'effet escompté sur la puissance économique de l'Europe. En revanche, il s'agissait d'un acte profondément politique, puisque la monnaie n'est pas seulement une entité économique, mais symbolise aussi le pouvoir du souverain qui la garantit. La communautarisation de l'économie et de la monnaie a créé des rapports conflictuels entre le pouvoir monétaire et les structures politiques et démocratiques existantes. Or, sans celles-ci, l'Union sera un géant déséquilibré, otage plus que maître d'une grande monnaie.

Pour autant, faut-il en permanence comparer l'économie de l'Union européenne à celle des États-Unis ? La réponse est oui, même si l'exercice est rarement gratifiant, car les deux entités ont des points communs. D'une part, les deux systèmes ont beaucoup à apprendre l'un de l'autre. D'autre part, ce sont deux grands ensembles économiques présentant l'un et l'autre de vastes différences régionales. Les statistiques ne sont certes que ce qu'elles sont, mais il faut avoir le courage d'affronter les chiffres. En observant par exemple le PIB/tête, c'est-à-dire la richesse annuelle produite dans un pays divisée par sa population, on obtient une indication du niveau moyen de richesse du pays considéré. Dans une étude « EU versus USA » commandée par Timbro, un *think-tank* libéral de Stockholm, deux économistes suédois[1] se sont attelés à la comparaison entre les vingt-cinq pays membres de l'Union européenne et les cinquante États fédérés américains. Il en ressort que le PIB/tête dans la plupart des pays membres est plus faible que dans la plupart des États américains. L'Allemagne, la France et l'Italie ne dépassent que les cinq États américains les plus pauvres. Enfin, si la Suède était un État américain, elle serait assurément l'un des plus pauvres. En considérant les PIB/tête de 2001, l'Espagne, la Grèce et le Portugal sont plus pauvres que le Mississippi, un des États américains les plus déshérités. L'Allemagne et la France sont plus riches que l'Arkansas, mais nettement moins que le Kentucky. Aucun des quinze pays les plus riches de l'Union n'atteint 32 000 dollars, la moyenne américaine pour le PIB/tête.

1. Fredrik Bergström et Robert Gidehag, président et chef-économiste du Swedish Research Institute of Trade.

Il semblerait donc que les systèmes économiques qui mettent l'accent sur une répartition plus égalitaire et plus équitable connaissent des croissances moins rapides, car ils ne stimulent pas autant les facteurs de croissance. Pour mesurer le retard de croissance de l'Union, les deux chercheurs suédois ont calculé le temps qu'il faudrait aux pays membres de l'Union pour rattraper le PIB/tête des États-Unis dans l'hypothèse – absurde ! – où l'économie américaine resterait à son niveau de l'an 2000, les économies européennes progressant, elles, au rythme prévu par la Commission de Bruxelles. Le résultat est édifiant : pour rattraper une Amérique devenue immobile, l'Allemagne et l'Espagne devraient attendre 2015, la France 2012, l'Italie et la Suède 2022 ! Mais la Grande-Bretagne rejoindrait les États-Unis en 2009, et l'Irlande dès 2005.

Les leçons à tirer sont simples. D'abord, quand les revenus sont élevés et les impôts bas, la consommation privée est dynamique. Or c'est elle qui, dans un grand pays moderne, tire la croissance. Celle-ci, en retour, fabrique de la prospérité. Le système européen favorise l'expansion du politique, du fisc et du secteur public. C'est logique : plus les impôts sont élevés et le secteur public vaste, plus la sphère politique et la bureaucratie ont de pouvoir ; les acteurs privés, eux, ont moins de latitude pour exploiter leurs actifs et les faire fructifier. Le mal européen peut se résumer à ceci : la liberté économique et son verso – le risque économique – y sont insuffisants.

L'Europe n'était pas condamnée à devenir une machine à stagner. L'Histoire le montre. Au milieu du XIXe siècle, qu'il s'agisse du PIB/tête ou de la productivité[1], l'Europe se

1. La productivité représente schématiquement la quantité de richesse produite en moyenne en une heure de travail dans un pays donné.

situait au niveau des États-Unis. En 1950, ces deux indicateurs étaient deux fois plus faibles en Europe qu'aux États-Unis. Durant la seconde moitié du XXe siècle, il s'est produit une chose étrange : la productivité s'est mise à progresser plus vite en Europe qu'aux États-Unis entre 1950 et 1973, et de même entre 1973 et 2000, même si les États-Unis ont donné un formidable coup de reins entre 1995 et 2000. Et pourtant, c'est là que la richesse par tête a commencé à creuser son retard. Mystère ? Point du tout. Car, à partir de 1950, le nombre d'heures travaillées a commencé à baisser en Europe nettement plus vite qu'aux États-Unis. Le taux d'emploi relatif s'est effondré en Europe entre 1973 et 1992[1]. Les gouvernements européens ayant allongé la durée des congés payés, leurs ressortissants ont « choisi » de travailler moins, tandis que les Américains recevaient l'impulsion inverse ; compte tenu de la rémunération des heures supplémentaires, ceux-ci évoluent dans un univers professionnel régi par une équation simple : plus je travaille, plus je m'enrichis. Tout est là. Or cette équation a disparu dans des pans entiers de l'économie européenne, tout particulièrement en Allemagne et en France. Productivité forte et revenu disponible faible : le paradoxe européen est un aller simple vers l'appauvrissement.

Les avantages américains et leurs origines sont bien connus. Espace immense et vierge, l'Amérique a permis de réaliser d'emblée des économies d'échelle fabuleuses dans l'agriculture et l'industrie, alors que les frontières, les guerres, la multiplication à l'infini de minuscules exploitations agricoles ont coûté cher à la productivité européenne. La paix est aussi un accélérateur de croissance. Depuis la fin de la guerre

1. « Deux siècles de croissance : l'Europe à la poursuite des États-Unis », par Robert J. Gordon, de la Northwestern University (Illinois), dans la revue de l'OFCE, n° 84.

de Sécession, la paix règne entre les États fédérés et ils commercent entre eux de manière totalement libre depuis plus d'un siècle. À l'époque où la Sarre française et la Ruhr allemande se livraient une guerre sans merci, le minerai de fer du Minnesota se mêlait au charbon de Pennsylvanie et de Virginie-Occidentale pour prendre la direction des usines de l'Ohio. La recette actuelle de l'Union – le commerce et la paix – fonctionnait déjà à plein aux États-Unis il y a cent ans. Le système américain de production de masse, avec pièces détachées interchangeables et normes identiques, en place depuis les années 30, a également été un formidable vecteur d'efficacité. L'Europe des pièces détachées n'est pas encore vraiment en place en 2005...

Si la paix a profité au commerce intra-américain, les guerres mondiales ont aussi dopé l'économie des États-Unis. La Deuxième Guerre mondiale a été pour eux, et pour le train de vie des Américains[1], un formidable tremplin. Déjà, en 1929, ils produisaient huit fois plus de véhicules motorisés que l'Europe entière, ce qui leur a permis de fabriquer pendant la durée de la guerre jusqu'à 200 000 avions de combat et 100 000 tanks. L'armée russe a finalement écrasé l'armée allemande en charriant ses provisions sur quelque 250 000 camions américains fournis en prêt-bail, ce qui représentait moins de 10 % des camions produits aux États-Unis entre 1942 et 1945[2]. Même si elle n'avait pas été dévastée par cette guerre, l'Europe, politiquement morcelée et commercialement divisée, n'aurait pas été capable de ces prouesses. Depuis les années 50 et le lancement de la construction européenne, la Communauté a décloisonné à marches forcées, mais les gains obtenus ont

1. *Ibid.*
2. *Ibid.*

été rapidement neutralisés par une moindre quantité de travail et une plus grande rigidité du marché du travail. Les institutions européennes ont favorisé le travailleur quand les États-Unis favorisaient le consommateur.

Les arbres ne montent pas jusqu'au ciel naturellement. Au fil du temps, la mondialisation aidant, les avantages naturels des Américains se sont estompés. Chacun a gardé en mémoire les complexes que les États-Unis nourrissaient dans les années 80 à l'égard du Japon (pour son industrie automobile) et de l'Allemagne (pour ses robots industriels). La revanche de la « nouvelle économie » au cours de la décennie suivante a remis les pendules à l'heure. La réactivité et la capacité de rebond restent supérieures outre-Atlantique. En Europe, le ressort est moins tendu. Aujourd'hui, l'Union vit les conséquences de ses choix sociaux d'après-guerre, mais surtout elle souffre gravement, comme l'a rappelé Wim Kok, de l'inachèvement de son Marché unique. Des pays de la « ceinture de l'Olive » – l'Italie, la Grèce, l'Espagne et le Portugal – font encore montre d'une productivité insuffisante.

La question reste donc ouverte : comment l'Europe, sans renoncer à son système de solidarité, peut-elle acquérir de nouvelles réserves de puissance économique ? La réponse n'existe pas encore, mais le temps presse, car le modèle craque sous le poids de ses coûts. La preuve ? En Allemagne, les entreprises commencent à délocaliser leur production vers les pays d'Europe centrale, et la semaine de trente-cinq heures subit des assauts de plus en plus violents ; quant au déficit budgétaire, il pèse si lourd que le pays refuse absolument de consacrer plus d'argent à l'Europe.

2

Bruxelles contre les six pingres

En dépit de ce que pourrait laisser croire le débat nébuleux sur la Constitution, l'Europe n'est pas un pur esprit. Elle a besoin d'argent pour fonctionner, et la question de savoir exactement combien la déchire à intervalles réguliers. Et plus elle est nombreuse, plus elle se déchire.

Revenons au 13 septembre 2004. Ce jour-là, les ministres des Affaires étrangères des vingt-cinq pays membres se retrouvent après la pause de l'été, près de Maastricht, pour parler gros sous. Ils entament officieusement un exercice à très hauts risques politiques : le débat sur le futur cadre budgétaire pour la période comprise entre 2007 et 2013. Il faut décider de combien de milliards d'euros l'Union disposera pour fonctionner. Derrière le jargon se cachent une réalité fort simple et une question : l'Europe est-elle prête à consentir pour ses dix nouveaux membres les efforts colossaux – et très fructueux – qu'elle fit pour l'Espagne, l'Irlande et le Portugal ? En clair, en a-t-elle encore envie ?

Cette fois, le débat promet d'être encore plus vif que d'habitude, puisque les convives sont en plus grand nombre autour du gâteau. Il n'y a que quatre mois que la Grande Europe existe, et les tensions sont déjà aiguës entre deux camps : d'un côté, les grands anciens pays de l'Union, souvent écrasés par un déficit chronique qui asphyxie leur politique budgétaire, et qui veulent brider les dépenses ; de l'autre, les nouveaux pays membres, associés à quelques petits anciens, qui s'affolent à l'idée de manquer de ressources dans leur phase de rattrapage.

En cette fin d'été, les esprits sont déjà échauffés, car l'affrontement ne fait que reprendre. Il s'envenime depuis le mois de décembre 2003, quand six pays contributeurs nets[1] au budget de l'Union, dont l'Allemagne et la France, ont rendu publique une « lettre des Six » dont l'impérieux message peut se résumer comme suit : au diable la solidarité, serrons la vis aux dépenses budgétaires ! Ceux-là ne veulent pas que le « paquet budgétaire » pour 2007-2013 dépasse 1 % du PNB de l'Union, c'est-à-dire de la richesse produite par ses membres en un an.

Si les Six obtiennent satisfaction, cela signifie que l'enveloppe globale de l'Union ne dépassera pas 100 milliards d'euros en 2007. C'est loin de ce qu'attendaient les nouveaux pays membres. Mais la riposte va venir en février 2004. Romano Prodi, dont la fin de mandat approche, veut frapper un grand coup et fustiger la mesquinerie ambiante. Dans une communication intitulée *Construire notre avenir commun*, il suggère devant le Parlement européen de porter le budget de la future Union élargie à 150,2 milliards d'euros en 2013, soit environ 1,22 % du produit intérieur brut (PIB) de l'Union. Prodi, qui est dans son rôle, se moque donc ouvertement des Six. Le calcul est vite fait : dans ce cas, la hausse des dépenses serait de l'ordre de 36 % en sept ans. Sitôt porté aux affaires, José Manuel Barroso, le nouveau président de la Commis-

1. Ces pays qui versent à l'Union plus qu'ils n'en reçoivent sont la France, l'Allemagne, le Royaume-Uni, la Suède, les Pays-Bas et l'Autriche.

sion, a lui aussi donné le ton : « L'Europe ne peut pas avoir de grosses ambitions avec de petits moyens. »

Lorsque s'ouvre ce débat sur le budget de l'Union, chacun est fort conscient qu'il risque d'empoisonner la campagne sur la ratification de la Constitution. Les pays contributeurs nets sont bien décidés à obtenir un « juste retour » pour leurs années de générosité. Les ressources propres de l'Union (douanes, ressources en TVA et prélèvements agricoles) étant presque épuisées, ses recettes sont désormais assurées pour l'essentiel par les contributions directes des États calculées en fonction de leur PIB. Chaque état se sent pressuré et les demandes de compensations se sont multipliées depuis le fameux « chèque » obtenu par Londres en 1984.

Dans ce pugilat financier, certains pays ont du mal à choisir leur camp. L'Espagne, qui, alliée à Varsovie, revendique le statut de « grand » pays obtenu lors du sommet de Nice, se retrouve en concurrence avec la Pologne en matière d'aides communautaires. Avant l'élargissement, elle était d'ailleurs le pays qui engrangeait l'essentiel des fonds structurels d'aide aux régions en retard, avec 38 % du total ; elle figure également dans le trio de tête en matière de dépenses de politique agricole commune (PAC), derrière la France et l'Allemagne, ce qui place Madrid dans une position de négociation peu enviable. Les Espagnols savent qu'avec un PIB par tête équivalent à 40 % de la moyenne communautaire, et avec 18 millions d'agriculteurs officiels, ce sont maintenant les Polonais qui vont les remplacer comme grands bénéficiaires des transferts communautaires. L'Espagne va devoir choisir entre être un « grand » pays et mendier des subsides à Bruxelles.

Si la « lettre des Six » adopte un ton comminatoire, ses rodomontades dissimulent mal une série d'échecs pour les ténors économiques de l'Union. L'Europe semble incapable de sortir de l'ornière de la « croissance molle ». Le chômage de masse provoqué par une politique monétaire et budgétaire restrictive a gonflé les dépenses et réduit les recettes saines, c'est-à-dire celles qui sont adossées à des emplois qualifiés et correctement rémunérés. Comment se montrer grands seigneurs avec les nouveaux pays de l'Union alors que des coupes sévères sont prévues dans la protection sociale des fameux six signataires ? Les déficits continuent de se creuser et le pacte de stabilité a déjà pratiquement volé en éclats. Les Six ne font d'ailleurs pas mystère de l'impasse dans laquelle ils se débattent : « Compte tenu des efforts exigeants de consolidation déployés dans les États membres, nos concitoyens ne comprendraient pas que le budget communautaire soit exempté de ce processus de rigueur. »

Cependant, les Six ne peuvent faire semblant d'ignorer qu'en serrant les cordons de la bourse, ils prennent le risque d'engager la construction européenne sur une voie de garage. Dans ce cas, en effet, les fonds manqueront pour aider les régions en difficulté et la tentation sera forte d'aider d'abord les régions à gros potentiel au détriment des plus pauvres. Si l'argent communautaire vient à faire défaut, l'Union n'aura d'autre issue que de procéder à la renationalisation de certaines politiques communautaires, chaque pays faisant à nouveau sur son territoire comme bon lui semble. Ce serait tout simplement de la « déconstruction européenne » et la glissade vers un autre modèle, celui d'une « Europe-espace » alignée sur l'idée britannique d'un vaste marché de libre-échange. À cet égard, la politique agricole commune (PAC) a servi de laboratoire européen de la réforme : la dernière en date découple les aides directes aux agriculteurs de leurs choix de cultures et de leurs quantités produites, et transforme l'activité agricole en une sorte de rente foncière sur fond de concentration des exploitations. Les budgets nationaux suffiront à la mettre en œuvre…

Pour la période 2007-2013, les desiderata budgétaires de la Commission sont connus. La majorité des dépenses concernera encore la politique agricole commune, mais celle-ci s'intégrera dans un ensemble plus large dénommé « politique de conservation et de gestion des ressources naturelles » (400 milliards d'euros sur sept ans). La Commission entend aussi relever le défi de l'adhésion de douze pays moins riches en leur octroyant des aides régionales comme celles qui permirent jadis à l'Espagne de « décoller ». Cette politique régionale deviendra progressivement la première politique de l'Union (49 milliards en 2013) et absorbera, sur la période, un tiers du budget. En matière de compétitivité et d'emploi, le budget annuel devrait tripler d'ici à 2013 (24 milliards d'euros). Trois fois plus d'argent est également prévu pour la politique de sécurité et de justice (3 milliards d'euros en 2013), afin notamment de lutter contre l'immigration illégale.

Bruxelles contre les Six : qui gagnera le match financier ? Il ne fait que débuter et les négociations se prolongeront sans doute jusqu'en 2006, date limite pour l'approbation du budget 2007-2013. La Commission pourra peut-être tirer profit du désaccord entre les États les plus riches sur les économies à réaliser. Car le front constitué par les Six n'est pas infrangible. Les grands contributeurs ont des priorités divergentes : l'Allemagne est attachée à la politique régionale ; la France ne lâchera pas les aides agricoles ; quant aux Pays-Bas et à la Grande-Bretagne, ils insistent sur la compétitivité et la recherche.

Dans l'affrontement sur le budget de l'Europe, un aspect essentiel est souvent passé sous silence : quel sera le véritable coût de l'élargissement dans le budget communautaire ? C'est un des grands mystères des années 2000. Jusque-là, les données connues ne portaient que sur les seules années 2004 à 2006 : 40,8 milliards d'euros de crédits d'engagement (aux prix de 1999) sur trois ans ont été décidés au Conseil européen de

Copenhague en décembre 2002. Compte tenu des contributions des nouveaux États membres et du rythme effectif des dépenses réalisées sur place (les crédits de paiement), le coût net sera de l'ordre de 28 milliards, soit entre 8 et 10 milliards par an. Une dépense globalement raisonnable, inférieure à 10 % du budget communautaire et accessible aux Quinze, quand on la compare au coût de la politique agricole commune (43 milliards), ou même au déficit de l'assurance-maladie en France, et quand on pense aux sommes englouties par l'Allemagne pour tenter de remettre à niveau la partie orientale de son territoire.

Il y a fort à parier que le coût réel de l'élargissement ne sera connu qu'*a posteriori*. Les dépenses concernant les nouveaux adhérents sont, en effet, fortement croissantes avec le temps. L'après-2007 est encore soigneusement occulté. Seule une petite partie de l'évolution est connue. Le Conseil européen de Bruxelles de juillet 2002 a programmé, année après année, l'évolution des dépenses agricoles (avec une augmentation des aides directes au revenu, par paliers de 5 %, puis 10 % par an). En revanche, la plus grande incertitude règne sur les « dépenses de cohésion », principal poste de dépenses pour les futurs membres. Le niveau de vie des nouveaux entrants étant de moitié inférieur à la moyenne communautaire, ils ont vocation à bénéficier pleinement de ces aides. Oui, mais pour quel montant ?

Le troisième rapport sur la cohésion publié par la Commission donne des indications sur le partage des crédits entre anciens et nouveaux États membres (NEM). En 2013, les NEM devraient bénéficier de 52 % de l'ensemble des crédits de cohésion, soit 29 milliards d'euros. Certes, l'évaluation est calculée sur l'hypothèse optimiste de croissance du budget avancée par la Commission (1,24 % du PNB en 2013). Mais, même dans l'hypothèse plus rigoureuse défendue par les Six (un budget stabilisé à 1 % du

PNB), le montant des dépenses pour les nouveaux États ne devrait guère être différent dans la mesure où il est vraisemblable que ce montant sera préservé et que les économies porteront sur d'autres postes.

On peut donc chiffrer approximativement l'élargissement en y insérant l'adhésion, programmée pour 2007, de la Bulgarie et de la Roumanie. L'estimation la plus raisonnable fixe les dépenses qui lui sont liées à un montant compris entre 29 et 44 milliards d'euros par an entre 2007 et 2013. À partir de 2010, les nouveaux États membres absorberont plus du quart du budget communautaire total. Compte tenu des contributions qu'eux aussi verseront au budget, le coût net peut être estimé à 31 milliards d'euros en 2013. À l'aune des règles actuelles, la France supportera 20 % de ce coût, soit 6,2 milliards d'euros.

Les pays membres, nous l'avons déjà signalé, conserveront la haute main en matière budgétaire. C'est en tout cas l'option choisie par le traité constitutionnel. À la demande en particulier des Pays-Bas, la règle de l'unanimité continuera de s'appliquer à la définition de ce budget pluriannuel, alors que le projet de la convention prévoyait le passage à la règle de la majorité qualifiée dès le terme du premier budget faisant suite à l'entrée en vigueur de la Constitution. Cela signifie que chaque État membre continuera de disposer d'un droit de veto dans la définition et la fixation de sa contribution au budget de l'Union européenne – ce qui, au passage, interdira de remettre en cause le « chèque » britannique qui permet au Royaume-Uni de bénéficier, depuis 1982, d'un « rabais » sur sa propre contribution. Naturellement, comme en d'autres domaines, il est prévu une « clause passerelle » permettant le passage de la règle de l'unanimité à celle de la majorité qualifiée, mais bien des années, voire des décennies s'écouleront avant qu'on puisse imaginer s'en servir.

3

Quand l'Union lèvera l'impôt européen

L'Europe n'est pas si populaire qu'elle puisse se permettre par surcroît de lever l'impôt ; c'est pourtant ce qui nous attend et ce n'est pas forcément une mauvaise nouvelle, à condition bien sûr que le total des impôts que paie chaque Européen n'augmente pas !

Rien de moins transparent que les moyens que l'Union utilise aujourd'hui pour se financer. Si le Parlement est amené à jouer un rôle croissant, alors il doit pouvoir veiller sur les ressources propres à l'Union. « *No taxation without representation* », disent les Anglais ; l'inverse devrait être tout aussi vrai. Le Parlement européen veut[1] « garantir l'indépendance financière de l'UE à l'égard des contributions nationales soumises aux décisions des parlements nationaux », ce qui est limpide, et « assurer le financement de toutes les actions incombant à l'Union sans pour autant grever davantage le contribuable européen », ce qui ressemble fort à un vœu pieux. Inversement, renoncer à l'impôt européen reviendrait à renoncer pour l'Europe à l'une des manifestations les plus éclatantes de la souverai-

1. Résolution 2004/0337.

neté. Si l'Europe existe, elle doit pouvoir lever l'impôt. Les plus déterminés d'entre les fédéralistes proposent même de lever un impôt européen sur le revenu pour tout un chacun. Le meilleur moyen d'établir un lien solide entre les citoyens et la construction européenne est d'associer ces citoyens au système de financement de l'Union en créant une ressource propre qui serait alimentée par un impôt direct fondé sur le revenu des personnes, indépendamment de leur nationalité. Un impôt européen couplé à une baisse des impôts nationaux : tel serait l'aboutissement logique, qu'on l'aime ou non, de la construction européenne.

L'Union est aujourd'hui financée par un système de contributions complexe et peu clair, mal contrôlé par les parlements nationaux. Le financement reposait en 2004 sur un panachage de prélèvements agricoles (1 %), de droits de douane (10 %), de part de TVA (14 %), de points de PNB (74 %) et de recettes diverses (1 %). Dans cet ensemble, les droits de douane, qui représentent par excellence une ressource propre à l'Union, puisqu'ils résultent du tarif extérieur commun (même s'ils sont matériellement perçus par les États), sont en réduction constante : c'est la conséquence d'une politique européenne qui, au cours des cycles successifs de négociations internationales au sein du GATT puis de l'Organisation mondiale du commerce (OMC), a peu à peu renoncé à la protection des tarifs douaniers. De même, la part de la « ressource TVA » est en diminution dans la mesure où les États ont réduit son taux d'appel, estimant qu'elle reflète assez mal les capacités contributives des différentes économies. En contrepartie, la ressource complémentaire calculée en pourcentage des PNB a mécaniquement élargi sa place. Le prélèvement annuel effectué par l'Union européenne sur le budget national apparaît mal contrôlé : le vote du parlement français n'est qu'« indicatif » ; députés et sénateurs ne jouissent d'aucun pouvoir d'amendement, sous prétexte que la contribution résulte de perspectives financières établies tous les sept ans. En clair, le payeur n'a pas son mot à dire. Est-ce bien démocratique ? En outre, ce prélèvement communautaire n'est pas inscrit parmi les dépenses budgétaires françaises, comme le serait une « cotisation » à l'Union, mais figure en soustraction des recettes comme une part d'impôt reversée directement à l'Union. Le parfum fédéraliste de la méthode en inquiète plus d'un.

Pourtant, même les plus « fédéralistes » parmi les Européens n'apprécient pas cette évolution, car, à leurs yeux, la ressource PNB ressemble par trop à une « cotisation » des nations. Ils préféreraient de loin l'impôt européen pour alimenter le futur État fédéral. Cet impôt serait décidé par Bruxelles, validé par le Parlement européen et levé directement sur les citoyens. Le député Pierre Lequiller, représentant de l'Assemblée nationale française à la convention, l'avait réclamé : « Il n'y aura pas de puissance politique si, après l'euro, nous n'avons pas d'autres sauts conceptuels, tels que l'impôt européen[1]. »

À Bruxelles, les idées fusent sur ce que pourrait être un tel impôt : TVA européenne perçue directement sur les factures, impôt européen sur les sociétés, impôt européen sur le revenu, taxe européenne sur le CO_2, droit d'accise européen sur le tabac, l'alcool et les huiles minérales, taxation européenne des services de communication, retenue à la source sur les intérêts, impôt sur le seigneuriage de la Banque centrale européenne… Il serait bien entendu que cette contribution, partie intégrante de l'imposition nationale sur les revenus du travail et du capital, ne devrait pas entraîner une augmentation de la charge imposable globale. Il s'agit ici de baisser l'impôt national du montant versé à l'Europe et de substituer à cette part un impôt européen. Chaque citoyen devrait clairement savoir combien

1. Débat du 4 avril 2003 à la convention.

il paie pour l'Europe, de même qu'il sait déjà combien il verse à l'État français ou à la commune où il réside. Chacun contribuerait en fonction de ses revenus. L'interminable débat sur le bien-fondé et le niveau des contributions nationales, sur qui doit payer plus et qui doit payer moins, prendrait fin. L'Union reviendrait aux principes de la Communauté dotée de ressources propres et autonomes.

Il semble évident que l'impôt européen permettrait une meilleure perception du rôle de l'Union européenne par le citoyen-contribuable. En outre, il existe de bonnes raisons macroéconomiques de l'instituer. Aux États-Unis, les impôts fédéraux prélevés par Washington représentent 60 % des recettes fiscales, alors que ceux prélevés par les États fédérés (Texas, Arkansas, etc.) et les communes n'en représentent que 40 %. Cette répartition des prélèvements limite fortement le risque de concurrence fiscale entre États. En Europe, au contraire, la totalité des impôts est prélevée au niveau des États ou des collectivités locales, car il n'existe pas d'impôt européen. Sa création et l'harmonisation « vers le haut » des impôts nationaux deviennent une priorité – au moins du point de vue des Français et des Allemands, qui pratiquent des taux d'imposition élevés. Cet impôt européen pourrait notamment servir à financer quatre priorités : la recherche, la défense, la réussite de l'élargissement et l'aide au développement.

Pour les souverainistes, l'impôt européen constitue naturellement un formidable épouvantail, l'instrument de domination par excellence entre les mains du super-État. Ils refusent toute idée d'impôt européen à la fois parce qu'il serait l'instrument d'un État supranational et parce qu'il ouvrirait la porte à de nouvelles augmentations des prélèvements obligatoires. Ils veulent en rester au niveau le moins fédéral possible, c'est-à-dire au système dans lequel chaque État envoie sa contribution.

L'Europe pourrait aussi taxer les profits des entreprises. L'idée est généralement perçue comme « de gauche ». La Commission souligne qu'un tel impôt ferait progresser l'intégration dans le contexte du Marché unique, et pourrait aider à réduire la charge de la fiscalité qui pèse sur le travail, contribuant ainsi à accroître les résultats en matière d'emploi. Cette instauration d'un impôt européen sur les sociétés, on en parle depuis la fin des années 70 ; le Parlement européen a même pondu sur le sujet un document qui fait autorité, le rapport Colom I Naval[1] de 1990. Ce dernier rappelle que, « dans la plupart des systèmes fédéraux du monde, soit les impôts sur les sociétés sont partagés entre les niveaux fédéral et national, soit les deux niveaux imposent des taxes concurrentes ». Dans le système actuel, une partie de l'impôt sur les sociétés est en pratique payée par les consommateurs sous la forme d'une augmentation des prix, et parfois par les travailleurs sous la forme d'une baisse des salaires. Si consommateurs et travailleurs résident dans un pays autre que celui qui prélève l'impôt, les recettes fiscales bénéficient aux autorités fiscales d'un pays différent de celui où la taxe est effectivement payée. Est-ce souhaitable ? De même, si certains actionnaires résident dans un pays autre que celui où la société est taxée, ce sont les citoyens d'un autre pays qui paieront la taxe. Curieux, non ? Toujours dans la même veine, il est indéniable que l'administration d'un impôt sur les sociétés devient plus problématique au niveau national lorsque les sociétés effectuent une appréciable quantité d'opérations en d'autres pays.

1. Du nom de l'eurodéputé Joan Colom I Naval.

Les différences entre les systèmes appliqués par les États membres en matière d'impôt sur les sociétés nuisent à l'efficacité économique. La diversité des taux d'imposition perturbe la répartition des ressources au sein de l'Union. Pour résoudre ces divers problèmes, il faut un minimum d'harmonisation. L'instauration d'un impôt sur les sociétés à l'échelon européen présenterait l'avantage d'engendrer des recettes considérables, suffisant largement à couvrir les actuels engagements de dépenses. Le rapport Colom I Naval estimait pour sa part que l'attribution de 64 % des revenus de l'impôt sur les sociétés à l'Union européenne (soit environ la proportion allouée à l'échelon supérieur des États fédéraux de l'OCDE) permettrait de doubler les ressources de l'Union.

Tout le monde n'est pas aussi enthousiaste. Indépendamment des difficultés techniques liées à l'absence de base harmonisée entre les États, le défaut de visibilité d'un tel impôt éventuel ne laisserait pas d'inquiéter dans la mesure où il serait perçu comme ne frappant que les propriétaires d'entreprises, alors que, dans les faits, il pèserait au moins en partie sur les consommateurs et les salariés. Ce ne serait pas un impôt assez transparent, et il prêterait le flanc à toutes les attaques politiques possibles. En outre, ce prélèvement serait extrêmement dépendant de la conjoncture économique, ce qui imprimerait de violentes fluctuations aux recettes de l'Union. Voilà pourquoi la direction générale de la recherche du Parlement européen reste, sur le sujet, plutôt sceptique.

QUATRIÈME PARTIE

L'EUROPE, PUISSANCE DANS LE MONDE

« L'Europe deviendra-t-elle ce qu'elle est en réalité, c'est-à-dire un petit cap du continent asiatique ? »

Paul VALÉRY,
Variétés, « La Crise de l'esprit », 1919.

1

Le cauchemar de l'Europe sans fin

En décembre 2001, quand les premiers billets en euros commencent à circuler, obligeamment fournis par la Banque centrale européenne, ce qui n'était jusque-là qu'une inquiétude diffuse devient certitude. Il suffit d'examiner avec un peu d'attention les nouvelles coupures pour comprendre : l'Europe n'existe pas. La carte géographique qui figure sur chaque billet possède, à gauche, le contour sinueux que tout Européen a bien en tête, de la Bretagne au Portugal, avec la courbe ronde des Pays-Bas ; mais, à droite, vers l'est, cette carte se dissout dans un brouillard inquiétant. Bref, chacun des presque 150 millions de citoyens de la zone euro transporte dans sa poche la preuve de l'inexistence de l'Europe : l'Union européenne ne possède aucune frontière orientale.

À la même époque, le monde entier partage ce constat. À Pékin, par exemple, où une exposition sur les futurs billets européens attire une foule curieuse non loin de la place Tien An Men – les Chinois ont une passion pour les empires naissants –, les visiteurs, pour la plupart des fonctionnaires des grands ministères, se montrent les billets d'un air amusé. En Chine, on sait bien qu'une monnaie n'a de sens que si elle est adossée à un pays dirigé par un gouvernement qui contrôle un territoire.

Voilà l'une de ces idées simples qui n'ont plus cours en Europe. Chez nous, on commence par créer une monnaie, le reste suivra. Ou bien ne suivra pas. Est-ce vraiment un problème ?

C'est un problème capital. Aux termes de l'article 49 du traité sur l'Union, qui reprend mot pour mot l'article 237 du traité de Rome, « tout État européen peut demander à devenir membre » de l'Union sous réserve de respecter les principes énoncés à l'article 6 (démocratie, droits de l'homme…). Bien que la reconnaissance de son statut de « candidat » ne préjuge en rien de l'admission d'un pays, la définition des membres potentiels de l'Union selon l'article 49 présuppose que l'on ait défini ce qu'est un « État européen ». Or, rien dans le traité ne permet de dresser la liste des « États européens » admissibles. Ce flou dans la définition des frontières de l'Union n'a jamais fait l'objet d'un débat jusqu'à l'automne 2004, quand on s'est mis à parler de l'entrée de la Turquie. Cette lacune, dont on sait qu'elle correspond à une volonté des gouvernements des États membres, a un effet anxiogène sur les opinions publiques européennes et contribue à nourrir le sentiment anti-européen. L'absence de contours de l'Europe risque tout simplement de dresser les Européens contre elle. L'Europe sans fin fait peur. Elle a déjà dit un « oui » plus ou moins ferme à trente-trois pays, et nous nous demandons tous : jusqu'où ?

Quels critères utiliser pour s'offrir la possibilité de dire un jour : stop ! L'Europe ne cesse de s'étendre et les Européens en ont le tournis. Le critère à retenir doit permettre de limiter l'Union à une taille « gouvernable » et de lui conserver un caractère point trop hétérogène. Le plus simple aurait été le critère géographique : le Bosphore, la Méditerranée, l'Atlantique sont des frontières naturelles dont les prolongements politiques peuvent être aisément justifiés. En acceptant de classer la Turquie parmi les pays candidats à l'adhésion, le Conseil européen de décembre 1999 à Helsinki a renoncé à ce critère pratique et objectif, compromettant sans doute à jamais la fixation de frontières ultimes pour l'Union.

L'Europe possède en 2005 vingt-cinq membres. La Bulgarie et la Roumanie adhéreront en 2007. Dans les mois qui ont suivi le sommet d'Helsinki, plusieurs autres pays ont donné des signes d'intérêt. La Moldavie et l'Ukraine sont devenues candidates à la candidature. L'hypothèse ukrainienne est particulièrement instructive, car elle fait à maints égards penser à la candidature de la Turquie. De fortes pressions américaines pourraient s'exercer sur l'Union pour y intégrer ce pays. Puisque Washington a intérêt à affaiblir la Russie, attirer l'Ukraine et la Biélorussie dans le giron européen, voire au sein de l'OTAN, serait un beau coup. La Moldavie offre elle aussi un profil intéressant. Les Moldaves, qui ne sont pas encore candidats à l'Union au début de 2005, présentent une particularité : étant aux deux tiers originaires de Roumanie, ils peuvent obtenir un passeport roumain et la double nationalité, ce qui leur ouvrira mécaniquement le droit, en 2007, à un passeport européen. L'élargissement automatisé, en somme !

La Russie, redevenue une grande puissance respectée pour ses armes nucléaires et ses réserves de pétrole, assure ne pas être intéressée, mais à chaque sommet russo-européen, le président Poutine est heureux d'exhiber à ses partenaires des sondages selon lesquels une forte majorité de ses compatriotes verraient favorablement un rapprochement avec l'Union européenne[1]. Il convient de rester sur ses gardes, car

1. Alain Lamassoure, *Le Figaro*, 6 octobre 2004.

la réalité russe peut être fort différente : un autre sondage réalisé en 2000 révélait qu'aux yeux de 55 % des Russes la tâche historique de leur pays était, pour l'heure, de reconstituer un empire ; seuls 20 % considéraient la Russie comme un pays européen, tandis que 51 % l'estimaient asiatique autant qu'européenne[1].

N'oublions pas des pays bien plus proches et qui, étrangement, ne font pas encore partie de l'Union. La Norvège a déjà rejeté par deux fois l'idée d'une adhésion. La Suisse n'est toujours pas disposée à être candidate. Les cinq pays des Balkans occidentaux – quatre issus de l'ex-Yougoslavie, plus l'Albanie – ont naturellement vocation à adhérer. La promesse leur en a été faite au sommet de Zagreb en 2000. La Croatie est de loin la plus avancée. Restera à trancher la question de savoir si la Serbie, le Kosovo et le Monténégro forment un seul et même pays. La Macédoine et l'Albanie attendent leur heure. Le dossier des Balkans sera l'un des plus épineux des prochaines décennies.

La Géorgie a signalé son intention. D'autres républiques du Caucase pourraient suivre. Et ce n'est pas fini : à plusieurs reprises, de grandes voix israéliennes, relayées au Parlement européen, ont suggéré qu'une perspective d'adhésion, vers 2010, des deux États jumeaux israélien et palestinien aiderait à la reprise du processus de paix. Le roi Mohammed VI a annoncé qu'il poserait la candidature du Maroc dès que serait réalisé le tunnel sous Gibraltar. Or qui, en Europe, et particulièrement en France, oserait dire que les Marocains, les Arméniens, les Israéliens ou les Russes sont moins européens que les Turcs ? Malheureusement, tous les arguments qui ont conduit à ouvrir des négociations avec la Turquie

---

1. Françoise Thom, conférence du 11 décembre 2003 au profit du trinôme Éducation nationale-Défense de l'Académie de Paris.

peuvent s'appliquer sans difficulté à ces pays-là – et avec sans doute encore plus de justifications.

L'Europe n'aura donc aucune frontière ? Ceux que Jean-Pierre Chevènement appelle volontiers les « anarchistes mercantilistes », comme les Britanniques, s'y feront sans difficulté. Une vaste zone de libre-échange n'aurait en vérité, selon eux, aucune raison valable de se limiter géographiquement. L'Europe s'étendrait alors aussi loin que possible, par une sorte de contamination de la prospérité et de la démocratie. Ce type d'expansion ne saurait pour eux s'arrêter : si le club européen se ferme et se replie sur lui-même, alors c'est l'idée d'Europe qui s'étiolera. Élargir, oui ; approfondir, non ! Ces « marchands » prennent volontiers des accents idéalistes, voire messianiques. Ils transcendent le concept géographique d'Europe pour lui substituer une dynamique quasi philosophique et très mercantile. Pour des pays comme les Pays-Bas, le Danemark ou la Suède, l'Europe doit mener une bienveillante croisade qui promeut la paix sans l'imposer. L'Europe est une idée forte, et n'a donc pas besoin de puissance. C'est la rencontre d'un espace et d'un projet démocratique. Peuvent y prétendre tous ceux qui participent pleinement de ce projet, sans aucune exclusive. La « vieille » Europe – tout comme la « jeune », au demeurant – a connu trop de guerres et d'atrocités au cours de son histoire pour penser autrement. À la conquête par les armes, elle préfère la paix par la cooptation.

Si elle continue, l'Union ira donc un jour bien au-delà de l'Europe. Est-ce une erreur ? La question ayant mille ans d'âge, il existe heureusement quelques pistes de réflexion. La limite socio-religieuse de 1054 entre Europe occidentale et centrale, de confession catholique, et Europe orientale, de confession orthodoxe, est par exemple une réalité historique incontournable, mais figer cette limite culturelle reviendrait à adopter l'idée que l'Europe est un « club papiste » – idée qu'à l'évidence l'Histoire a bousculée depuis longtemps, bien avant la querelle sur l'entrée de la Turquie au sein de l'Union. Cette affaire de frontières est si difficile à démêler que les géographes ne sont pas forcément les mieux armés pour la trancher. C'est en tout cas l'argument des dirigeants politiques, qui veulent à tout prix éviter que des « techniciens » ne prennent le contrôle du débat.

L'Europe peut aussi s'envisager comme une dynamique de diffusion des idées, une « translation » du progrès, même si ces allégories optimistes sont à double tranchant. La chrétienté a joué un rôle capital dans la création de l'Europe du Moyen Age. À l'époque, est européen celui ou celle qui a épousé la religion catholique et habite à l'intérieur des frontières du catholicisme latin. D'une certaine manière, le premier nom de l'Europe est précisément « chrétienté ». À cette époque, ce que nous appelons aujourd'hui « élargissement » s'opère par la conversion musclée. Les historiens font en général remonter à 1385 la dernière conversion de ce type. Elle concerne la Lituanie, qui recouvrait alors une bonne partie de la Russie occidentale, et se termine par un mariage avec la fille du roi de Pologne, puis par des baptêmes de masse à travers toute la région. En ce temps-là, pour entrer dans l'Europe, il faut adhérer à la religion catholique romaine, dont l'institution dominante est un peu l'ONU ou la Commission européenne d'alors[1].

Cette dynamique a des bornes connues : le royaume de Polono-Lituanie, et cette limite s'incarne visuellement par l'art gothique. La frontière orientale de l'Europe peut alors se lire comme la ligne qui réunit les dernières églises gothiques. Cette ligne borde la Finlande, les pays baltes, la

1. Alain Besançon, « Les frontières de l'Europe », *Commentaires,* n° 105, printemps 2004.

Pologne, la Hongrie, la Croatie, la Slovénie. Exactement, en somme, la frontière de l'Europe à vingt-cinq née le 1er mai 2004. Au-delà commencent l'art byzantin et l'art musulman[1]. Ces réalités ne doivent pas forcément devenir des dogmes, mais il faut savoir que si seuls les historiens sont capables de les formuler avec exactitude, elles sont partagées par tous sous la forme d'une intuition collective. En dépit du matraquage technocratique bien-pensant, chaque Européen ressent ainsi instinctivement l'Europe. Ces balises historiques, il les ignore, mais elles vivent en lui. Les outrepasser ne se fera pas sans risques. Alors, jusqu'où ?

Pierre Moscovici, à l'époque où il était ministre délégué aux Affaires européennes, avait réussi à compliquer encore un peu plus le débat en affirmant : « C'est l'espace politique de l'Europe qui détermine ses frontières. » Fort bien, mais la formule, appliquée aux États-Unis, leur offrirait le monde entier comme territoire !

La Turquie en sera, c'est écrit, et son entrée fera voler en éclats la limite intuitive que nous venons d'évoquer. N'oublions pas, en effet, que les futures frontières externes de l'Union auront une double fonction : d'abord, de contrôle migratoire ; ensuite, de barrière de sécurité. C'est le cas, aujourd'hui, des frontières orientales de la Pologne ou de la Hongrie. Nul doute que, dans un premier temps, certains États y puiseront des avantages comparatifs réels (au-delà même de la sécurité), y compris pour attirer les investissements et mener leur propre politique extérieure, par exemple en direction de l'ancien glacis soviétique.

Le calcul est rapide : trente-trois pays peuvent prétendre, avec de très bonnes chances de succès, faire partie de l'Union européenne dans les vingt ans à venir. Si l'affaire s'arrêtait là,

1. *Ibid.*

elle ne requerrait pas toute cette attention. Mais voilà : elle ne s'arrête pas là, car, une fois étudié comment l'Europe se perçoit de l'intérieur, impossible d'éluder l'envers du décor. Vue de l'extérieur, a-t-elle des limites ?

Quels que soient les critères politiques, historiques et géographiques utilisés, ils ne peuvent rien contre une idée d'Europe qui s'est répandue au fil des siècles dans toute la périphérie de ce noyau d'Europe. Aujourd'hui comme jadis, l'Europe, cette vieille idée qui s'appelle à présent Union européenne, est perçue de l'extérieur comme un foyer de modernisation, le lieu d'une Renaissance – ou d'une période des Lumières, si l'on préfère – dont les avancées se diffusent irrémédiablement d'ouest en est. En se projetant dans un lointain avenir, imaginons ce rayonnement qui atteint la Turquie vers 2020 et poursuit sa route vers le nord-est, en contournant le Moyen-Orient. Ou, qui sait, comme le promettent les plus chauds partisans de l'adhésion de la Turquie, en pénétrant même le Moyen-Orient de par l'entregent turc ? Là réside le « rêve européen », qui a malheureusement des allures de fuite en avant : je m'étends, donc je suis. Dans cette optique, l'absence de frontière constitue une chance.

Siècle après siècle, l'Europe n'a jamais ressenti le besoin – bien au contraire – de se fixer des limites définitives. Dans sa version moderne, elle ne veut retenir aujourd'hui que deux critères d'appartenance : la démocratie et l'économie de marché. L'Europe, ce pourrait donc à ce compte être un jour le monde entier : même les États-Unis seraient qualifiés ! Au début de leur histoire mythique, ceux-ci n'avaient pas non plus de bornes, mais la motivation des immigrants était la même pour tous, et la « frontière », dans son acception mouvante, était devenue le symbole même de l'aventure nationale. Si l'on cherche à définir l'Europe à la manière du serment constitutionnel qui fonde l'appartenance à la nation américaine, l'Européen serait alors tout simplement celui qui se définit lui-même comme européen. Tout pays dont la population (et non pas seulement le gouvernement) se sent européenne doit dès lors pouvoir en faire partie. Sans oublier que, afin de créer un ensemble homogène, l'Européen doit être reconnu comme tel par les autres, et non pas seulement par les gouvernements, mais aussi par les citoyens. Un pays comme la Turquie ne réussira son entrée que s'il est jugé européen à part entière par la population de l'Union.

À partir de quand l'élargissement devient-il étirement ? À partir de quand vire-t-il à l'écartèlement ? En décembre 1999, lors du Conseil européen d'Helsinki, le Premier ministre turc de l'époque n'avait pas hésité à imaginer une Europe qui s'étendrait jusqu'à… l'Azerbaïdjan ! L'Azerbaïdjan, la Géorgie et l'Arménie, trois pays du Caucase méridional, voisins ou proches de la Turquie, seront-ils membres ou bien feront-ils les frais de la future « politique de voisinage » ? Les Arméniens, par exemple, envisagent avec effroi que la Turquie puisse être admise dans l'Union sans que soit exigée d'elle une reconnaissance du génocide dont ils furent victimes il y a un siècle. Le Caucase dispose d'un argument solide : pourquoi l'Union, dotée de frontières avec des pays du Moyen-Orient comme la Syrie, l'Irak et l'Iran, rejetterait-elle les Kurdes et les autres peuples turcophones d'Asie centrale ? Au nom de quoi ? Étant sans véritable projet, l'Europe est condamnée à dire oui. Seule limite concevable : sa propre survie. Bloc porteur d'une ambition politique et économique mondiale, elle ne peut pas, *a priori*, admettre comme membres des pays eux-mêmes à vocation globale – ce qui semble aller contre l'adhésion de la Russie. Elle ne doit pas non plus admettre des pays sujets à des troubles ou à des risques de troubles géopolitiques importants – ce qui aurait dû inciter à recaler la Turquie et ce qui disqualifie Israël.

La question des frontières de l'Europe n'est pas seulement un jeu pour intellectuels en chambre. La réponse aura des implications stratégiques majeures, principalement avec ses plus proches voisins. Tout pays « frontalier » se sentira plus en sécurité si son voisin a la perspective d'entrer dans l'Union. C'est d'ailleurs ce que répètent à l'envi les partisans de l'adhésion de la Turquie.

2

Le faux pas de la marche turque

La recette des feuilletons brésiliens est éprouvée : les rebondissements sont sans fin, des acteurs imprévus surgissent à tout instant, et l'émotion coule à flots. Mais, au bout du compte, tout le monde connaît le dénouement à l'avance. Voilà exactement l'impression qu'offre le faux débat sur l'entrée de la Turquie dans l'Union européenne. Ouvrira, ouvrira pas les négociations d'adhésion avec la Turquie ? Question biaisée ! En cette fin d'année 2004, aucun dirigeant de l'Union n'imagine, malgré le droit de veto dont il dispose en bonne et due forme au Conseil européen, s'opposer à l'entrée d'Ankara. Comment, il est vrai, dire soudain non quand on a dit oui sans trop faire attention pendant quarante ans ? Comment ouvrir grands les yeux quand on les a tenus baissés depuis le début des années 60 ? Les gouvernements se sentent liés par les assurances à répétition qu'ils ont prodiguées aux Turcs. Pendant des décennies, la politique du non-dit a remplacé la concertation démocratique, et les dirigeants se retrouvent pris à leur propre piège. Les peuples, les électorats, eux, n'ont jamais été consultés et voilà que, dans les dernières semaines avant la fin du feuilleton, aiguillonnés par des hommes politiques qui flairent la bonne affaire, ils donnent de la voix. Les Turcs dans leur Europe ? Tout à trac, des millions d'Européens s'affolent. Trop tard ! Au moment même où ils commencent à prêter attention au mécanisme de l'adhésion turque, presque tout est joué. Il reste quelques formalités à remplir, et la Turquie sera là. Les dénégations emberlificotées de quelques responsables n'y changeront rien. Pas plus que l'effroi de ceux qui ne veulent pas de 70 millions de musulmans de plus en Europe.

Le rapport que la Commission doit remettre le 6 octobre 2004 aux chefs d'Etat et de gouvernement sur l'état des progrès de la Turquie est une première formalité. Une autre formalité est prévue un peu plus de deux mois plus tard, le 17 décembre, quand ces dirigeants auront donné à l'unanimité leur accord à l'ouverture de négociations d'adhésion avec le gouvernement d'Ankara, ouverture qui devrait intervenir le 3 octobre 2005. Le train communautaire est lancé depuis quarante ans et, s'il ralentit parfois tout en sifflant, il reste sur ses rails. Côté turc, l'adhésion est devenue une priorité absolue, et la moindre initiative est passée, à Ankara, au filtre d'une unique question : cette décision favorise-t-elle ou non l'entrée de la Turquie dans l'Union ?

Mais, on l'a déjà vu, chaque détail peut trahir et, malgré tous ses efforts, le Premier ministre turc va trébucher avant la ligne d'arrivée. Ce 13 septembre 2004, Günter Verheugen, le commissaire européen qui a consacré les quatre dernières années à la préparation de l'adhésion turque, ne veut pas en croire ses oreilles. Il vérifie plusieurs fois ce qu'il vient d'apprendre auprès de la délégation de l'Union à Ankara, mais tous ses collaborateurs confirment la nouvelle : le Premier ministre turc va bel et bien proposer à son parlement de criminaliser l'adultère ! Le coupable serait passible d'une peine de prison allant de six mois à un an. L'avertissement « amical » lancé la semaine précédente par Bruxelles n'a donc servi à rien ? Recep

Erdogan tente de s'expliquer : il arguë que la famille doit être protégée en Turquie. Chaque Etat n'a-t-il pas le droit de préserver ses valeurs ? Murat Mercan, vice-président de l'AKP, le Parti de la justice et du développement au pouvoir, jure que le projet vise avant tout à protéger les femmes vulnérables contre leurs maris volages. Curieusement, à Bruxelles, on fait une lecture assez différente du projet de loi. En Turquie, estiment les eurocrates, pénaliser l'adultère, c'est menacer la femme adultère plutôt que celui qui l'a séduite. La parité n'est pas encore à la mode. Théoriquement interdite, la polygamie reste pratiquée dans les campagnes, et un homme déjà marié à la mairie peut parfaitement prendre une seconde femme devant l'imam. La première épouse a le « choix » : se taire ou tout perdre. Il y a donc fort à parier que la nouvelle loi sera exploitée par les hommes contre leurs femmes. Ce texte constitue en somme un retour en arrière par rapport à toutes les lois européennes existantes. Pareilles dispositions n'existent que dans les pays où la *charia*, c'est-à-dire la loi islamique, est en vigueur, comme l'Arabie Saoudite, l'Iran ou le Pakistan, régimes auxquels la Turquie n'a évidemment aucune envie d'être comparée trois jours avant la publication d'un rapport sur sa crédibilité démocratique.

Le nouveau texte de loi est en réalité le toilettage d'un édit invalidé en 1996 parce qu'il contrevenait de manière un peu trop voyante aux principes républicains de l'égalité. Dans la première mouture, la femme pouvait être punie au moindre écart sexuel, alors que l'homme ne risquait le tribunal qu'en cas de liaison adultérine durable…

En quelques heures, et non sans une bonne dose d'hypocrisie, l'Europe « découvre » que son futur membre a des pratiques étranges. Les dirigeants européens en profitent pour lâcher un peu de lest antiturc afin d'apaiser leurs opinions. C'est un jeu, bien sûr. Les Turcs ont voulu jouer aux plus fins en usant d'arguments juridiques très prisés à Bruxelles.

L'adultère, explique-t-on à Ankara pour masquer l'embarras général, ne fait pas partie des critères de Copenhague sur lesquels s'appuie la Commission pour juger de la validité d'une candidature d'adhésion. C'est vrai, mais les commissaires n'aiment pas qu'on se paie leur tête. Ankara a beau insister ensuite sur le fait que la loi est une mesure strictement sociale et non religieuse, le mal est fait. La presse occidentale se déchaîne. Les ex-islamistes relookés en « conservateurs démocrates » peuvent-ils être vraiment des Européens ?

Devant ce tollé, la Turquie, en tout cas celle qui rêve d'Europe, prend peur. Va-t-elle faire échouer sa propre fête ? Michel Barnier, le ministre français des Affaires étrangères, pourtant un grand ami des Turcs, clame que le projet de loi constitue un « pas en arrière », formule codée qui semble menacer directement les futures étapes de l'adhésion. C'est la crise. Le 20 septembre, la Bourse d'Ankara recule de 2,2 % par crainte qu'une fâcherie avec l'Union ne nuise aux investissements.

Le conseil exécutif de l'AKP délibère toute la nuit. Il ne faudra que quelques heures au gouvernement turc pour choisir entre sa droite islamiste et la marche vers l'Europe. Choix rapide : Bruxelles vaut bien qu'on lui sacrifie une loi. L'article sanctionnant l'adultère comme un crime est retiré du nouveau Code pénal. L'AKP jure à ses électeurs qu'il ne s'agit nullement d'une concession de fond, que le repli est tactique, qu'une loi de cette nature porterait atteinte à la perception qu'on a, dans l'Union, de l'effort de réformes déployé en Turquie ; les islamistes sont déçus.

Ce que les Européens ne comprennent pas forcément, c'est que le retrait de cet article de loi constitue une défaite politique pour le Premier ministre Erdogan. L'AKP, qui avait remporté une grande victoire en novembre 2002, vient de se déconsidérer pour la seconde fois vis-à-vis de ses électeurs islamistes. La crédibilité du gouvernement en est affectée, avec des conséquences difficilement mesurables sur l'avenir de la relation entre la Turquie et l'Europe. Erdogan, le meilleur atout de l'Europe en Turquie, est fragilisé. Est-ce vraiment une bonne nouvelle pour l'Europe ?

Il est vrai qu'à l'exception de quelques articles, la réforme du Code pénal – travail de longue haleine – a été méticuleusement élaborée depuis 2001 pour renforcer les libertés publiques dans la perspective d'une adhésion de la Turquie. Les libertés ont notablement progressé. À la mi-juin, la télévision a diffusé ses premiers programmes en kurde. Les autorités ont remis en liberté quatre parlementaires kurdes qui étaient emprisonnés depuis 1994 pour comportement « subversif ». Désormais, tous les détenus ont droit à un avocat, quel que soit le crime dont ils sont accusés. Quant à l'armée, dont le rôle est une des principales préoccupations des Européens, elle sera dorénavant supervisée par un civil.

La Turquie progresse. Bien sûr, ce pays « laïque » continue de mentionner la religion sur les cartes d'identité et l'État entretient toujours plus de 70 000 imams-fonctionnaires, mais il lui faut du temps, plaide-t-il.

3

La Turquie est déjà là

« Regardez bien ! La Turquie est là et, croyez-moi, elle va rester là ! » Michel Barnier a une façon très personnelle de défendre le dossier turc. Le ministre français des Affaires étrangères a simplement besoin d'une carte pour montrer que ce pays a vocation à rejoindre l'Union. Au lieu de se demander s'il faut accepter les Turcs dans l'Europe, mieux vaudrait, dit-il, s'interroger sur ce que serait l'Union européenne avec, à côté d'elle, un pays mortifié et hostile.

Les promoteurs de la Turquie dans l'Europe avancent un autre argument apparemment imparable : musulmane et démocratique, la Turquie serait, pour l'Union, un pont de choix donnant sur trois régions parmi les plus complexes et les plus instables du globe : l'Asie centrale, le Caucase et le Moyen-Orient. Une adhésion turque ferait pencher la balance en faveur des modérés dans le monde musulman. De fait, le comportement de la Turquie pendant la crise de Chypre lui a gagné la confiance de la plupart des gouvernements européens. Elle a manifesté un sens des responsabilités et une aptitude au compromis qui tranchent singulièrement avec l'attitude des dirigeants grecs locaux. Inversement, dire non à la Turquie reviendrait à la rejeter vers ce chaos qui borde désormais l'Union à vingt-cinq. Et ce rejet définirait l'Europe, aux yeux du monde arabo-musulman, comme un « club chrétien », sobriquet qui nuirait fatalement à l'influence géopolitique de l'Union. Et puis, n'oublions pas cette formule de Herbert Fisher : « La pureté de la race n'existe pas. L'Europe est un continent de métis énergétiques[1]. » Mieux vaut donc accepter les risques d'une adhésion plutôt que ceux d'un refus. CQFD.

Fragile est l'argument religieux qui met en exergue le fait que le gouvernement Erdogan est issu d'un parti islamiste. Car l'AKP a triomphé dans les urnes en 2002 à l'issue des premières élections absolument irréprochables en vingt ans. C'est d'ailleurs précisément à ce moment-là que les Européens ordinaires ont commencé à s'intéresser à la Turquie, non pas tant à cause des progrès démocratiques accomplis, culminant dans ces élections libres, que de l'islamisme du parti vainqueur. Nul doute que les dirigeants turcs ressentent une certaine amertume à constater cette soudaine passion. Ils ont le sentiment que leur longue marche vers la modernité, entamée en 1923 dans les décombres de l'empire ottoman, ne retient pas, elle, l'attention des citoyens de l'Union.

La Turquie est-elle européenne ? À cette question, l'ancien président français Valéry Giscard d'Estaing a apporté une réponse désormais fameuse : « La Turquie est un pays proche de l'Europe, un pays important, mais ce n'est pas un pays européen[2]. » Michel Barnier réplique par sa leçon de géographie. Il explique que 3,5 millions de Turcs (sans compter les travailleurs turcs en Allemagne) habitent en Europe, soit à peu près autant que d'Irlandais. Quant au recours à la longitude pour décréter que la Turquie se trouve

1. *A History of Europe*, Londres, 1935.
2. *Le Monde*, 8 novembre 2002.

en Asie, on le contre aisément : Chypre, île dont personne ne conteste plus qu'elle est européenne, est située à l'est d'Ankara. Sur le plan économique, la défense est encore plus sûre d'elle. Certes, les accords douaniers avec la Turquie ne donnent pas satisfaction, mais l'économie turque est sûrement mieux intégrée à l'espace économique européen que certains pays comme la Bulgarie ou la Roumanie. Les industries turques fournissent l'Europe en produits de qualité, parfois sophistiqués. Sans oublier le sport et l'art : le Galatasaray d'Istanbul a remporté la coupe de l'UEFA en 2002 ; en 2003, c'est une chanteuse turque qui a gagné le concours de l'Eurovision.

Quant au cauchemar fantasmatique d'une invasion de travailleurs turcs déferlant sur l'Europe occidentale, il n'est pas très réaliste. Il est patent, par exemple, que les Turcs ne se sont établis de manière permanente en Allemagne que du jour où celle-ci a commencé à instaurer des restrictions à l'octroi de visas. Les immigrés ont alors eu peur de rentrer au pays, craignant de ne pas pouvoir repasser à l'ouest. Qui sait si une plus grande liberté de mouvement n'inciterait pas certains d'entre eux à regagner au contraire la mère patrie ? Cela s'est en tout cas vérifié pour les Espagnols, les Portugais et les Grecs quand leurs pays ont adhéré à l'Union. De toute façon, les entreprises européennes n'ont pas attendu que les législations s'adaptent à leurs besoins en personnel : elles sont nombreuses à être parties s'installer en Turquie pour embaucher ses travailleurs.

Même si beaucoup d'Européens – et, parmi eux, sans doute plus de 50 % des Français – rechignent à l'idée d'accueillir la Turquie, tous les dirigeants de l'Europe se disent officiellement favorables à son entrée. Les Britanniques et les Italiens sont enthousiastes. Les Allemands et les Français se montrent plus discrets. Aucun ne s'est clairement déclaré contre. Le passage en revue des vingt-cinq pays membres réserve des surprises, car la Turquie a des amis inattendus. La Pologne, le plus catholique – et de loin – des pays de l'Union, soutient fermement Ankara ; la Pologne qui a réclamé avec véhémence – et en vain – une référence à l'héritage chrétien dans le préambule de la future Constitution européenne, souhaite faire entrer dans l'Union un pays de 70 millions de musulmans ! Certains analystes y voient une grossière hypocrisie politicienne encouragée par les Etats-Unis, mais les historiens sont d'un autre avis : la Pologne et la Turquie, disent-ils, entretiennent des relations diplomatiques depuis six siècles, liens renforcés par leurs combats respectifs contre l'impérialisme russe. La Turquie n'a jamais reconnu les dépeçages infligés à la Pologne par la Russie, la Prusse et l'Autriche-Hongrie à la fin du XVIIIe siècle. Certains échanges de bons services sont plus récents : au début des années 90, Ankara a vigoureusement appuyé l'adhésion de la Pologne à l'OTAN. Au tour de la Pologne, qui a longtemps souffert de son rôle de quémandeuse, de renvoyer l'ascenseur et d'étendre sa protection, maintenant qu'elle est membre à part entière de l'Union…

En fait, il y a très longtemps que l'Europe a dit oui à la Turquie. En France, le tohu-bohu pourrait laisser croire que les élites sont divisées à ce sujet. Il n'en est rien. À travers toutes les alternances, *tous* les responsables français ont toujours plaidé en faveur de l'entrée de ce pays dans l'Europe. L'histoire immédiate retiendra qu'Alain Juppé, alors président de l'UMP, se prononça, en avril 2004, contre une adhésion de la Turquie à l'Union européenne et pour un « partenariat privilégié » ; Jacques Chirac a lui-même annoncé[1] que les Français seraient consultés un jour – « le moment venu » – par référendum sur l'adhésion turque ;

1. Le 1er octobre 2004, à Strasbourg.

mais un simple rappel historique montre que ces précautions tardives ne sont que des reculades verbales suscitées par l'émotion populaire. La vraie position de Chirac est bien connue : seuls comptent à ses yeux les fameux « critères de Copenhague ». Cela fait une décennie qu'il répète que seuls permettraient de statuer sur cette candidature les critères définis en 1993 par l'Union pour tous les pays candidats, à l'exclusion de tout autre critère géographique, historique ou religieux. Une évaluation technique, en quelque sorte, qui ne rouvre pas le débat de fond sur l'appartenance de la Turquie à l'Europe – lequel, selon lui, est clos. Se mêlent, dans la position chiraquienne, le gaullisme, les impératifs de la politique de la France au Moyen-Orient, le souci de faire profiter l'économie française d'un grand marché prometteur, et bien sûr l'habitude, ce moteur inaltérable de la diplomatie.

Le général de Gaulle est à l'origine de la promesse faite par l'Europe à Ankara en 1963. L'accord d'association conclu à l'époque stipulait clairement que l'objectif était l'adhésion pure et simple. Mais l'adhésion à quoi ? En 1963, il n'existait pas d'Union européenne – il faudra attendre pour cela le traité de Maastricht –, seulement une Communauté économique européenne, la CEE. Il se trouve donc des hommes politiques pour expliquer que la promesse de 1963 a été honorée en 1995, quand les Quinze de l'Union ont signé avec Ankara une union douanière en bonne et due forme, qui fonctionne médiocrement depuis lors. Ces mêmes voix ajoutent qu'il n'a jamais été question d'une adhésion politique avec intégration dans toutes les institutions de l'Union. Cette question est de toute façon restée sans objet durant les longues années du régime militaire, jusqu'en 1983. En 1992, dans le droit fil de la tradition diplomatique française, François Mitterrand affirme alors :

« La Turquie relève de l'espace européen. L'Europe ne saurait être limitée par des conceptions géographiques ou par des préjugés culturels. »

Mitterrand, Juppé, Chirac : tous ont transformé cette approche en axe de l'action diplomatique de la France. Ils sont devenus les principaux avocats de la cause turque en Europe. Quelques années avant de réviser sa position et de se retourner contre Ankara, Alain Juppé, ministre des Affaires étrangères du gouvernement Balladur, invoquant son « intérêt stratégique majeur », fut l'artisan du traité d'union douanière signé au début de 1995 entre l'Europe et la Turquie – traité qu'il imposa contre l'avis de la Grèce, contre une partie des députés européens et des socialistes français. La cause était difficile : à l'époque, la Turquie n'était pas ce qu'elle est aujourd'hui ; elle mobilisait contre elle les militants des droits de l'homme et son nationalisme se heurtait à celui d'Athènes.

En décembre 1997, au sommet de Luxembourg, les Quinze ouvrent leurs portes aux pays de l'Est, mais opposent une fin de non-recevoir à la candidature turque. Il est encore trop tôt. Ce jour-là, contre tous les usages européens, Jacques Chirac regrette publiquement cette décision. Deux ans plus tard, alors qu'Ankara frappe de nouveau à la porte, le président charge le socialiste Pierre Moscovici, ministre des Affaires européennes, d'aller expliquer à Athènes la position qu'il s'apprête à défendre au sommet d'Helsinki, et qu'il va imposer.

Le 13 décembre 1999, au sommet d'Helsinki, Ankara obtient enfin satisfaction : le Conseil européen reconnaît que « la Turquie est un Etat candidat qui a vocation à rejoindre l'Union européenne sur la base des mêmes critères que ceux qui s'appliquent aux autres candidats ». Tout débat sur la légitimité de ce pays à vouloir intégrer l'Union est, ce jour-là, bel et bien clos.

4

Si l'Europe disait non

Pour déterminer si la Turquie mérite d'entrer en Europe, l'Union s'est construit un baromètre : les fameux « critères de Copenhague » que cette même Union avait élaborés lors d'un sommet réuni dans la capitale danoise en juin 1993. Pour entrer dans l'Europe, il faut montrer patte blanche, c'est-à-dire posséder des institutions stables garantissant la démocratie, instaurer la primauté du droit, respecter les droits de l'homme et les minorités. L'existence d'une économie de marché viable est indispensable, de même que la capacité à faire face à la pression concurrentielle et aux forces du marché à l'intérieur de l'Union. La Turquie a « accompli des progrès importants dans la mise en place des réformes politiques », en particulier la réforme du Code pénal, reconnaît Bruxelles à l'automne 2004. Pour la première fois, par exemple, c'est un civil, et non un militaire, qui a été nommé secrétaire général du Conseil de sécurité nationale. La peine de mort a été abolie. Subsistent plusieurs détails inquiétants, comme le recours occasionnel à la torture dans les prisons et les commissariats, mais ce n'est pas assez grave ou assez systématique pour que la Commission puisse dire non. Les « critères de Copenhague » contraignent certes la

Turquie, mais ils piègent aussi l'Union. Elle ne peut désavouer ses propres règles.

Dans son rapport du 6 octobre 2004, la Commission ne laisse qu'un point en suspens : la date exacte du début des négociations. Ce seront les dirigeants de l'Union qui en décideront et ce sera, nous l'avons vu, le 3 octobre 2005. C'est la méthode européenne : la Commission propose, le Conseil dispose. Pour ouvrir à celui-ci toute la palette des options, la Commission apporte toutefois un commentaire jamais mentionné à l'occasion d'aucun des précédents élargissements ayant progressivement porté l'Union de six à vingt-cinq membres. Ce petit codicille est explosif : « L'ouverture des négociations est sans préjudice de ses conclusions. » En français, cela signifie que même si les négociations s'amorcent, elles ne conduiront pas forcément à une adhésion. En tout état de cause, ces pourparlers d'adhésion ne pourront s'achever avant la fin des prochaines perspectives financières pluriannuelles, soit en 2014. Bref, non seulement la marche turque sera longue, mais elle ne mènera pas nécessairement au but, c'est-à-dire à l'adhésion pure et simple. Il y aurait des solutions intermédiaires comme, par exemple, un « partenariat privilégié » entre l'Union et la Turquie. La Commission ne formule pas cette réserve au hasard. Elle n'ignore pas que la question turque risque de perturber les référendums de ratification de la Constitution prévus à partir de 2005 dans toute l'Europe. Il convient de déminer la question turque pour que la Constitution passe.

Là n'est pourtant pas l'essentiel. En l'occurrence, ce n'est pas tant le sens des mots qui compte, que le fait qu'ils sont couchés dans un document officiel de la Commission. En les inscrivant noir sur blanc dans son rapport, celle-ci retient l'idée que la Turquie est à part et que, quoi qu'il arrive, elle le restera. Cette petite phrase incarne un changement de cap infinitésimal, quasi invisible dans le court terme, mais qui, sur une longue période, risque d'éloigner à jamais la Turquie de son objectif initial.

Elle illustre aussi une déchirure européenne qui s'est propagée jusqu'au cœur même de la Commission. Pour amadouer les quelques commissaires qui ont résisté jusqu'au dernier moment – ils ont été six sur trente à ruer dans les brancards et à lutter contre l'entrée de la Turquie avec plus ou moins de conviction –, le collège a pris des pincettes pour lâcher son « oui mais ». En son sein, les anti-Turcs sont peu nombreux. L'Autrichien Franz Fischler est le plus éloquent, et sa verve n'est pas étrangère aux ambitions présidentielles qu'il nourrit dans son pays. Dans une lettre adressée à ses collègues, il a expliqué que le coût agricole de l'adhésion de la Turquie serait supérieur à celui, combiné, des dix pays qui ont intégré l'Union en mai 2004. Il refuse de céder au « politiquement correct » de rigueur : « Il reste des doutes sur la solidité des engagements laïcs et démocratiques de la Turquie. Ce pays n'est pas à l'abri d'un soulèvement fondamentaliste. »

Frits Bolkestein, le commissaire hollandais, prêche ouvertement, lui, pour que la Turquie reste en dehors de l'Union et lui serve de rempart contre la Syrie, l'Iran et l'Irak. Il prédit aussi qu'une adhésion laminerait les budgets de l'agriculture et des fonds régionaux. Quelques semaines plus tôt, dans un discours prononcé à l'université de Leidenlate, il a laissé parler son cœur et exprimé la crainte d'une « implosion » de l'Union : « Les États-Unis restent la seule superpuissance, la Chine va devenir un géant économique. L'Europe devient plus islamique et, si elle devient musulmane en majorité avant la fin du siècle, cela signifiera tout simplement que le siège de Vienne de 1683, où les Ottomans furent repoussés, était vain. »

Pour son bien, la Turquie est placée sous haute surveillance afin de garantir le caractère « irréversible » du processus de libéralisation en cours. Chaque année, la Commission continuera à publier un rapport d'évaluation. Elle pourra même proposer la suspension des négociations[1] en cas de « violation grave et persistante » des principes de liberté, de démocratie et de respect des droits de l'homme. Si le Conseil devait se prononcer sur cette interruption, ce serait à la majorité qualifiée et non pas à l'unanimité. De longues périodes de transition sont prévues avant que la Turquie ne bénéficie pleinement des politiques communes, et les pays de l'Union pourront fermer leur marché du travail aux travailleurs turcs, en cas de perturbation, grâce à une « clause de sauvegarde » permanente.

La Commission impose à la Turquie un système de contrôle des réformes bien plus rigoureux que celui appliqué à tous les candidats précédents : « Pendant les négociations, un chapitre sera considéré comme clos dès lors que la Turquie aura correctement appliqué ce chapitre, montré sa capacité à assumer l'acquis, selon une évaluation régulière faite par la Commission au Conseil. » Pour obtenir le « feu vert » de Bruxelles, il ne suffira plus d'avoir transposé dans la législation locale les 80 000 pages d'acquis communautaires ; il faudra l'avoir appliquée sur le terrain, vérifications tatillonnes à la clé. Aujourd'hui annuel, le bilan de la Commission pourra être réévalué tous les six mois. Pour justifier cette nouvelle procédure sans donner l'impression d'infliger des méthodes discriminantes à la Turquie, l'exécutif européen se retranche derrière l'« expérience des élargissements précédents ». Avec les dix pays entrés en 2004, on est parfois allé

1. Dans les faits, la suspension des négociations s'impose à tout pays candidat qui ne respecte pas les droits de l'homme.

un peu vite en besogne, comme si l'on n'avait pas su qu'entre une loi et ses décrets d'application il pouvait s'écouler du temps, et qu'entre ces décrets et un véritable changement sur le terrain le délai pouvait se révéler bien plus long encore.

C'est particulièrement vrai pour la Turquie en raison de sa longue pratique de la torture, des violations du droit à la vie, des traitements inhumains et dégradants, ce qui lui a valu, au fil des années, de nombreuses condamnations par la Cour européenne des droits de l'homme, cependant que le film *Midnight Express* installait durablement dans le monde l'image détestable d'un système pénitentiaire pervers et féroce. En 2004, la situation semblait avoir changé du tout au tout et le comité anti-torture du Conseil de l'Europe[1] indiquait dans un rapport :

« Le message, relayé par le gouvernement, de "tolérance zéro" face aux mauvais traitements et tortures a été clairement perçu, et les efforts mis en œuvre pour s'y conformer sont évidents. Des mesures simples, telles que des visites d'inspecteurs indépendants, sont nécessaires pour qu'un contrôle public puisse être exercé à l'intérieur des commissariats de police. Ces mesures pourraient être mises en pratique en quelques jours. Nul besoin d'attendre des années. »

Voilà des nouvelles encourageantes. De même la réforme de la garde à vue, qui autorise l'assistance d'un avocat dès la première heure. Mais la Turquie revient de très loin. Au cours des quatre premiers mois de l'année 2004, la direction « Droits de l'homme » du cabinet du Premier ministre a encore enregistré 50 plaintes pour tortures et mauvais traitements émanant de personnes placées en garde à vue. L'Association turque des droits humains a fait état de

1. Dont la Turquie est devenue membre à part entière le 9 août 1949.

692 incidents impliquant des actes de torture et des mauvais traitements perpétrés par la police au cours des six premiers mois de l'année. De janvier à août, 597 personnes se sont adressées à la Fondation turque des droits de l'homme pour recevoir des soins médicaux à la suite de tortures, de mauvais traitements ou des maladies causées par les conditions de vie carcérales[1].

Entre 1999 et 2003, sur les 24 arrêts que la Cour de Strasbourg a prononcés pour sanctionner une atteinte à la vie dans les quarante-quatre États membres du Conseil de l'Europe, 20 concernaient la Turquie. Ankara était également visée par cinq des six jugements faisant état de rtortures. La Turquie a encore fait bande à part pour le nombre de ses condamnations pour traitements inhumains ou dégradants : 26 sur un total de 64.

Depuis le début de l'année 2004, elle a encore été condamnée plusieurs fois : le 3 juin, elle a dû verser 300 000 euros pour « dommages corporels et moraux » à treize de ses ressortissants reconnus victimes de tortures en 1996 ; ces membres du Parti communiste du travail affirmaient avoir été frappés à coups de pied et de poing, soumis à des décharges électriques, harcelés sexuellement, déshabillés et menacés de viol ou de mort. La Cour de Strasbourg, où siège le Conseil de l'Europe, « regrette » que les auteurs de ces violences jouissent d'une quasi-impunité en dépit de preuves irréfutables invoquées à leur encontre. Elle rappelle les certificats médicaux dressés à l'issue de la garde à vue et qui constatent ecchymoses, lésions, hématomes, crampes et même une lésion à l'intérieur de la bouche. Selon elle, les victimes ont subi « diverses formes de sévices », notamment la pendaison, le jet d'eau et le

1. Human Rights Watch, 22 septembre 2004.

falaka, « un instrument en bois percé de trous auquel on attache les pieds de la personne condamnée à la bastonnade ». Ces détenus ont été « insultés, privés de sommeil durant plusieurs jours et soumis à des violences susceptibles de porter atteinte à leur intégrité mentale ». En juillet 2004, malgré les dénégations du gouvernement, la Cour a encore condamné Ankara à payer, pour traitement inhumain et dégradant, 10 000 euros à un étudiant kurde, Mehmet Emin Yüksel, arrêté en 1997 à Diyarbakir (partie orientale du pays) et interrogé sur ses liens avec une organisation illégale, le Parti du peuple unifié du Kurdistan. À sa sortie, il avait le nez tuméfié et une dent cassée.

Mais ce ne sont plus là que des exceptions, affirme Bruxelles. Il n'existe plus de torture systématique en Turquie, et ces pratiques sont désormais illégales au regard du nouveau Code pénal adopté en septembre 2004.

5

Le théorème de Giscard

Le 17 septembre 2004, la droite allemande s'affole. Angela Merkel, présidente de la CDU, le principal parti d'opposition, prend la plume et adresse une lettre à tous les responsables conservateurs d'Europe : dirigeants de parti, chefs de gouvernement, commissaires. Tous les sympathisants potentiels en reçoivent aussi un exemplaire. Merkel – et pas seulement parce que les Turcs d'Allemagne votent majoritairement pour ses adversaires sociaux-démocrates – tente de les convaincre qu'un partenariat privilégié avec la Turquie serait plus adapté qu'une adhésion. Les Turcs, eux, ne veulent pas en entendre parler : le « partenariat privilégié », ils considèrent qu'ils l'ont déjà.

La chrétienne-démocrate ne nie pas les réformes accomplies par Ankara, ne met pas en doute son rôle de modèle d'État laïc et démocratique face au monde islamique. Elle estime tout simplement que l'Europe n'est pas capable d'« absorber » ce pays. Sans le dire, Angela Merkel invoque là le plus méconnu des « critères de Copenhague », que l'on oublie trop souvent car il concerne non pas la Turquie, mais l'Union elle-même. Ce critère impose de vérifier régulièrement la « capacité de l'Union d'absorber de nouveaux membres et de renforcer l'intégration », ce qui revient, dans un langage châtié, à mettre le doigt sur un point extraordinairement sensible et important. Faudra-t-il un jour modifier ou, si l'on préfère, protéger les institutions européennes, afin que la Turquie ne les écrase pas de son poids et de sa taille dans le cas où elle adhérerait ?

On connaît certes les critères imposés à la Turquie pour son intégration, mais on connaît beaucoup moins les conditions que l'Union s'impose du coup à elle-même. Or, que la Constitution soit ou non adoptée, l'Union ne peut envisager ce nouvel élargissement sans une profonde évolution. Impossible, par exemple, de franchir ce cap sans un remodelage de sa politique étrangère et de sa politique de défense. Car l'adhésion de la Turquie projetterait l'Union dans une des régions du monde les plus instables. En incluant ce pays, l'Union entrerait en contact direct avec plusieurs conflits déclarés. La Turquie est aux prises avec l'épineux cas kurde, y compris sur son propre territoire. Elle est impliquée dans les litiges qui opposent les républiques turcophones du Caucase à la Russie. Elle est en cause dans le partage des eaux de l'Euphrate et du Tigre. Ses relations avec ses voisins arabes restent tendues. La situation en Irak est pour elle une préoccupation majeure et constante. Pas de doute, la Turquie contraindrait l'Europe à s'immiscer dans plusieurs dossiers stratégiques complexes, sans qu'elle jouisse d'une réelle marge de manœuvre en raison précisément de l'implication turque dans ces mêmes dossiers.

Parmi les Européens talentueux opposés à l'entrée de la Turquie, il en est un qui pèse plus que les autres : c'est Valéry Giscard d'Estaing. C'est lui qui, dès la fin de 2002, a déclaré ouvertement, le premier, ce que beaucoup de citoyens pensent tout bas : la Turquie dans l'Europe, c'est la fin de l'Union, la fin de la construction européenne. De la part d'un homme d'État aussi chevronné, d'un Européen aussi incontestable, l'oracle fait réfléchir. Giscard sait qu'il doit persuader sans donner le sentiment d'obéir à un réflexe xénophobe, dont il est de toute façon peu suspect. Aussi recourt-il à l'arithmétique assaisonnée d'un brin de perversité. Selon lui, il est impossible que la Turquie entre dans l'Union, et c'est la Constitution – piège tendu par les conventionnels durant la convention de 2002-2003, puis par les chefs d'État et de gouvernement au sommet de Bruxelles de juin 2004 – qui est l'instrument de cette interdiction. Giscard veut dire par là que le système de la double majorité élaboré lors du traité de Nice, puis révisé par les conventionnels, rend strictement impossible l'intégration de la Turquie. Tout simplement parce qu'à la date prévisible d'une adhésion – c'est-à-dire vers 2015 ou 2020 – la population turque sera trop importante, ce qui lui conférerait un pouvoir disproportionné au sein du Conseil. En 2004, la Turquie compte 70 millions d'habitants, soit nettement moins que les 82 millions de l'Allemagne, mais en 2020 les projections raisonnables tablent sur une Turquie forte de 85 millions d'habitants tandis que l'Allemagne aura vraisemblablement, pour sa part, connu une baisse de sa population.

Cela, Giscard en est sûr, obligera les pays déjà dans l'Union à dire non à la Turquie, le jour venu, par un moyen ou par un autre. Comment accepteraient-ils – surtout les plus peuplés d'entre eux – d'offrir une place pareille à un nouveau venu qui les marginaliserait considérablement ? Si les gouvernements européens ne l'ont pas encore compris, c'est que, au moins jusqu'en 2006, ils vivent selon les règles du traité de Nice, qui dissimulent quelque peu les rapports de force démographiques. Ana Palacio, ancienne ministre espagnole des Affaires étrangères dans le gouvernement de José Maria Aznar, a travaillé au côté de Giscard pendant la convention ; elle est convaincue que rien de tout cela n'est le fait du hasard : « Cette proposition n'a pas été ajoutée en toute bonne foi. En tant qu'ancien membre de la convention, je peux en témoigner. Je crois que c'est dans l'intérêt de l'Union de compter la Turquie parmi ses membres, mais je suis certaine qu'avec cette méthode de la double majorité la Turquie n'a aucune chance d'entrer[1]. »

Giscard estime qu'il est impossible d'accueillir un pays qui, à lui seul, pèse autant que 17 % de l'Union, car alors celle-ci changerait complètement. Rappelons que l'article 25 de la future Constitution, qui fixe les règles de la double majorité, affirme que, pour faire passer un projet au Conseil[2], il faut que la coalition favorable au projet rassemble au moins 65 % de la population de l'Union (pour valider le choix démocratiquement) et qu'elle comporte au moins 55 % des pays membres (pour que les petits pays ne soient pas laissés à l'écart des décisions). Autrement dit, pour bloquer une proposition, un pays a besoin de réunir une coalition représentant au moins 35 % de la population totale de l'Union et 45 % des États membres. Autant le système de Nice, en vigueur jusqu'en 2006, atténue le poids de la démographie, autant la Constitution le restitue et offrirait donc à la Turquie un poids par trop considérable pour qu'il soit acceptable et accepté. C'est le pari de Giscard : la Turquie ne sera pas autorisée à acquérir le pouvoir de bloquer trop facilement la marche en avant de l'Europe.

L'argument est un peu spécieux, puisqu'il part du principe que la Turquie, une fois à l'intérieur de l'Union, aurait intérêt à bloquer ses progrès. Mais il recèle une vertu à l'heure où bon nombre des Vingt-cinq se préparent à voter par des réfé-

1. *International Herald Tribune*, 13 septembre 2004.
2. Dans les domaines, de plus en plus nombreux, pour lesquels l'unanimité n'est pas requise.

rendum pour ou contre la Constitution. Dans la logique de Giscard, voter celle-ci, c'est dire non à l'entrée de la Turquie. Une façon d'éviter, en somme, que, croyant dire non à la Turquie, les citoyens en viennent à rejeter la Constitution. Pour obtenir le même effet apaisant, Chirac a promis aux Français qu'ils se prononceraient le jour venu, par référendum, sur l'entrée de la Turquie. Le procédé de Giscard est un plus diabolique... Qui s'en étonnera ?

Parmi ceux qui souhaitent dire non à la Turquie, il s'en trouve qui refusent d'utiliser les arguments ethniques ou religieux. À ce point de la construction européenne, et à défaut de s'en tenir à la géographie, le seul critère recevable, expliquent-ils, c'est la volonté des peuples. L'enjeu d'une Constitution européenne est de passer de l'Europe économique et monétaire à l'Europe politique, et de l'accord entre gouvernements à un vrai mariage entre les peuples. Or, la condition d'un mariage n'est pas l'existence d'un passé commun, ni l'appartenance à une même culture ou à une même religion, mais la volonté de vivre ensemble à partir de sa célébration. C'est pourquoi la Constitution européenne prévoit qu'elle s'appliquera aux États qui l'auront signée et ratifiée, et que toute nouvelle candidature à l'Union devra être transmise immédiatement à tous les parlements nationaux des États membres : c'est là qu'aura lieu le premier débat, dans chacun de ces pays. Comment s'y traiteront la question turque et, plus généralement, celle des frontières ultimes de l'Europe ?

Si, quand ils devront voter pour ou contre la Constitution, les citoyens de l'Union ne savent pas quelles en seront les frontières, il se pourrait fort bien que l'inquiétude les incline à dire non. Un non de précaution.

6

La doctrine du « monde meilleur »

Le 12 décembre 2003, dans l'indifférence qui accompagne malheureusement la plupart des grandes décisions européennes, est porté à l'attention du public un austère document dont la vertu cardinale est la brièveté, qualité rarissime dans la diplomatie communautaire. Préparé par Javier Solana, secrétaire général du Conseil européen et haut-représentant pour la Politique étrangère et de sécurité[1], ce texte sur la « Stratégie européenne de sécurité », long d'à peine une dizaine de pages, vient d'être approuvé à Bruxelles par le Conseil européen, la plus haute instance intergouvernementale de l'Union. Son titre : *Une Europe sûre dans un monde meilleur.*

Malgré son vocabulaire un brin ésotérique, qui évoque plus une profession de foi qu'une doctrine stratégique, le document constitue un événement : pour la première fois, l'Union européenne s'assume officiellement comme acteur mondial et annonce à la planète quelle sera désormais son attitude vis-à-vis des affaires du monde. Les amateurs de

1. Le poste a été proposé par la France et créé par le traité d'Amsterdam en juin 1997.

rodomontades seront déçus : l'Europe ne va pas faire déferler ses armées au service de ses intérêts ; mais qu'ils gardent à l'esprit une caractéristique essentielle de l'Union : elle n'est pas un État-nation, comme les États-Unis, et l'élaboration d'une doctrine est pour elle un exercice difficile, inédit dans l'Histoire. En lisant entre les lignes, on distingue néanmoins, à défaut d'une authentique volonté de puissance, un fort désir d'influence.

Le document commence par un bulletin de santé vivifiant : « L'Europe n'a jamais été aussi prospère, aussi sûre ni aussi libre. » Vient ensuite une allusion au grand allié d'outre-Atlantique, qui se débat alors dans les affres de l'après-guerre en Irak : « Les États-Unis ont joué un rôle capital dans l'intégration et la sécurité européennes, notamment par le biais de l'OTAN. La fin de la guerre froide a laissé les États-Unis dans une position dominante en tant qu'acteur militaire. Aucun pays n'est toutefois en mesure de faire face, seul, aux problèmes complexes de notre temps. » Au cours de la décennie écoulée, entre 1993 et 2003, aucune région du monde n'a en effet été épargnée par les conflits armés. La plupart de ces conflits se sont déroulés à l'intérieur d'États plutôt qu'entre États, et la plupart des victimes étaient civiles. Que peut faire l'Europe ? Le texte n'offre pas de réponse précise, mais il explique qu'elle doit faire quelque chose :

« En tant qu'union de vingt-cinq États, avec une population dépassant 450 millions d'habitants et une économie représentant un quart du produit national brut (PNB) mondial, et avec une large gamme d'instruments à sa disposition, l'Union européenne constitue inévitablement un acteur mondial. Au cours des dix dernières années, des forces européennes ont été déployées à l'étranger dans des pays aussi éloignés que l'Afghanistan, le Timor-Est ou la

République démocratique du Congo. La convergence croissante des intérêts européens et le renforcement de la solidarité au sein de l'UE font de l'Europe un acteur plus crédible et plus efficace. »

L'Union doit être prête à assumer sa part de responsabilité dans la sécurité internationale et la construction d'un « monde meilleur » face à trois menaces principales : le terrorisme, la prolifération des armes de destruction massive et la criminalité organisée. Elle se veut un acteur non seulement régional, mais aussi global. Parce qu'une Union européenne qui assume des responsabilités accrues aura plus de poids politique. Sans compter qu'elle n'a en outre pas le choix, car elle n'est pas une île, comme les États-Unis. Elle est en permanence « au contact » des conflits de sa périphérie, et l'élargissement l'a rapprochée des tensions qui l'entourent.

À l'ère de la mondialisation, les menaces lointaines peuvent au demeurant être aussi préoccupantes que les plus proches. Les activités nucléaires en Corée du Nord, les risques nucléaires en Asie du Sud et la prolifération au Moyen-Orient sont autant de sources d'inquiétude pour l'Europe. Les terroristes et les criminels sont désormais en mesure d'opérer dans le monde entier : leurs activités en Asie centrale ou en Asie du Sud-Est peuvent constituer une menace pour des pays européens ou leurs ressortissants. Par ailleurs, du fait de la communication mondiale, les Européens sont de plus en plus conscients des conflits régionaux ou des tragédies humanitaires qui se produisent partout dans le monde.

Depuis la fin de la guerre froide, le paradigme a changé pour l'Europe. Par force durant la guerre froide, ensuite à cause de ses divisions, l'Union avait laissé aux États-Unis et aux États membres le monopole de la réflexion stratégique.

Cette époque est révolue. Telle est du moins la volonté de Javier Solana :

« Notre concept traditionnel d'autodéfense (jusqu'à la guerre froide et pendant toute sa durée) reposait sur la menace d'une invasion. Face aux nouvelles menaces, c'est à l'étranger que se situera souvent la première ligne de défense. Les nouvelles menaces sont dynamiques. Les risques de prolifération augmentent avec le temps ; si rien n'est entrepris contre eux, les réseaux terroristes deviendront encore plus dangereux. La faillite des États et la criminalité organisée se répandent si on néglige d'y remédier, ainsi que nous l'avons constaté en Afrique de l'Ouest. Cela signifie que nous devons être prêts à agir avant qu'une crise se produise. Il n'est jamais trop tôt pour prévenir des conflits et des menaces. »

Tiens, tiens ! Cette dernière phrase a fait couler beaucoup d'encre. L'Union européenne serait-elle adepte de la « guerre préventive », concept qui a mis aux prises les États-Unis et certains pays de l'Union juste avant la guerre en Irak ?

Comme l'instrument militaire n'est pas explicitement identifié comme un ultime recours à écarter autant que possible, il est donc considéré, par défaut, comme un instrument ordinaire de politique étrangère, envisagé au même titre que les autres. Par ailleurs, la possibilité de recourir à des actions militaires préventives n'est pas non plus explicitement bannie du concept stratégique européen. Dès lors, toutes les interprétations sont permises, même si le penchant européen pour les mécanismes multilatéraux ne fait aucun doute.

La doctrine Solana n'en prévoit pas moins des « interventions en amont rapides et, si nécessaire, robustes », l'UE devant être capable « d'agir avant que la situation dans les pays [autour de l'UE] ne se détériore » et « lorsque des signes de prolifération sont détectés ». Et la doctrine d'affirmer dans la foulée qu'« un engagement préventif peut permettre d'éviter des problèmes plus graves dans le futur ». Or, quelques lignes plus haut, il a été entendu que « cela vaut pour l'ensemble des instruments en matière de gestion des crises et de prévention des conflits dont [l'UE] dispos[e], y compris les actions au plan politique, diplomatique, militaire et civil, commercial et dans le domaine du développement ». L'action militaire préventive, chère à l'Amérique de George W. Bush, n'est pas recommandée, mais elle n'est pas exclue.

Javier Solana a beaucoup travaillé sur son texte. Il entend qu'il fasse date et peaufine les nouveaux concepts qu'il y introduit : « Contrairement à la menace massive et visible du temps de la guerre froide, aucune des nouvelles menaces n'est purement militaire et ne peut être contrée par des moyens purement militaires. » À chacune de ces menaces, il convient donc d'opposer une combinaison de moyens d'action. Vis-à-vis du terrorisme, il n'y aura de solution efficace que si elle est globale. Si l'Union reconnaît que la mauvaise gestion des affaires publiques est une source majeure d'instabilité, elle préconise la propagation de la bonne gouvernance plutôt qu'un changement de régime. Le message à l'égard des Américains est donc nuancé : analyse similaire des menaces liées au terrorisme, mais stratégie plus diversifiée, plus fidèle à l'identité européenne et fondée sur les principes du droit international.

La prolifération peut être maîtrisée par les contrôles à l'exportation et contrée par un jeu de pressions politiques, économiques et autres, dès lors que l'on s'attaque aussi à ses causes politiques sous-jacentes. Pour faire face au terrorisme, il faadaut parfois combiner le recours au renseignement et à des moyens policiers, judiciaires, militaires et autres. Dans les

États en déliquescence, des instruments militaires peuvent être nécessaires pour rétablir l'ordre, et des moyens humanitaires pour remédier dans l'immédiat à la crise. Si les conflits régionaux appellent des solutions politiques, des moyens militaires et une police efficace peuvent se révéler nécessaires au cours de la phase postérieure au conflit. Les instruments économiques permettent de reconstruire, et la gestion civile des crises aide à restaurer un gouvernement civil.

L'Union européenne est particulièrement bien équipée pour répondre à des situations aux aspects aussi multiples. Les Balkans, dont les guerres des années 90 ont été à l'origine de toute la réflexion stratégique européenne, illustrent les progrès accomplis. Grâce aux efforts concertés de l'Union, des États-Unis, de la Russie, de l'OTAN et d'autres partenaires internationaux, la stabilité de la région n'est plus menacée par l'éclatement d'un conflit majeur. La consolidation des acquis dans les Balkans décidera aussi de la crédibilité à moyen terme de l'Union. Mais celle-ci doit déjà penser à l'étape suivante, c'est-à-dire à la sécurisation des futures frontières. Pour ce faire, les voisins orientaux doivent bénéficier des avantages de la coopération économique et politique. Le Caucase du Sud est clairement identifié par Solana comme le futur « étranger proche » de l'Union.

Ensuite, en dépit de sa réputation de totale impuissance au Proche-Orient, traditionnelle chasse gardée américaine, l'Union a la ferme intention de compter dans cette région :

« Le règlement du conflit israélo-arabe constitue, pour l'Europe, une priorité stratégique. En l'absence d'un tel règlement, il n'y aura guère de chances de résoudre les autres problèmes du Moyen-Orient. L'Union européenne doit rester engagée et disposée à consacrer des ressources à ce problème jusqu'à ce qu'il soit résolu. La solution fondée sur la coexistence de deux États – que l'Europe appuie de longue date – est désormais largement acceptée. Sa mise en œuvre exigera des efforts conjugués et concertés de la part de l'Union européenne, des États-Unis, des Nations unies et de la Russie, ainsi que des pays de la région, mais aussi et surtout des Israéliens et des Palestiniens eux-mêmes. »

D'une manière générale, poursuit Solana, la zone méditerranéenne reste confrontée à de graves problèmes de stagnation économique, de tensions sociales et de conflits non résolus, ce qui menace directement l'Union sur ses flancs est et sud. Les intérêts de l'Union exigent un engagement continu à l'égard des partenaires méditerranéens.

La « mondialisation » n'est pas seulement un slogan creux à l'usage des politiciens. Elle imprègne toute pensée stratégique. Parce que les menaces, les marchés, les médias revêtent désormais une dimension planétaire, la sécurité et la prospérité dépendent de plus en plus de l'existence d'un système multilatéral efficace. L'Europe se donne pour « objectif » de construire une société internationale plus forte, des institutions internationales qui fonctionnent bien, un ordre international fondé sur un ensemble de règles.

La menace n'est pas complètement absente de ce discours : « Un certain nombre de pays se sont mis en dehors de la société internationale. Certains ont choisi l'isolement ; d'autres persistent à violer les normes internationales. Il est souhaitable que ces pays rejoignent la communauté internationale, et l'UE devrait être prête à fournir une assistance à cette fin [...]. Ceux qui se refusent à le faire devraient comprendre qu'il y a un prix à payer, notamment dans leurs relations avec l'Union européenne. »

La défense européenne reste certes un concept flou, mais il convient de réaffirmer le potentiel de l'Union en la matière : « En tant qu'Union constituée de vingt-cinq membres, qui consacre plus de 160 milliards d'euros à la défense, nous devrions être en mesure de mener plusieurs opérations simultanément. Nous pourrions apporter une valeur ajoutée particulière en concevant des opérations faisant appel à des capacités tant militaires que civiles. » Ce mélange est la condition *sine qua non* de l'efficacité à long terme, aspect que les Américains négligent trop souvent : « Dans la quasi-totalité des interventions majeures, l'efficacité militaire est suivie d'un chaos civil. Nous devons renforcer les capacités visant à mobiliser tous les moyens civils nécessaires dans les situations de crise et postérieures aux crises. »

Quels seront les principaux partenaires de cette énorme Union européenne ? La relation transatlantique est irremplaçable. En agissant ensemble, l'Union européenne et les États-Unis « peuvent constituer une formidable force au service du bien dans le monde ». Mais, pour mettre sur pied un partenariat efficace et équilibré avec les États-Unis, l'Union doit encore renforcer ses capacités et sa cohésion. Elle doit également œuvrer avec constance à nouer des relations plus étroites avec la Russie. Au-delà, l'histoire et la géographie de l'Europe et ses liens culturels la mettent en relation avec chaque partie du monde : elle doit travailler à instaurer des partenariats stratégiques avec le Japon, la Chine, le Canada et l'Inde. Par là, elle se montre nettement plus modeste que dans les songes de Charles de Gaulle : le Général croyait que « c'est l'Europe, depuis l'Atlantique jusqu'à l'Oural, oui, toute l'Europe, c'est toute l'Europe qui décidera du destin du monde ».

À cette aune, que vaut le texte de Javier Solana ? Après tout, l'Europe ne possédant presque aucun moyen militaire en propre, ces intentions stratégiques ne sont guère plus que des réflexions intelligentes. Peut-être, mais elles reflètent une décennie de maturation. L'Union a tiré les leçons d'une série d'erreurs peu à peu corrigées et d'humiliations mal digérées, principalement dans les Balkans au cours des années 90. La guerre en Irak de mars 2003 et les profondes divisions qu'elle a révélées entre les pays membres ont convaincu les derniers sceptiques de la nécessité de dégager des perspectives authentiquement européennes.

Les conflits dans l'ex-Yougoslavie avaient débouché sur les accords de Saint-Malo (1998), puis d'Helsinki (1999), sur la nécessité de construire une structure militaire européenne capable, le cas échéant, d'intervenir hors du cadre de l'OTAN tout en pouvant recourir aux moyens de l'Alliance. La crise irakienne a incité les pays membres à franchir un nouveau seuil de prise de conscience. Rétroactivement, s'ils avaient été équipés pour définir collectivement leurs propres critères de « violation patente » lors de la rédaction de la résolution 1441, s'ils avaient donc précisé eux-mêmes les conditions de l'usage de la force, l'Union aurait pu ne pas se contenter de remettre le dossier entre les mains de l'ONU, c'est-à-dire entre les mains des deux membres européens permanents du Conseil de sécurité, la France et la Grande-Bretagne. Ces deux pays n'étaient d'accord à l'époque que sur un point : surtout, ne pas déléguer l'affaire à l'Union. Trahie par ses deux membres les plus influents, l'Europe n'eut ensuite d'autre issue que de trottiner en maugréant derrière les États-Unis.

7

Ministre européen des Affaires étrangères

S'il existe un jour une diplomatie européenne qui soit autre chose qu'une juxtaposition chaotique – voire une neutralisation réciproque – des diplomaties nationales, qui la conduira ? La perspective est si éloignée que la question peut paraître saugrenue. Imaginer qu'un jour les diplomaties de pays aussi différents que l'Allemagne, l'Italie, la Grande-Bretagne et la France pourraient fusionner leurs politiques relève de l'utopie. Pour les « grands » pays, en particulier ceux qui entretiennent une très ancienne tradition diplomatique, la chose est-elle simplement possible ? L'idée semble pourtant raisonnable. Car que pèsent aujourd'hui l'ambassadeur de Hongrie ou celui d'Autriche à Washington ? Les relations bilatérales de ces deux pays avec les États-Unis sont sans véritable substance hors du contexte européen. Quelles magnifiques économies d'échelle on ferait si l'Union possédait un unique ambassadeur aux États-Unis, en Russie, en Chine ! Avec l'argent dégagé par ces économies, on pourrait investir des milliards d'euros dans la recherche, les universités, la défense...

Le traité constitutionnel aborde cette question : il prévoit la nomination d'un « ministre européen des Affaires étrangères[1] ». Celui-ci sera nommé à la majorité qualifiée par le Conseil européen. Il conduira la politique étrangère et de sécurité commune. Il sera également vice-président de la Commission. Le projet de traité n'est pas beaucoup plus précis sur ce futur « secrétaire d'État » de l'Europe, mais l'innovation institutionnelle qu'il représente est de taille. Elle résulte de la fusion de deux fonctions : celle de haut-représentant (HR) pour la Politique européenne de sécurité commune (PESC) et celle de commissaire aux Relations extérieures. Elle obéit donc à une double inspiration : communautaire (ce qui plaît aux fédéralistes) et intergouvernementale (pour que les États ne se sentent pas floués).

Le rôle du futur ministre serait de veiller à ce que l'Union européenne conduise une politique étrangère cohérente grâce à tous les instruments à sa disposition. Si la Constitution voit le jour, il n'y aura donc plus qu'un seul responsable pour exercer des fonctions qui étaient jusqu'à ce jour éclatées entre la Commission (pour ce qui est des relations extérieures avec les pays tiers : par exemple, l'instauration de partenariats avec les pays de la Méditerranée, ou d'un accord d'association avec les pays des Balkans) et les États membres à travers le Conseil (par le biais du haut-représentant pour la PESC). Le ministre européen des Affaires étrangères sera le visage de l'Union à l'étranger. Il pourra proposer que soient utilisés tous les outils de la politique étrangère, ses instruments aussi bien politiques, financiers que militaires, au service d'un même objectif. Il présidera le Conseil des Affaires étrangères, qui réunit déjà tous les ministres compétents de l'Union. Dans sa tâche, il pourra s'appuyer sur un service diplomatique européen rassemblant fonctionnaires du Conseil, de la Commission et des États membres, et englobant les ambassades de l'Union à l'étranger.

1. Dans son article I-27.

Enfin, il dirigera un service diplomatique comprenant des délégations présentes dans près de 125 pays. Le projet de Constitution prévoit la création d'un Service européen pour l'action extérieure qui l'assistera dans l'exercice de ses fonctions.

L'impulsion diplomatique européenne passera donc partiellement entre ses mains. Il disposera en effet d'un droit d'initiative en matière de politique étrangère et exécutera cette politique en tant que mandataire du Conseil des ministres. De même pour la politique de sécurité et de défense commune : le traité constitutionnel prévoit qu'en plus de présider le Conseil des Affaires étrangères, le ministre contribue, par ses propositions, à l'élaboration de la politique étrangère et de sécurité commune, et assure la mise en œuvre des décisions européennes adoptées par le Conseil européen et par le Conseil des ministres. Il veille, avec ce dernier, au respect des principes qui président à la Politique étrangère et de sécurité commune (PESC, art. III-296-1). Lorsqu'il agira dans le cadre de ce mandat, le ministre se trouvera d'ailleurs soustrait au principe de collégialité régissant la Commission, ce qui devrait lui conférer une autorité politique incontestable et unique en son genre.

Le ministre représente l'Union pour toutes les matières relevant de la Politique étrangère et de sécurité commune ; il conduit en son nom le dialogue politique, et exprime sa position dans les organisations et au sein des conférences internationales. Il assure également la coordination des actions des États membres de l'Union au sein des enceintes internationales (art. III-296-2 de la Constitution). Ainsi, il peut être amené à présenter la position de l'Union sur un sujet donné devant le Conseil de sécurité des Nations unies, à la demande des États membres qui y siègent, lorsque l'Union a défini une position sur ce sujet (art. III-296-2). En outre, des représentants spéciaux (nommés et mandatés par le Conseil des ministres afin de traiter des questions politiques particulières) exercent leurs mandats sous l'autorité du ministre des Affaires étrangères de l'Union (art. III-302).

Tel est cet ambitieux projet à l'égard duquel il n'est pas interdit d'éprouver un certain scepticisme. Quel rôle aurait joué le ministre européen des Affaires étrangères alors que Britanniques, Français et Allemands se déchiraient avant le déclenchement de la guerre d'Irak, dans les deux premiers mois de 2003 ? Réponse cynique : faute d'un mandat du Conseil, il aurait gardé le silence. Réponse optimiste : il aurait réussi, en amont de la crise, à élaborer une position européenne commune qui aurait permis à l'Union de peser dès le départ dans la crise irakienne.

En revanche, quand les pays membres sont alignés sur une politique cohérente, ce haut-représentant peut exister. Ce fut le cas pour le Proche-Orient, où Javier Solana est devenu membre à part entière du *quartet* (États-Unis, Union européenne, ONU, Russie), mais aussi pour les Balkans et plus récemment en Ukraine, où l'ancien secrétaire général de l'OTAN a joué à plusieurs reprises un rôle de médiateur.

Par-delà les bons sentiments, il n'existe cependant pas de politique étrangère commune. En Ukraine, quand l'élection présidentielle a donné lieu à des fraudes massives, à la mi-novembre 2004, non seulement l'Union n'a su émettre que quelques vagues protestations, mais le hiatus fut patent entre l'indifférence des pays d'Europe occidentale et l'inquiétude réelle de la Pologne et des républiques baltes au spectacle de cette flagrante ingérence russe dans le processus démocratique. Une diversité de réactions qui préfigure ce que sera la gestion par l'Union de sa « politique de voisinage ».

Outre ses limites intrinsèques, le futur système n'est pas non plus exempt d'ambiguïtés. Le ministre des Affaires étrangères ne sera en effet pas le seul à assurer la représentation extérieure de l'Union. L'article I-22-2 du traité prévoit que le président du Conseil européen, en sus de préparer et présider les travaux des Conseils, aura pour tâche d'assurer, à son niveau, la représentation extérieure de l'Union pour les matières relevant de la PESC, sans préjudice des compétences du ministre des Affaires étrangères. Or le projet de Constitution ne précise pas comment devra s'effectuer la division du travail entre le président du Conseil européen et le ministre des Affaires étrangères, laissant la pratique institutionnelle décider de leurs rôles respectifs.

La représentation de l'Union à l'étranger est loin, elle aussi, d'être un problème réglé. Elle reste éclatée entre le Conseil et la Commission. Dans les domaines du « premier pilier », c'est-à-dire ceux qui sont complètement « communautarisés », c'est la Commission qui décide et agit, parfois sur la scène mondiale. L'exemple le plus frappant est celui du commerce extérieur. Pascal Lamy, commissaire au Commerce de la Commission Prodi, était de loin le commissaire le plus connu de par le monde, bien plus que le président Romano Prodi lui-même ; dans de très nombreux pays, l'Europe, c'était Lamy, d'autant plus que c'était lui qui représentait l'Union dans toutes les négociations au sein de l'Organisation mondiale du commerce (OMC).

Les velléités du Conseil de garder la haute main sur la politique étrangère se comprennent, mais celui-ci doit savoir que la perception est toute différente à l'extérieur de l'Union. Du point de vue des pays candidats à l'adhésion, par exemple : dans les années à venir, les relations avec la Roumanie, la Bulgarie, la Croatie, les autres pays des Balkans et bien sûr la Turquie seront gérées par la Commission. Dans ces pays, l'Union, et ce qu'elle représente de pouvoir et de richesse, c'est la Commission et elle seule. Le rôle du Conseil y est mal compris et, du reste, ce dernier n'a pas d'argent ! Les pays associés d'Afrique, des Caraïbes et du Pacifique continueront eux aussi à relever pour l'essentiel de la Commission.

La cohabitation d'un président permanent du Conseil européen – en lieu et place de la rotation semestrielle qui prévaut depuis des lustres – et d'un ministre des Affaires étrangères extérieur à la Commission va-t-elle graver dans le marbre la séparation entre les politiques communautaires essentiellement internes et les politiques intergouvernementales tournées vers l'extérieur de l'Union ? Les fédéralistes s'en inquiètent, car cette distinction serait à leurs yeux une source de faiblesse pour l'Europe, un frein à son évolution naturelle. Ce dispositif priverait en outre le Parlement européen de tout contrôle sur la politique étrangère, puisque les eurodéputés n'ont pratiquement aucun droit de regard sur les décisions diplomatiques du Conseil alors qu'ils peuvent surveiller de près la Commission. Cette situation peut sembler curieuse quand on sait que le Parlement jouit d'une autorité indéniable dans la défense des droits de l'homme partout à travers le monde, mais il est également évident que les États membres continuent de considérer que la politique étrangère, au sens noble et stratégique du terme, doit continuer d'être l'apanage de l'intergouvernemental, quitte à abandonner à la Commission la « petite » diplomatie, réduite à la portion la plus congrue possible.

Un conflit de territoire entre Parlement et Conseil est d'ailleurs prévisible au sujet de la politique humanitaire, qu'on envisage d'ôter à la Commission et donc au contrôle parlementaire. La politique d'immigration est appelée à devenir un chapitre important de la politique étrangère européenne, de même que l'asile, la défense des droits de l'homme et la lutte contre la criminalité internationale. Va-t-on désigner un ministre de la Sécurité intérieure et de l'Immigration également hors de la Commission ? Poser ces questions, c'est montrer les complications, l'opacité et l'inefficacité d'une division artificielle entre domaines d'intégration et de coopération. Ainsi pensent les fédéralistes qui voudraient, en fait, que tout soit communautaire. Toutefois, avertissent les modérés, un pouvoir monolithique ne serait certainement pas adapté à la gouvernance du troisième regroupement de population de la planète (après la Chine et l'Inde), et du plus diversifié.

La mise en place d'une présidence de l'Europe émanant des seuls chefs de gouvernement convient si l'on veut aller vers une zone d'échanges assortie d'une coopération intergouvernementale sans obligations contraignantes, et confiner la méthode communautaire aux domaines du commerce et de la concurrence. On comprend que le Royaume-Uni y soit favorable, mais on a du mal à imaginer que la France puisse s'y rallier, car elle aurait pour effet de priver l'Europe de toute chance de devenir un acteur majeur sur la scène internationale, capable de « civiliser la mondialisation » et de promouvoir un modèle social original.

La méthode communautaire, prétend-on dans les couloirs du Conseil, ne serait pas applicable à la politique étrangère. On peut aisément s'inscrire en faux contre ce postulat. La présence active d'un organe de proposition et de représentation indépendant ne serait-elle pas encore plus nécessaire dans les domaines où les sensibilités nationales sont précisément les plus vives et parfois les plus éloignées les unes des autres ? Le recours au vote majoritaire qu'impose l'élargissement suppose que les gouvernements délibèrent sur la base d'une proposition de l'organe en charge de l'intérêt commun. C'est le moyen d'éviter des majorités de rencontre artificielles, issues de marchandages entre diplomaties nationales. Mais il coulera beaucoup d'eau sous les ponts avant que les grandes capitales de l'Union intègrent l'idée que le bien commun diplomatique puisse surgir de la technocratie bruxelloise ! En cas de nouveau conflit au Moyen-Orient, par exemple, comment croire que c'est la Commission qui pourrait décider de la position de l'Union ?

C'est souvent dans le domaine de la politique étrangère – ou, pour être plus précis, de la diplomatie – que d'aucuns envisagent une redistribution des pouvoirs et un déplacement du droit d'initiative. Le débat a été engagé comme s'il s'agissait de déterminer qui déciderait de la conduite de la politique étrangère commune de l'Union. Or, la réalité vécue est toute différente. Veut-on un exemple ? Valéry Giscard d'Estaing nous en fournit un[1] : en janvier 2002, sur les quinze membres du Conseil de sécurité des Nations unies, quatre appartiennent à l'Union européenne (France, Royaume-Uni, Allemagne, Espagne) et un cinquième est un pays candidat, la Bulgarie. À un moment où le Conseil de sécurité va devoir se prononcer sur les justifications d'une intervention militaire en Irak, un tiers de ses membres proviennent donc de l'UE. S'il existait une diplomatie commune, le rôle de celle-ci serait déterminant, et l'opinion internationale s'interrogerait sur l'attitude de l'Europe, qui détiendrait la clé de la situation.

La politique étrangère commune de l'Union n'existe pas encore. Il y a certes des « actions de politique étrangère communes », souvent réussies, comme aujourd'hui dans les Balkans. Mais de diplomatie commune sur la scène internationale, point encore ! Quand elle fait semblant, l'Europe est au mieux inefficace, au pis ridicule. Ce déficit de politique étrangère commune ne tient ni aux hommes ni aux

1. *Le Monde*, 14 janvier 2002.

institutions, constate l'ancien président de la République. Les deux hommes en situation de responsabilité, Javier Solana, haut-représentant pour la Politique de sécurité, au sein du Conseil, et Chris Patten, commissaire aux Relations extérieures, pour la Commission, sont parfaitement compétents. On aurait du mal à en trouver de meilleurs ! Ils sont pourtant sans influence sur la crise irakienne.

Pour ce qui est des institutions, elles n'ont rien laissé au hasard. Le traité de Maastricht prévoyait dès 1992 : « L'Union européenne se donne pour objectif d'affirmer son identité sur la scène internationale, notamment par la mise en œuvre d'une politique étrangère et de sécurité commune. »

Si la carence ne tient ni aux hommes ni aux institutions, alors elle résulte d'une absence de volonté politique. Il en faudrait beaucoup pour faire entrer progressivement la compétence diplomatique des États dans le champ de leur action commune, et réduire la part des initiatives nationales, qui reste prépondérante. Peut-on imaginer de les y contraindre en les soumettant à un pouvoir externe ? Il n'existe qu'une méthode, poursuit Giscard : mettre en place, à l'intérieur même du dispositif, un mécanisme qui inciterait les acteurs à développer des analyses et des positions communes – une sorte de *catalyseur* de la politique étrangère commune. Le futur ministre des Affaires étrangères engagerait la nécessaire convergence des actions diplomatiques des États européens. La stabilité de la présidence du Conseil assurerait quant à elle l'indispensable continuité.

Michel Barnier, ministre français des Affaires étrangères depuis mars 2004, a fait le grand saut : il incarnait le « bien commun » quand il était commissaire européen chargé de la Politique régionale ; il défend maintenant les intérêts français au Conseil, ce temple de l'intergouvernemental. Il s'est donc construit une philosophie intermédiaire qu'il résume en une formule : « L'Europe est une puissance dans le monde. Elle n'est pas encore une puissance mondiale. »

Toute allusion à une « Europe-puissance » est interprétée, notamment dans les dix pays de l'Est qui ont rejoint l'Union en 2004, comme une volonté d'éloigner celle-ci des États-Unis. Cette perspective les terrifie et diffère d'autant toute possibilité d'harmoniser une politique étrangère européenne. Les responsables américains sont naturellement conscients de cet état d'esprit et ils en usent. John Hulsman, chercheur à la Heritage Foundation de Washington, le dit sans détour : « L'Amérique doit en permanence prendre note des désaccords intra-européens afin de les exploiter pour mettre sur pied des coalitions volontaires sur telle ou telle initiative politique. Seule une Europe qui s'élargit au lieu de s'approfondir, une Europe à la carte où les efforts vers une plus grande centralisation et une plus grande homogénéisation sont maintenus à leur minimum, répondrait à la fois aux intérêts des États-Unis et à ceux des citoyens européens[1]. »

1. www.inthenationalinterest.com.

8

Caucase : la guerre européenne de 2030 (fiction)

À l'automne 2030, la guerre entre la Géorgie et l'Azerbaïdjan dure déjà depuis six mois. Elle a commencé lorsque les troupes géorgiennes ont pénétré en Azerbaïdjan en usant de leur « droit de suite » au lendemain d'une sanglante incursion de « bandits » azéris étonnamment bien armés. Le 17 mars 2030, la razzia a fait 1 500 morts, hommes, femmes, enfants. En temps normal, l'incident aurait sans doute été traité comme un fait divers, mais il faut croire que les esprits étaient échauffés par une série d'incidents de frontière allant crescendo depuis 2027. Certains experts européens du renseignement en sont surpris : avec ses 4 millions d'habitants, la Géorgie est deux fois moins peuplée et beaucoup plus pauvre que son adversaire. Elle n'a aucune chance de l'emporter. Ces experts estiment que l'offensive géorgienne n'avait pas pour objet de protéger les villages frontaliers, mais de prévenir une attaque massive après des années de réarmement de l'Azerbaïdjan grâce aux pétrodollars. Et peut-être d'inciter une tierce partie à s'interposer.

Après l'invasion, l'Union européenne a déployé de considérables efforts pour tenter de calmer les deux parties. Le ministre européen des Affaires étrangères a fait la navette pendant des semaines entre Bakou et Tbilissi, les capitales d'Azerbaïdjan et de Géorgie, mais rien n'y a fait. Les deux pays voulaient la guerre. Ils l'ont eue. Et l'Europe s'est retrouvée piégée.

Face à l'occupation géorgienne qui dure maintenant depuis six mois sur une bande de terre sans réel intérêt stratégique mais placée sur des hauteurs, les troupes azéries préparent une contre-offensive pour laver définitivement l'affront. Le puissant sentiment national azéri explique la vigueur de cet esprit de revanche ; mais, si sa résistance est aussi vaillante, c'est aussi que l'Azerbaïdjan jouit de la présence sur son territoire d'une force européenne de 60 000 hommes et femmes envoyée par l'état-major européen dont le quartier général est à Bruxelles, en Belgique. C'est à la majorité qualifiée des deux tiers que le Conseil européen a voté l'envoi de cette force à partir d'un dossier solide : l'Union ne peut ni tolérer qu'un de ses fournisseurs de pétrole soit attaqué de cette manière, ni accepter que des conflits éclatent dans son environnement proche. La Géorgie, ne l'oublions pas, est frontalière de l'Union. Rappelons aussi que, depuis 2017, les interventions militaires européennes peuvent être décidées par le Conseil européen à la majorité qualifiée de ses membres. Il faut dire que la règle du vote à l'unanimité était devenue par trop paralysante. Il se trouvait toujours un pays pour refuser l'intervention militaire pour des raisons morales ou humanitaires, avec parfois des conséquences catastrophiques. La guerre de 2016 entre l'Ukraine et la Biélorussie fut le déclencheur : l'Union avait refusé d'intervenir par suite d'un veto de l'Irlande, et le conflit s'était achevé sur un compromis dicté par Moscou, dommageable aux intérêts de la Pologne. Désormais, les pays qui ne veulent pas participer aux opérations militaires se tiennent à l'écart, c'est tout.

En l'occurrence, pour riposter à l'invasion de l'Azerbaïdjan, dix-huit des trente-deux pays membres de l'Union ont fourni des troupes, et l'élément aérien est prêté par l'OTAN. Dûment mandatée par l'ONU, la « Force de réaction rapide » de l'UE est neutre, naturellement, et ne participe pas au combat tant qu'elle n'y est pas contrainte. Sa mission consiste simplement à séparer les combattants dans le cadre de ce que les militaires de Bruxelles appellent depuis une trentaine d'années une « mission de Petersberg[1] ». La FRR est commandée par le général turc Gültekin Tanciller. La Turquie a rejoint l'Union européenne exactement dix ans plus tôt, en 2020. L'état-major turc a beaucoup insisté pour prendre le commandement de l'opération. La région est d'une importance vitale pour la Turquie et son armée veut prouver qu'elle est capable de maîtriser un tel conflit de manière « moderne ».

Quoique neutre, la force européenne n'a d'autre issue que de se ranger aux côtés de l'agressé. Et là, il n'y a pas le moindre doute : l'agressé, c'est l'Azerbaïdjan. Il se trouve que c'est un gros producteur de pétrole et un important fournisseur de l'Union européenne. La solidarité n'en est que plus vive. Il y a bientôt vingt-cinq ans que le pipe-line Bakou-Tbilissi-Ceyhan (BTC) apporte le brut de la mer Caspienne, sans traverser la Russie, vers le port turc de Ceyhan d'où il est acheminé vers les pays d'Europe. Un ravitaillement commode qui doit être préservé à tout prix. Cet oléoduc a radicalement changé la donne stratégique. Jusqu'à la mise en service du BTC, la Russie fournissait 55 % de son énergie à l'Union européenne. Cette proportion est tombée à moins de 20 %, et la relation entre l'UE et Moscou, malgré un commerce bilatéral croissant, n'est plus ce qu'elle était. Que le conflit soit saturé d'arrière-pensées pétrolières, que Moscou joue en sous-main

1. Voir *infra*, p. 342.

un rôle trouble pour un camp, puis pour un autre, cela ne fait aucun doute, mais l'Union européenne préfère ne pas savoir.

Une fois la décision prise, il a fallu attendre encore deux mois pour que les premiers éléments de la force soient rassemblés et prêts à être acheminés sur place par des avions de transport A 400 M, de conception presque entièrement européenne. Aux termes d'un cessez-le-feu ambigu, comme tous ceux qui sont signés en Asie centrale depuis des siècles. La ligne de cessez-le-feu a été tracée au détriment des Géorgiens – ce qui peut sembler justifié, puisqu'ils sont les agresseurs. Pourtant, ils jurent détenir de vieux documents datant de la fin du XIXe siècle et attestant la légitimité de leurs revendications territoriales sur le territoire azéri. Grands seigneurs, les Géorgiens se déclarent prêts à rendre tous les territoires azéris occupés, à condition que l'Union garantisse à 100 % la sécurité des Géorgiens qui habitent le long de la frontière.

Conforté pour sa part par le soutien européen, le président azéri reste ferme : « Il faut que les Géorgiens comprennent que nous n'accepterons jamais l'occupation. Il faut qu'ils retirent leurs troupes. Nous leur garantissons le calme le long de la frontière, qui sera placée sous le contrôle de forces internationales. »

Depuis lors, le maintien de la paix est à la charge de l'Union européenne. Malheureusement, la FRR n'est pas suffisante pour dissuader complètement les protagonistes. Les Géorgiens, qui disposent d'une armée relativement mal équipée mais très nombreuse pour un si petit pays, multiplient avec une étrange assurance les coups de main contre les troupes azéries. Ils s'efforcent de ne pas se frotter aux Européens qui font tampon, mais les pertes européennes s'accumulent malgré tout. À Paris, à Madrid, à Berlin, à Ankara, l'opinion publique européenne donne chaque jour de la voix pour exiger le rapatriement des soldats. Les pays les plus réticents à l'égard de l'intervention militaire, la très catholique Irlande et les Pays-Bas, opposent systématiquement leur veto à toute velléité d'augmenter le budget ou les effectifs de l'intervention. Ils ont été incapables d'empêcher l'envoi des troupes, la majorité qualifiée pouvant se passer d'eux, mais les questions budgétaires, elles, sont décidées à l'unanimité...

En France, où la tradition d'intervention militaire extérieure est pourtant fortement ancrée, un courant pacifiste se développe depuis l'affaire Chaperon. Le colonel Chaperon, qui commandait un des « groupements tactiques » du corps expéditionnaire européen, se trouva pris en embuscade par des éléments blindés géorgiens. Seul un appui aérien aurait pu dégager ses hommes, mais le général commandant le corps a dit non. Le général Tanciller est connu pour appliquer le règlement avec intransigeance : la force aérienne ne doit être utilisée qu'en dernier recours, et Tanciller, dans la grande tradition de l'infanterie motorisée turque, a estimé que Chaperon aurait pu dégager ses hommes tout seul, à condition naturellement de faire preuve d'imagination. Maintenant que le groupement tactique déplore 300 morts – de nombreux blessés n'ont pas résisté au froid –, cette hypothèse n'a plus grande importance, mais la polémique déclenchée à cette occasion ne s'est jamais éteinte. La rumeur s'est répandue dans les dix-huit pays les plus à l'ouest de l'Union européenne que la décision de ne pas venir au secours de Chaperon a été prise par le gouvernement turc sans que l'état-major de Bruxelles en ait été formellement averti. On chuchote aussi que les États-Unis ont été consultés par le gouvernement d'Ankara et que le Pentagone, qui fait ce qu'il veut au sein de l'OTAN, a déconseillé le recours à l'appui aérien pour ne pas prendre le moindre risque de contagion régionale. La relation turco-américaine est très étroite, encore plus depuis que les États-Unis ont promis aux

Turcs qu'ils les laisseraient user de leur « droit de suite » contre les groupuscules kurdes qui provoquent régulièrement Ankara à partir des pays voisins.

La tragédie Chaperon provoque la fureur des Européens de l'Ouest, mais sert indirectement les intérêts de la Turquie. Celle-ci peut désormais montrer qu'elle ne se comporte plus en fonction des seules solidarités turcophones. Le gouvernement turc a d'ailleurs pris peu à peu ses distances avec Bakou au fil des mois, adoptant une « neutralité de granit ».

Ce qui était prévisible se produit. Une virulente campagne aux relents xénophobes se développe dans l'ouest de l'Union : pourquoi l'Europe combat-elle des Géorgiens chrétiens et prend-elle le parti de musulmans turcophones ? Voilà ce que c'est que d'avoir accueilli les Turcs dans l'Union en 2020 ! Le débat, qui n'avait jamais été vraiment porté sur la place publique avant l'adhésion de la Turquie, s'enflamme soudain avec au moins quinze ans de retard. La Géorgie, qui aurait pu elle-même prétendre à adhérer à l'Union, a sabordé ses chances pour au moins vingt ans. Il faut dire que le régime d'Ankara n'avait jamais vu cette pré-candidature d'un bon œil, et on lit parfois dans les journaux que les services secrets turcs ne sont pas étrangers à la provocation qui a déclenché le conflit. Il est trop tard pour vérifier ces rumeurs. L'Europe est en guerre dans le Caucase, et c'est grave.

Face à quelques agitateurs attardés qui brandissent le péril turc dans les capitales de l'Ouest, les sages répondent, comme à leur habitude, que l'Europe n'a jamais été un « club chrétien ». C'est à ce moment précis qu'une vague d'attentats frappe la Turquie. Aucun de ces attentats n'est revendiqué, mais à Ankara nul ne nourrit le moindre doute : ce sont des extrémistes arméniens qui tentent de profiter de la tension dans le Caucase pour déstabiliser la

Turquie. L'explication est crédible. Les Arméniens n'ont-ils pas derrière eux une longue histoire terroriste ?

Terroristes ou pas, ces actions sont saluées dans plusieurs capitales européennes par de virulentes manifestations anti-turques. Depuis l'entrée de la Turquie dans l'Union, jamais ce sentiment de rejet ne s'est exprimé aussi fortement. L'Europe se déchire. En dix ans, le sentiment antiturc, loin de se tarir, est devenu un courant politique majeur dans l'Europe « chrétienne ». La greffe ne prend pas, et le conflit du Caucase fait suppurer la plaie.

Les traités européens prévoient explicitement l'intervention de la force européenne au titre de missions « post-conflits » pour reconstruire les infrastructures de base (routes, télécommunications, adduction d'eau, etc.) d'un pays. À l'origine, il n'avait jamais été question que la FRR se transforme en force d'interposition, mais la mission européenne a duré beaucoup plus longtemps que prévu, et il n'y avait plus d'autre issue. Les États-Unis avaient exclu de déployer des unités combattantes dans le Caucase, tout simplement parce que la Géorgie est frontalière de l'Union, donc dans la zone de responsabilité européenne. L'OTAN a automatiquement délégué la gestion de la crise à Bruxelles. Tant que les grands pays pétroliers du Moyen-Orient ne sont pas menacés d'une contamination, c'est une doctrine à laquelle tous les présidents américains se tiennent depuis une bonne vingtaine d'années. Les électeurs américains ne veulent plus que les GI interviennent toujours et partout. L'époque de l'hyperpuissance omniprésente est révolue depuis la fin des guerres d'Irak, en 2012. Celles-ci ont coûté si cher aux États-Unis que la croissance mondiale en a été durablement affectée. Du coup, la doctrine de la Maison Blanche a radicalement changé. Les États-Unis n'interviendront plus qu'au Moyen-Orient, dans les Amériques et dans l'Asie en croissance. Le reste du monde devra se débrouiller.

Surtout, l'Union européenne doit se muscler. C'est le moins qu'on puisse attendre d'un ensemble de pays développés de 600 millions d'habitants. Sans oublier, naturellement, que lui incombe la sauvegarde des valeurs communes et des intérêts fondamentaux des Trente-deux prévue par le titre V du Traité sur l'Union européenne : le maintien de la paix et le renforcement de la sécurité internationale, la promotion de la coopération internationale, le renforcement de la démocratie et de l'état de droit, y compris les droits de l'homme.

Le 7 décembre 2030, un Conseil européen extraordinaire des Affaires générales est convoqué à Bruxelles. À l'ordre du jour, un seul sujet : le conflit du Caucase. La France, la Grande-Bretagne et l'Allemagne, qui veulent le retrait des troupes européennes, ont convoqué le Conseil en obtenant le minimum de voix requis pour cette demande grâce à l'appui de la Pologne, du Portugal et des trois républiques baltes. Il n'a pas été besoin de faire appel à l'Espagne, qui aurait sans doute dit oui mais qui se trouve, de son côté, engagée dans une négociation délicate avec le Maroc à propos des politiques de pêche respectives des deux pays. Il ne faut surtout pas irriter la Turquie qui, tout en appartenant de plein droit à l'Union, prend malgré tout systématiquement le parti du Maroc dans la plupart des débats économiques concernant le pourtour méditerranéen. C'est sa façon de peser à Bruxelles, et elle explique que, après tout, un pays aussi respectable que le Royaume-Uni a fréquemment usé de cette méthode en soutenant les États-Unis contre les pays d'Europe continentale quand ses intérêts étaient en jeu.

Depuis la réforme constitutionnelle de 2017, les trente-deux membres de l'Union européenne votent au sein du

Conseil avec des droits de vote qui sont proportionnels à la population de chaque pays. Le calcul est réactualisé tous les cinq ans. Il se trouve qu'avec 100 millions d'habitants – le dernier recensement en témoigne – la Turquie est désormais aussi peuplée que la France et l'Espagne réunies. En formant des coalitions avec l'Espagne et le Royaume-Uni, deux pays traditionnellement sensibles aux arguments américains, la Turquie pèse très lourd au Conseil. Au Parlement, sur le millier de députés représentant les trente-deux pays, 160 sont turcs. Ils sont parfois opposés sur bien des sujets, mais quand leur sécurité nationale est en jeu, ils votent tous d'un bloc. Leur discipline en la matière fait que, sur tous les grands débats de politique étrangère, leur influence est décuplée. Les Français se piquent eux aussi de politique extérieure et y montrent du talent, mais leurs 78 députés sont dispersés en une bonne dizaine de groupuscules inutiles. Les Turcs, eux, pensent d'abord turc. Parmi eux, beaucoup crurent sincèrement que l'Europe leur apporterait une nouvelle identité, mais les progrès chaotiques de l'Union, ses divisions incessantes, ses lenteurs en ont décidé autrement. L'organisme européen aurait eu besoin d'être bien plus solide pour « digérer » la Turquie.

Le 7 décembre, à l'issue du Conseil, Ankara et ses alliés obtiennent le « feu vert » pour intensifier les opérations de représailles contre les intrusions géorgiennes. Le lendemain matin, Moscou émet pour la première fois des protestations très vives et deux divisions sont mises en alerte dans le sud de la Russie, étant entendu qu'elles pourraient venir en aide à la Géorgie si l'intégrité de son territoire était menacée. Pour la première fois depuis la fin de la guerre froide, quarante ans plus tôt, l'Union européenne est au bord d'un conflit militaire avec la Russie…

9

Préparer l'impossible guerre

« Notre génération n'échappera pas à la guerre », parce que l'Union européenne est vulnérable, parce qu'elle est riche, parce que sa population est vieille et déclinante, et parce que ses frontières sont flottantes. L'avertissement est signé Louis Gautier. Pourquoi cette prédiction funeste ? Pour ces raisons-là et pour au moins trois autres, résume le délégué national du Parti socialiste chargé des questions stratégiques[1]. D'abord parce que la mondialisation avive les tensions entre États tout en en créant de nouvelles, exacerbées par une distribution des revenus plus inéquitable encore. Ensuite parce que le droit international n'est reconnu et respecté que sur une faible portion de la planète ; ailleurs, ce droit est souvent perçu comme le plus pernicieux des instruments de la domination occidentale. Enfin parce que l'étendue planétaire et la migration de certains périls ont aboli les frontières entre sécurité intérieure et sécurité extérieure, au point d'en confondre les modes de traitement.

Pourtant, alors que tous les signes d'une menace croissante se précisent, se préparer à la guerre répugne à l'Union

1. *Le Figaro*, 30 octobre et 1er novembre 2004.

européenne. Contre toute logique, elle ne souhaite pas devenir une puissance militaire. En particulier parce que sa raison d'être, depuis cinquante ans, c'est précisément d'interdire la guerre en son sein. L'expression « Europe-puissance » lui fait peur, comme si la formule sonnait le glas d'une certaine innocence. Comme jadis, à la fin du XVIIIe siècle, l'Amérique des pères fondateurs rejetait la guerre, jugée immorale, pour ne pas retomber dans les errements barbares de l'Europe qu'ils avaient fuie, l'Europe du XXIe siècle se berce de l'illusion qu'elle est protégée du mal par sa sagesse. C'est cette sagesse, explique-t-elle, qui la conduit à choisir le droit comme vecteur privilégié de sa politique étrangère, à l'inverse des États-Unis de George W. Bush qui n'hésitent pas à envoyer promener le droit quand il ne coïncide pas avec leurs intérêts.

Robert Kagan, chercheur à la Carnegie Endowment for International Peace, une fondation de Washington, est devenu célèbre en retournant la profession de foi européenne sens dessus dessous. À ses yeux, si l'Europe défend le droit, la conciliation et le libre-échange à travers le monde, et si elle condamne l'usage unilatéral de la force, c'est uniquement parce qu'elle est faible. De surcroît, elle n'est plus l'enjeu qu'elle était au temps de la guerre froide. Le centre de gravité des conflits s'est déplacé vers une zone allant du Bosphore à la mer du Japon en passant par le Moyen-Orient, le sous-continent indien et l'Asie centrale, englobant les réserves mondiales d'hydrocarbures, les principales voies de communication et les détroits.

Néanmoins, plus l'Europe s'étend, plus ses frontières frôlent les grandes zones de tension du monde, plus elle ressent confusément que l'Histoire va recommencer, qu'éclatera tôt ou tard sinon une guerre entre elle et d'autres pays, du moins un conflit proche à l'écart duquel elle n'aura pas la possibilité de rester. Michel Barnier, ministre français des Affaires étrangères, résume ainsi le dilemme philosophique européen : « L'Union doit naviguer entre deux écueils : l'impasse de la force sans le droit, l'utopie du droit sans la force. » François Bayrou, président de l'Union pour la démocratie française, aborde la même question en évoquant la Seconde Guerre mondiale : « Sans la force pour soutenir le droit, la liberté serait morte. »

Le droit sans la force... Les années 90 ont sonné l'alarme et les Balkans ont fait office, durant cette décennie, de sombre laboratoire de l'impuissance. En Bosnie à partir de 1992, puis au Kosovo en 1999, les Européens ont compris qu'ils étaient militairement incapables d'exprimer une volonté et que cette impuissance les privait d'influence politique. Le début de la décennie 2000 a apporté son lot d'améliorations et son lot de déceptions. Lorsque les États-Unis ont envahi l'Irak en mars 2003, l'Europe n'était pas prête, et cette impréparation, cette absence totale de pensée stratégique collective l'ont marquée d'un sceau d'infamie. Mais la fracture irakienne au sein de l'Europe aura au moins eu une conséquence positive : l'élaboration d'un premier corps de doctrine européen, encore mou, certes, mais qui vaut mille fois mieux qu'un pugilat public à la face du monde entre Allemagne et France d'un côté, Grande-Bretagne, Espagne et Pologne de l'autre. Cette doctrine est contenue dans *Une Europe sûre dans un monde meilleur*, texte rendu public à la fin de 2003 par Javier Solana, haut-représentant pour la Politique étrangère et de sécurité commune (PESC), dont nous avons déjà examiné les grandes lignes.

Le fiasco irakien a mis en lumière l'incroyable paradoxe du géant européen empêtré dans son vide stratégique. Avec des dépenses militaires cumulées considérables (de l'ordre de 160 milliards de dollars), soit environ un tiers de celles des États-Unis, l'Union peut à peine se prévaloir de 10 % de leur efficacité militaire. Gaspillage inouï !

Depuis, l'embryon d'une défense européenne, dont la conception avait précédé la guerre d'Irak, mais que celle-ci a fait mûrir plus vite, a peu à peu commencé à émerger. On peut le constater sur le terrain : en 2003, plus de 2 000 policiers et militaires européens ont participé à des opérations en Bosnie, en Macédoine et au Congo.

La première vertu indispensable de la doctrine européenne, c'est à l'évidence la modestie. L'Union doit procéder avec une extrême prudence, car des visions du monde très différentes y cohabitent malaisément : quatre États neutres, une demi-douzaine de pays ravis de déléguer leur sécurité aux États-Unis, la Grande-Bretagne et l'Italie soucieuses de coller à la politique américaine, la France hantée par le mythe de la souveraineté nationale. La cohésion entre tous est une gageure ! Dans leur immense majorité, les membres de l'Union sont aussi membres de l'OTAN, et cette proportion est encore plus notable depuis l'élargissement de mai 2004. Aux yeux de ces Européens de l'OTAN, il ne doit y avoir aucune différence entre la défense européenne et l'Alliance atlantique, aucune contradiction entre leur souci de sécurité et leur allégeance aux États-Unis d'Amérique. Les partisans d'une « défense européenne » marchent donc sur des œufs, car ils s'attaquent à l'idée même que se font ces pays de leur survie. C'est dire si l'arrivée d'hommes en uniforme dans les couloirs du Conseil, à une quinzaine de kilomètres du QG de l'OTAN, a pu faire l'effet d'une révolution. On s'y est habitué et ils ont quelque peu détendu l'atmosphère feutrée et étouffante où évoluent les milliers de fonctionnaires civils travaillant dans la capitale belge. L'Europe militaire est certes encore une utopie, mais au moins le stade de la conception a été dépassé. L'embryon existe.

La défense et la sécurité font partie des domaines encore non communautarisés sur lesquels les pays conservent un droit de veto et sont à l'abri de toute pression émanant de la Commission ou du Parlement. La politique y est fondée sur le consensus ; l'unanimité est en ces domaines une règle absolue : aucune possibilité de vote à la majorité qualifiée. Aucun État membre ne peut donc être mis en minorité, ni contraint à déployer des troupes sur le terrain, ni forcé à financer des opérations contre son gré. La souveraineté nationale reste ici un dogme de granit. D'ailleurs, les dispositions liées à la Politique européenne de sécurité et de défense (PESD), qui fait partie de l'ensemble plus vaste connu sous le nom de Politique étrangère et de sécurité commune (PESC), ne sont ni juridiquement contraignantes ni solidement ancrées dans les traités existants. Il n'y a pas d'acquis en matière militaire, aucun « effet cliquet » qui rendrait irréversible le franchissement d'un seuil quelconque. Tout pays non consentant peut à tout instant faire machine arrière. Rien à voir avec les États-Unis, où la Garde nationale du Texas n'a évidemment pas le droit de se soustraire à un ordre venu de Washington ! Il y a fort à parier que l'Europe n'atteindra jamais ce degré-là d'intégration. La meilleure preuve que la PESD fonctionne sur une base exclusivement volontaire, c'est qu'il n'y a même pas de Conseil des ministres de la Défense : les décisions en ce domaine sont prises par les ministres des Affaires étrangères. La Commission, pour sa part, ne joue aucun rôle, exception faite du volet civil de la PESD. (Pour la petite histoire, rappelons que ce sigle s'écrivait à l'origine PESCD, mais les grandes capitales, pour n'effrayer personne, ont préféré effacer toute allusion à une possible « défense commune ». *Exit* donc le « C » !)

En matière militaire, l'Union est à géométrie variable, à la carte. Pour prendre un exemple, le Danemark a négocié et obtenu une « clause de participation » (au lieu de l'usuelle clause de dispense) en vertu de laquelle il est automatiquement exempté de participer à la mise en œuvre de la politique de défense à moins qu'il n'en décide autrement. On ne saurait être plus accommodant.

Le bon côté des politiques non communautaires, c'est que les pays membres, s'ils le souhaitent ensemble, peuvent décider et agir vite. Ce qui débouche parfois sur ce paradoxe : comparativement au reste des affaires européennes, le processus d'intégration militaire, parti il est vrai de rien, semble avancer à une allure relativement rapide. Les instruments militaires européens sont des coquilles modestes, mais de moins en moins vides, et ils se multiplient : Comité politique et de sécurité (COPS), composé des ambassadeurs des pays membres, se réunissant deux fois par semaine à Bruxelles ; Comité militaire de l'UE (CMUE), composé officiellement des chefs d'état-major des armées des pays membres, mais où siègent en réalité leurs délégués militaires, chargés de fournir des conseils militaires au COPS et au Conseil européen ; État-major de l'Union européenne (EMUE), susceptible d'intervenir dans toute opération militaire de gestion de crise. L'EMUE est responsable de l'alerte rapide, de l'appréciation des situations et de la planification stratégique dans le cadre des missions dites de Petersberg[1], concept d'intervention « douce » dont la mise au point remonte à 1992 et qui doit son nom à l'hôtel proche de Bonn où il a été élaboré.

Ces innovations militaires d'allure « fédérale » – tout en étant strictement intergouvernementales au sens où les capitales en conservent le contrôle – auraient été tout simplement inimaginables il y a dix ans, avec ou sans traité de Maastricht. Elles ont

---

1. Missions humanitaires ou d'évacuation de ressortissants, de maintien de la paix, voire de forces de combat pour la gestion des crises, y compris des opérations de rétablissement de la paix.

été rendues possibles par le rapprochement inattendu entre les deux grands « pays militaires » d'Europe. En décembre 1998, à Saint-Malo, la France, héritière d'une tradition gaullienne de défiance à l'égard des États-Unis, trouve enfin un terrain d'entente avec la Grande-Bretagne, pivot de l'OTAN et allié privilégié des États-Unis depuis la Seconde Guerre mondiale. Pour des raisons différentes, mais avec des objectifs convergents, Paris et Londres font le même constat : l'époque où les États-Unis étaient prêts à intervenir automatiquement dès qu'une menace se faisait jour en Europe est révolue. L'engagement américain dans les crises européennes est désormais incertain et l'Europe doit combler cette dépression stratégique ou la subir à ses dépens. Elle doit donc remplir ce vide naissant ou prendre le risque de voir éclater des guerres à ses portes. Ensemble, Tony Blair et Jacques Chirac affirment en conséquence la nécessité pour l'Union de bâtir l'élément militaire qui lui a tant manqué pendant l'effondrement de l'ex-Yougoslavie.

Mais, une fois les principes affirmés, le plus dur reste à faire : dégager des moyens, c'est-à-dire investir. Pour être crédible, l'Europe doit être capable de conduire les « missions de Petersberg », y compris les plus complexes, dans le cadre d'opérations pouvant aller jusqu'au niveau du corps d'armée, soit de 50 à 60 000 hommes. Compte tenu de la taille des armées européennes, la chose ne semble pas hors de portée, mais en l'occurrence les chiffres sont trompeurs : bien que les États membres comptent à eux tous environ 1,8 million de militaires, ils ne peuvent déployer que de 10 à 15 % de ces forces à l'étranger, la plupart d'entre elles étant constituées d'appelés et concentrées sur la défense du territoire national[1]. L'allocation des ressources est inadaptée :

1. Burkard Schmitt, *L'Union, combien de divisions ? La politique de sécurité et de défense de l'UE : les cinq premières années 1999-2004*, publié par l'Institut d'études de sécurité de l'Union européenne 2004.

encore aujourd'hui, le gros de l'investissement en matière de défense concerne toujours le matériel et les infrastructures, au lieu de se porter sur les nouvelles technologies et la recherche. Tout en étant conscient d'être incapable, à deux ou trois exceptions près, de mener seul la moindre opération, chaque pays entretient un état-major, une agence d'acquisition, des centres de formation. La redondance est généralisée. Elle est ruineuse.

Les armées d'Europe sont obsolètes et empêchent l'armée d'Europe de voir le jour. Elles sont restées largement les mêmes, alors que la problématique a changé du tout au tout. Les conflits de Bosnie puis du Kosovo ont montré que les armées européennes n'étaient pas préparées à affronter les défis militaires de l'après-guerre froide : constituées pour protéger les territoires nationaux contre une agression militaire à grande échelle, elles n'étaient ni structurées ni équipées de manière appropriée pour mener des opérations de gestion de crise à l'étranger[1]. De surcroît, elles avaient de plus en plus de mal à opérer de conserve avec les troupes américaines. Ces dernières, dont l'organisation a toujours été celle de forces expéditionnaires, ont en effet engagé dans les années 90 une vaste mutation pour devenir plus mobiles et plus flexibles. Ce processus a été induit dans une large mesure par l'utilisation croissante des technologies modernes d'information et de communication à des fins militaires[2]. Sans équivalent en Europe par sa rapidité et son ampleur, cette « révolution dans les affaires militaires » a posé de graves problèmes d'interopérabilité, affaiblissant le lien transatlantique et, par là même, la capacité de l'Europe à infléchir les politiques des États-Unis.

1. *Ibid.*
2. *Ibid.*

Sans forcément copier le modèle américain de la « guerre axée sur les réseaux », les pays européens devront fournir un effort individuel et collectif considérable pour se mettre à niveau. Compte tenu de l'extrême longueur des cycles d'acquisition et de vie du matériel militaire, « des décennies peuvent s'écouler entre le recensement d'un besoin en matière de capacités et la mise en service d'un système d'armes qui réponde à ce besoin[1] ».

La flexibilité opérationnelle, la rapidité et l'autonomie de réaction sont les conditions *sine qua non* de la crédibilité européenne. En février 2004, l'Allemagne, la France et la Grande-Bretagne ont présenté le concept de « groupements tactiques » *(battle groups)* et l'Union l'a repris à son compte. L'idée : des groupements de 1 500 hommes, y compris tous les personnels de soutien, doivent pouvoir être déployés en quinze jours pour effectuer des missions de combat de haute intensité. S'ils voient le jour, ces groupements constitueront une vraie révolution militaire. Il s'agirait de mettre en place d'ici à 2007 treize « groupements tactiques interarmées[2] » de combat. La France, l'Italie, l'Espagne et le Royaume-Uni devraient prendre chacun la tête de deux groupements, tandis que les cinq autres relèveraient d'une association entre deux ou trois nations. Pour pouvoir exploiter ces groupements, les Européens devront développer des moyens de transport stratégique ; il reviendra à la nouvelle Agence européenne de défense[3] de les mettre sur pied. Cette agence a reçu une quadruple mission qui résume bien les ambitions

1. *Ibid.*
2. À titre de comparaison, la Force de réaction de l'OTAN (FRO), décidée au sommet de Prague de novembre 2002, comprendra 21 000 militaires prélevés sur les forces européennes, et sera dotée d'une composante aérienne capable d'effectuer 200 sorties de combat par jour.
3. Instituée le 12 juillet 2004.

de l'Union : développer des capacités de défense dans le domaine de la gestion de crise ; identifier les besoins futurs en termes de forces et d'équipements ; promouvoir et coordonner les équipements militaires ; évaluer les possibilités d'acquisitions communes.

En 2005, le bilan est mitigé. Les effectifs demandés sont plus ou moins mobilisables dans les délais prévus, mais ni la qualité des troupes ni celle du matériel ne sont au rendez-vous. Chaque pays est censé être prêt en permanence à prélever rapidement des éléments de ses propres forces armées au service d'une cause choisie par l'Union. Dans la pratique, soit par mauvaise volonté, soit par incapacité, les pays membres honorent mal leurs engagements. L'Italie a par exemple éprouvé les pires difficultés à fournir les hélicoptères promis dans le cadre de l'effort militaire européen pour la stabilisation de l'Afghanistan.

10

Contre l'OTAN, tout contre...

La marche de l'Europe vers une défense commune sera longue, très longue, et il se peut fort bien que, faute d'une volonté suffisante, on n'en voie jamais le bout. Car cette quête bute sur une question épineuse : comment la défense européenne s'articulera-t-elle avec l'Organisation du traité de l'Atlantique Nord (OTAN), alliance qui suffit tout à fait à la plupart des pays membres de l'Union ? Dans quel type de crise le recours à une force strictement européenne sera-t-il préférable, et qui en décidera ? Pour être encore plus précis, quelle peut être la valeur ajoutée d'une force de l'Union quand on compare son efficacité à celle d'une alliance aussi puissante et influente que l'OTAN ?

Écoutons cet étudiant de Tbilissi qui interpelle Romano Prodi, président de la Commission européenne, en visite en Géorgie à l'été 2004. Le jeune homme est inquiet et ne se paie pas de mots : « L'Europe n'a pas d'armée. Il n'y a que l'OTAN qui puisse nous aider[1] ! » Ce jour-là, Romano Prodi a bien du mal à convaincre son jeune auditoire des bienfaits de la *soft security,* et quand il affirme que « plus

1. *Le Figaro,* 29 septembre 2004.

personne n'osera vous menacer [si vous signez un partenariat fort avec l'Union] », les visages s'allongent. Nul ne le croit. Pour les pays qui vivent dans une situation de guerre larvée depuis la chute de l'URSS, les promesses de cette sorte ne suffisent pas. Dans l'immense glacis plutôt instable qui entoure la Russie, l'OTAN rassure. L'Union attire et fait envie : c'est différent !

Ce sentiment viscéral vis-à-vis de l'OTAN a également cours dans plusieurs pays admis aujourd'hui dans l'Union, tout particulièrement dans ceux qui, à l'Est, estiment devoir leur libération du joug soviétique à l'OTAN et surtout aux États-Unis. Ces pays considèrent que la défense européenne est une perte de temps et d'argent.

Certains militaires – parmi eux, des Français et des Anglais de plus en plus nombreux – leur répondent que la pensée stratégique de l'OTAN est vieillotte et n'a pas subi, loin de là, le lifting militaire que se sont imposé les États-Unis ; que l'Alliance n'a pas su se renouveler intellectuellement pendant les années qui ont suivi la chute de l'URSS ; que son mode de raisonnement est toujours le même. La France joue un rôle particulier dans cette réflexion, puisqu'elle est à la fois dans et hors de l'OTAN, selon un schéma qui rappelle un peu la relation que le Royaume-Uni entretient pour sa part avec l'Union européenne. La France est l'un des membres fondateurs de l'Alliance, mais elle a quitté sa structure militaire intégrée en 1966. Elle continue toutefois, depuis lors, à participer aux activités des instances politiques et aux opérations militaires[1], tout en plaidant pour une défense européenne. À l'initiative de Jacques Chirac,

1. La France est l'un des principaux contributeurs à l'OTAN : 5 000 militaires français sont engagés dans les opérations de l'Alliance. Elle contribue à hauteur de 15,3 % à son budget civil, et de 13,8 % à son budget militaire.

depuis les années 90, la France a en partie réintégré l'organisation militaire de l'OTAN – le Conseil des ministres de la Défense et le Comité militaire – en contrepartie de la création d'une capacité européenne plus ou moins autonome.

Il est certain que l'OTAN a besoin d'une profonde réforme. D'aucuns en viendraient presque à souhaiter sa dissolution pure et simple pour que les États-Unis et leurs alliés de 1949 soient obligés de redéfinir leurs relations à l'aune des réalités de 2005. La probabilité d'un tel dénouement est toutefois très faible, ainsi que le suggère Georges Le Guelte, directeur de recherche à l'Institut de relations internationales et stratégiques (IRIS) : « L'OTAN offre aux États-Unis trop d'avantages commerciaux et politiques pour qu'ils s'en privent, et la plupart des Européens se passent volontiers des difficultés intérieures que leur vaudrait la définition d'une nouvelle politique de défense[1]. »

Un recadrage a tout de même eu lieu. Au sommet de Washington du 23 au 25 avril 1999 – donc quelques mois après le crucial rapprochement franco-britannique de Saint-Malo –, l'OTAN et l'Union européenne ont clarifié leurs relations. Le président Clinton, que les guerres balkaniques ont convaincu de la nécessité de prendre un certain recul en Europe, entend changer la donne. Un mois plus tôt, le 24 mars, la guerre du Kosovo a éclaté, et l'OTAN a déclenché ses frappes aériennes selon un mécanisme qui ulcère les militaires américains : alors qu'ils fournissent la quasi-totalité des moyens aériens et technologiques, ils doivent négocier presque chaque cible avec leurs alliés européens ! Ils sont furieux, et leur colère va servir de toile de fond à ce sommet de Washington. L'Alliance admet à cette occasion qu'elle n'a pas vocation à intervenir en Europe chaque fois que des

1. *Libération*, 16 septembre 2002.

tensions s'y manifestent. La secrétaire d'État Madeleine Albright formule tout de même des conditions, les trois « D » : ni découplage, ni discrimination, ni duplication. À ces réserves près, l'OTAN reconnaît la pertinence d'une politique européenne de sécurité et de défense. Elle s'engage à soutenir le développement de l'Identité européenne de sécurité et de défense (IESD) au sein de l'OTAN. L'Organisation « permettra l'accès aisé de l'Union européenne aux moyens et aux capacités collectifs de l'Alliance pour des opérations dans lesquelles celle-ci dans son ensemble ne serait pas engagée militairement en tant qu'Alliance ». Les chefs d'État et de gouvernement des dix-neuf pays membres de l'Alliance prennent acte « de la résolution de l'Union à se doter d'une capacité d'action autonome ».

Une question importante va malgré tout être laissée de côté : en cas de crise, qui, de l'UE ou de l'OTAN, va décider si cette dernière intervient ou non ? Car c'est tout de même d'un découplage euro-américain qu'il s'agit, encore timide mais bien réel. Pour calmer les inquiétudes des Européens, l'Alliance énonce, dans le sillage des trois « D », quatre principes de base[1] :

D'abord, l'OTAN et l'UE doivent coopérer dans la transparence, ce qui signifie que l'Alliance entend ne rien ignorer de ce que fait militairement l'Union, y compris quand celle-ci agit pour son propre compte.

L'Alliance rappelle ensuite les Européens à leurs responsabilités : ils sont priés de prendre les mesures nécessaires pour renforcer leurs capacités de défense pour de nouvelles missions, « en évitant les doubles emplois inutiles ». En clair, l'Union doit investir dans sa défense, mais à bon

1. Source : Opération « Force alliée » en Yougoslavie, rapport d'information 464 (98-99) – Sénat, Commission des Affaires étrangères, Xavier de Villepin, 1999.

escient, sans créer de redondances avec les capacités que l'OTAN pourrait mettre à sa disposition. Voilà pourquoi, à titre d'exemple, l'idée d'un quartier général européen autonome pour planifier les opérations, dont certains pays avaient suggéré la mise sur pied le 29 avril 2003, a été rejetée. Pour éviter les redondances, il a été décidé qu'une petite « cellule de planification » de l'UE serait installée au sein du quartier général de l'OTAN connu sous le nom de SHAPE (Supreme Headquarters Allied Powers Europe), à Mons-Casteau, en Belgique. Cette cellule serait chargée d'améliorer le déroulé des opérations militaires de l'UE ayant recours à des moyens de l'OTAN, « prêt » prévu par les accords dits de « Berlin plus[1] ».

Troisième principe : les pays européens membres de l'OTAN mais non membres de l'Union[2] devront être associés aux opérations de réponse aux crises dirigées par l'Union européenne, de manière à ne pas créer des membres de l'OTAN de deuxième catégorie. La Turquie refusera[3] d'ailleurs pendant plusieurs mois de souscrire à la nouvelle politique « Berlin plus », car elle exclut que sa participation à une quelconque opération militaire puisse être décidée par un Conseil européen auquel elle n'appartient pas. Pour donner son accord, la Turquie attendra un engagement explicite de l'Union, formulé le 13 décembre 2002, comme quoi la politique européenne de défense ne serait en aucune circonstance dirigée contre un allié de l'OTAN non membre de l'UE.

Enfin, il est entendu que l'extension du rôle de l'Union en matière de défense se doublera d'un approfondissement du concept de capacités de l'OTAN « séparables mais non sépa-

1. Les accords de Berlin de juin 1996 traitaient déjà de la coopération OTAN-UE, mais ne donnaient pas satisfaction aux protagonistes.
2. En pratique, l'Islande, la Norvège et la Turquie.
3. Réunion ministérielle de l'OTAN des 14 et 15 décembre 2000.

rées », subtilité sémantique qui reflète la volonté politique d'aménager le lien transatlantique sans le trancher. Le découplage militaire est également à l'avantage des États-Unis : ils retirent une part substantielle de leurs forces déployées jusque-là en Europe tout en maintenant une organisation qui assure leur prépondérance politique et stratégique sur le théâtre européen. Ils ont aussi accru l'intégration des forces qui en dépendent, et obtenu qu'elles puissent intervenir hors de l'aire géographique constituée par le traité de l'Atlantique Nord.

Si ténu qu'il soit, le retrait américain inquiète certains Européens de l'OTAN. Au Conseil européen de Cologne, en juin 1999, les réticences de ces Européens ont refait surface. Il a donc été de nouveau précisé que les interventions militaires européennes se limiteraient aux fameuses « missions de Petersberg », car l'OTAN doit rester le « fondement de la défense collective de ses membres ». Il n'y aura pas de « force de l'UE » à caractère permanent.

Ces précautions prises, les partisans d'une défense européenne reprennent leurs travaux. La décision de dégager des moyens européens à hauteur de l'objectif de 60 000 hommes[1] est prise un an après Saint-Malo, en décembre 1999, au Conseil européen d'Helsinki. Dans la capitale finlandaise, les États membres se font mutuellement une promesse : « En 2003, l'Union possédera des forces militairement auto-suffisantes et dotées des capacités nécessaires de commandement, de contrôle et de renseignement, de la logistique et d'autres unités d'appui au combat, ainsi que, en cas de besoin, d'éléments aériens et navals. Les pays membres doivent être en mesure de déployer ces moyens en soixante jours. »

1. Chaque pays s'engage à fournir à l'Union, en cas de crise, des effectifs dont le total se montera à 60 000 hommes.

L'Union attendra 2002 et les accords dits de « Berlin plus » pour avoir accès aux moyens de l'OTAN. Le 16 décembre 2002 est signé un Accord de partenariat stratégique en matière de gestion de crises entre l'Union européenne et l'OTAN. Grâce à cet accord, les Quinze disposent avec effet immédiat d'un accès aux moyens de logistique et de planification de l'Alliance. Il permet aux Européens de donner le coup d'envoi effectif de leur politique de défense, notamment en lui fournissant les moyens de concrétiser leur Force de réaction rapide, et de mener des missions de maintien de la paix ou à caractère humanitaire.

Le passage de relais entre l'OTAN et l'UE est devenu une réalité tangible au sommet de l'OTAN réuni à Istanbul le 28 juin 2004. En décembre 2004, la force de stabilisation (Sfor) de l'OTAN en Bosnie cédait officiellement la place à une force européenne (Eufor) mandatée par les Nations unies (résolution 1551) et organisée en fonction des arrangements « Berlin plus ». Cette mission européenne a été baptisée « Althea ». Composée de 7 000 militaires, elle est créée et agit en vertu du chapitre VII de la Charte des Nations unies. L'Europe s'est fixé pour but de lui conférer un caractère moins strictement militaire que la précédente, dans le droit fil de la Stratégie européenne de sécurité et de ses méthodes originales de gestion post-conflit. Toutefois, la « cousine OTAN » reste on ne peut plus présente. Le commandant des opérations militaires d'Althea n'est autre que le « DSACEUR », c'est-à-dire l'adjoint au commandant suprême de l'OTAN pour l'Europe. Le quartier général des opérations est basé au SHAPE, c'est-à-dire au QG de l'OTAN. L'Alliance conservera enfin en Bosnie plus de 200 personnels, notamment pour conduire la recherche de criminels de guerre.

Les opérations européennes ont commencé en mars 2003, quand l'Union a pris en charge en tant que telle sa première mission de maintien de la paix avec l'opération Concordia, dans l'ancienne République yougoslave de Macédoine (ARYM). Se fondant sur la résolution 1371 du Conseil de sécurité des Nations unies et faisant suite à « Allied Harmony », celle de l'OTAN, qui s'est achevée le 31 mars, l'opération, qui a fait appel aux moyens et capacités de l'OTAN selon le schéma « Berlin plus », a eu pour objectif principal, à la demande expresse du gouvernement de l'ARYM, de concourir à la mise en place d'un environnement stable et sûr. Elle a mobilisé 400 militaires.

Pour être honnête, la seule opération « purement » européenne s'est déroulée en République démocratique du Congo. Le 5 juin 2003, l'Union y lança l'opération Artémis, conformément à la résolution 1484 de l'ONU autorisant la mise en place d'une force multinationale intérimaire d'urgence à Bunia, dans le district d'Ituri, ainsi qu'à l'action commune du Conseil de l'Union. Cette mission avait reçu mandat de contribuer sur place à la stabilisation des conditions de sécurité et d'améliorer la situation humanitaire. Ce fut la première opération militaire menée par l'Union hors d'Europe, sans avoir recours aux moyens de l'OTAN. Placée sous commandement français, avec un effectif de 1 500 hommes, elle a été relevée le 1er septembre 2003 par la MONUC (Mission des Nations unies en République démocratique du Congo), déjà présente depuis 1999.

L'accent est toujours mis sur la gestion de l'après-guerre et sur la reconstruction de la société civile. Tel est le « plus » de l'Europe. Le 17 septembre 2004, pour illustrer cette doctrine, les ministres européens de la Défense réunis à Noordwik, aux Pays-Bas, ont avalisé la création d'une Gendarmerie européenne pour gérer les sorties de conflit. Basée à Vicenza, en Italie, et mobilisable dans un délai de trente jours, elle doit regrouper quelque 800 militaires et une vingtaine d'officiers issus de sept États membres de l'Union, dont la France. Opérationnelle au début de 2005, elle pourra être mise à disposition de l'Union ou d'autres organisations internationales comme l'ONU ou l'OTAN lors des opérations de maintien de la paix, plus particulièrement lors de la phase généralement délicate, voire chaotique, comprise entre l'intervention militaire et le retour à la vie civile.

11

Comment finira l'Europe

L'Union européenne, c'est sa « destinée manifeste », doit exporter aussi loin que possible son idéal de démocratie, de paix et de prospérité. L'Europe *est* cette idée-là. Mais, pour continuer à s'étendre sans se dissoudre, pour continuer à grandir sans s'affaiblir, pour avoir tout simplement les moyens de sa généreuse hospitalité, elle doit préserver la viabilité de ses mécanismes communautaires. La croisade bienveillante et illimitée de l'« idée Europe » n'aura de sens, de portée et de durée que si la « machine Europe » fonctionne et reste capable d'honorer sa mission première, qui est de fabriquer de la prospérité, attirant comme un aimant des pays situés bien au-delà de l'Europe historique.

C'est la « machine Europe » qui a accouché d'une monnaie unique, d'un système anti-trust draconien, de la première puissance commerciale au monde et d'un marché intérieur presque entièrement décloisonné. C'est l'« idée Europe » qui peut faire émerger un jour la bonne gouvernance et le respect des droits de l'homme dans une vaste zone allant des républiques d'Asie centrale de l'ex-Union soviétique aux pays du Moyen-Orient, au Proche-Orient et, en suivant les côtes de la Méditerranée, jusqu'au Maghreb.

Pour que son destin s'accomplisse sans que sa mission déraille, l'Union n'a pas le choix : elle doit se dédoubler. Imaginer qu'à vingt-cinq, puis à trente, voire un jour à trente-cinq, l'Union puisse progresser, dans les domaines cruciaux de son intégration, à égalité de participation de tous ses membres, voilà une fiction qui n'est pas seulement inutile, mais tout bonnement dangereuse. Le professeur Daniel Faucher (1882-1970) constatait cette impasse institutionnelle et la résumait ainsi : « L'Europe est trop grande pour être unie et trop petite pour être divisée. Son double destin est là. » Si, dans vingt ans, l'Albanie et la Macédoine rejoignent l'Union, faudra-t-il qu'elles intègrent du même coup chacune de ses institutions ? Bien sûr que non ! Ce serait mensonge que de faire croire à ces pays que l'Union peut avancer d'un seul pas. Cette homogénéité de façade n'aboutirait qu'à frustrer les pays les plus avancés et à affoler les membres les plus en retard. L'Europe peut s'étendre de l'Atlantique à l'Oural, mais l'Atlantique veut aller plus vite que l'Oural, et doit pouvoir le faire. L'Europe à plusieurs vitesses, ce n'est nullement la fin de la construction européenne – c'est sa dernière chance.

Comment procéder ? Comment résoudre la quadrature du cercle européen ? En créant des cercles, précisément : des cercles concentriques ayant des diamètres différents mais partageant tous le même centre, le même « noyau ».

Dans le premier cercle, on trouverait l'« avant-garde » des pays ayant entamé des coopérations renforcées, comme les membres de la zone euro ou ceux qui pourraient à l'avenir nouer d'étroites relations en matière de défense ou de lutte antiterroriste. Pour que ce premier cercle ait une chance d'exister un jour, il est évident qu'il faudra que l'Allemagne et la France fassent converger leurs politiques bien plus qu'aujourd'hui. Cela suppose qu'aucun de ces deux pays ne se sente lésé par l'autre. En 1994, deux responsables de la démocratie-chrétienne allemande, Wolfgang Schäuble et Karl

Lamers, avaient déjà proposé la création d'un « noyau dur » au sein de l'Union européenne, mais la France avait renâclé : l'Europe fédérale ressemblait par trop à la fédération allemande, la Commission de Bruxelles y faisait figure de futur gouvernement, et la liste des pays du noyau était fournie : elle excluait l'Italie. Ces erreurs ne seront pas reproduites.

Au-delà, le deuxième cercle accueillerait les membres « ordinaires » de l'Union qui participent aux politiques communautaires – libre-échange, concurrence, politique agricole commune, fonds structurels –, mais sans les pousser aussi loin.

Dans cette logique, le troisième cercle comprendrait les pays avec lesquels l'Union souhaite engager des « partenariats renforcés » et qui seraient géographiquement situés juste au-delà des frontières de l'Union.

Enfin, le quatrième cercle serait composé des autres partenaires de l'Union.

On peut sans risque prédire des désaccords dans certains cas : la Turquie, qui souhaite manifestement intégrer l'un des deux premiers cercles, serait peut-être bien mieux à sa place dans le troisième.

Tous les grands Européens ont cherché le moyen de résoudre les contradictions inhérentes à l'élargissement. Le dernier en date nous y oblige. Sont entrés dans l'Union dix nouveaux membres qui n'ont nullement envie de consacrer de l'énergie à la « fusion » européenne. Ils cherchent avant tout, à travers l'Europe, à s'intégrer dans l'économie occidentale et le monde libéral. Ils veulent le « marché européen » et l'aide financière qui l'accompagne. L'Europe politique et l'Europe sociale, ils s'en moquent ! C'est une Europe *light* qu'il leur faut. Celle-ci n'est pas sans vertus, mais elle ne peut satisfaire les « pionniers ».

Jacques Delors, Helmut Schmidt, Valéry Giscard d'Estaing ont tous exploré des voies distinctes, mais convergentes. Delors voulait qu'une « fédération des États-nations » composée des six pays fondateurs conclue un « traité dans le traité » afin d'entamer une réforme en profondeur des institutions européennes. Schmidt et Giscard envisageaient pour leur part un noyau à onze ou douze, recouvrant l'actuelle zone euro. Puisque la confédération en vigueur aujourd'hui n'est pas capable d'imprimer à la construction européenne le rythme nécessaire, il faudra qu'un petit groupe d'États membres constitue une avant-garde, un centre de gravité[1] comprenant plusieurs États capables de progresser sur la voie de l'intégration politique. On appliquera le principe de Hans-Dietrich Genscher qui veut qu'aucun État membre ne puisse être contraint d'aller plus loin qu'il ne peut et ne veut, mais que celui qui ne veut pas continuer d'avancer ne puisse pas non plus empêcher les autres de le faire. Pour reprendre l'expression du professeur Christian Saint-Étienne, il s'agit de « créer une Europe unie au sein d'une Europe ouverte[2] ».

La seule question sera de savoir, le moment venu, qui fera partie de cette avant-garde et si ce centre de gravité se formera au sein ou en dehors des traités. On peut déjà imaginer le développement futur de l'Europe en plusieurs étapes. D'abord, le développement de la coopération renforcée entre les pays désireux de coopérer plus étroitement que d'autres. C'est déjà le cas dans l'Union économique et monétaire ainsi que pour l'espace Schengen de libre circulation des personnes. La coopération renforcée peut encore permettre d'avancer dans le développement de l'euro, la protection de l'environnement, la lutte contre la criminalité, la politique commune en matière d'immigration et d'asile, et, bien sûr, la politique étrangère et de sécurité.

1. Joschka Fischer, *De la Confédération à la Fédération : réflexion sur la finalité de l'intégration européenne*, Université Humboldt de Berlin, 12 mai 2000.

2. *La Puissance ou la Mort. L'Europe face à l'Empire américain*, Seuil, 2004.

Si l'« idée Europe » doit s'accomplir, il ne faut cependant pas que la coopération renforcée sonne le glas de l'intégration. Comment faire ?

Au sein de l'Union, une fédération jouerait le rôle de moteur et de laboratoire. Le groupe d'États volontaires conclurait un nouveau traité européen, noyau d'une constitution de la Fédération. Sur la base de ce traité fondamental, la Fédération se doterait de ses propres institutions : un gouvernement qui, au sein de l'UE, parlerait d'une seule voix au nom des membres du groupe dans le plus de domaines possibles ; un Parlement fort, et un président directement élu. Un tel centre de gravité devrait être l'avant-garde du parachèvement de l'intégration politique et comprendre déjà tous les éléments de la future Fédération. Moyennant, bien sûr, une question épineuse à régler : pendant que l'« avant-garde » européenne poussera les feux de l'intégration, qui s'occupera de l'arrière-garde ? Celle-ci sera-t-elle une Europe au rabais ou un purgatoire, chaque État membre ayant vocation à entrer, à terme, dans le noyau central ?

Il est impossible, et il serait dangereux, de dresser à l'avance la liste des États du « noyau dur ». Il faut, en tout état de cause, que le mécanisme soit ouvert et sans exclusive. Pour ceux qui ne remplissent pas les conditions, il devra y avoir des possibilités de rapprochement. Toute la difficulté de l'entreprise sera d'autoriser le « noyau dur » à passer les vitesses sans que l'Union se déchire. Comme dit le ministre allemand des Affaires étrangères, Joschka Fischer, « il serait absurde, d'un point de vue historique, et absolument insensé que, juste au moment où elle est enfin réunie, l'Europe soit de nouveau divisée[1] ».

Un tel centre de gravité aura donc intérêt à s'élargir et devra être attrayant pour les autres membres. La dernière

1. Joschka Fischer, *op. cit.*

étape serait alors la pleine intégration de la Fédération européenne qui, à son échelle, pourrait alors mériter l'appellation d'États-Unis d'Europe. Pour le reste de l'Union, cette fédération réussie constituerait une sorte de phare et d'aimant.

Donnons, pour finir, la parole à un homme qui ne fait certainement pas partie des grands Européens. Ni vraiment enthousiaste ni vraiment sceptique, c'est un « réaliste », voilà tout, à l'image de très nombreux citoyens de l'Union :

« L'Europe, ce n'est pas une autoroute sur laquelle tout le monde va à toute allure. L'Europe, c'est un chemin de montagne difficile, abrupt. Régulièrement, les participants, qui ont commencé à six et qui maintenant sont vingt-cinq, marchent. Il y en a qui marchent un peu plus vite, d'autres un peu moins vite, parce qu'ils sont fatigués. Tout d'un coup, il y en a un qui se tord le pied dans un trou. Mais vous remarquerez que l'on n'a jamais reculé. On a toujours avancé. On a toujours avancé, plus ou moins vite, mais on a toujours avancé. On a toujours avancé pour une raison simple, c'est que c'est un phénomène inéluctable et que, profondément, tous les Européens savent qu'il n'y a pas d'alternative, qu'on ne peut pas revenir à une situation de division en Europe. Donc, quoi qu'il arrive, cela progressera. Il n'y a aucune chance que cela s'arrête. Cela progressera. Cela passera. Il y aura des crises. Vous savez, l'Europe, depuis qu'elle existe, c'est l'histoire de crises surmontées. Il y a des crises sans arrêt, mais il n'est pas d'exemple où l'on n'ait pas surmonté la crise. C'est la raison pour laquelle l'Europe finira à trente ou trente-cinq dans vingt, trente, quarante ans, comme un ensemble cohérent qui aura fait, qui aura assumé toutes les exigences. C'est inévitable, et je ne fais pas de théorie sur l'Europe. Je ne dis pas : voilà ce qu'il faut qu'elle soit. Je dis : elle sera[1]. »

1. Jacques Chirac, interview au *New York Times*, 22 septembre 2003.

CARTES

L'Union européenne

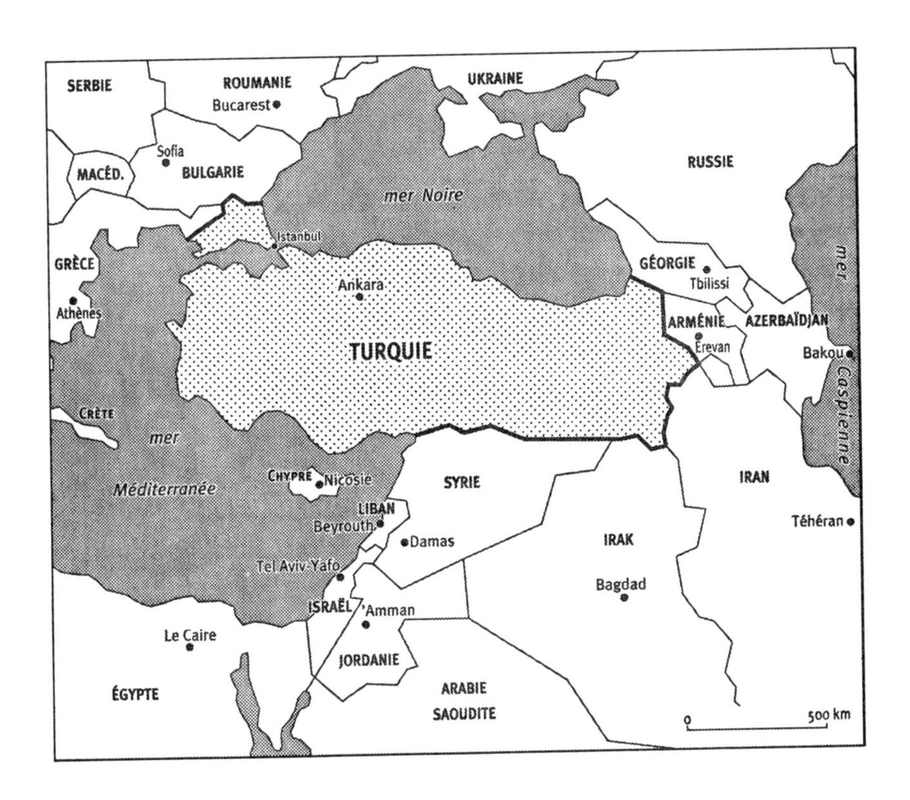

La Turquie et ses voisins

TABLE

PREMIÈRE PARTIE

La Constitution qui voulait dompter l'élargissement

DEUXIÈME PARTIE

La machine à refaire l'Europe

TROISIÈME PARTIE

L'argent de l'Europe

QUATRIÈME PARTIE

L'Europe, puissance dans le monde

CARTES

Composition :
Paris PhotoComposition
75017 PARIS

*Impression réalisée sur CAMERON par
BRODARD ET TAUPIN
La Flèche*

*pour le compte des Éditions Fayard
en février 2005*

Imprimé en France
Dépôt légal : février 2005
N° d'éditeur : 55700 – N° d'impression : 28383
ISBN : 2-213-61859-3
35-57-2059-0/01